le guide de la
chanson québécoise

7-07
A2

La publication de cet ouvrage a été rendue possible grâce à des subventions du ministère de la Culture et des Communications du Québec et du Conseil des Arts du Canada.

Mise en pages : Constance Havard
Maquette de la couverture : Raymond Martin
Distribution : Diffusion Prologue

ISBN : 2-89031-252-6
Dépôt légal : B.N.Q. et B.N.C., 4ᵉ trimestre 1996
Imprimé au Canada

Robert Giroux
Constance Havard
Rock LaPalme

le guide de la chanson québécoise

édition augmentée, revue et corrigée

Triptyque

Remerciements

Les auteurs désirent remercier Guy Saint-Arnaud pour la saisie de texte et ses remarques judicieuses; le journal *Voir* pour les précieux cédéroms; Nathalie Bastien pour l'aide à la recherche; et la revue *Chansons* pour certaines photos.

Coup d'envoi

Proposer un guide de la chanson du Québec, c'est en offrir une représentation partielle et même partiale puisqu'il faut grossir certains traits et laisser dans l'ombre ce qui n'apparaît qu'accessoire ou ornemental. Toutefois, nous avons cherché, à travers les décennies, à reconstituer le mieux possible ce que Paul Zumthor appelle les «formes-forces» de cette pratique culturelle, populaire et industrielle qu'est la chanson.

Ces formes-forces ont pu se manifester de diverses façons: être l'effet majeur d'un modèle imposé ici par une grande vedette, là par une invention technologique, une configuration idéologique mobilisatrice, ou encore un effet de mode fulgurant, autant d'aspects avec lesquels nous avons dû jongler... de manière à offrir l'itinéraire le plus cohérent possible.

D'entrée de jeu, nous n'avons pas retenu la chanson qui se pratique en langue anglaise. Elle se manifeste d'ailleurs en marge du champ de production relativement autonome que constitue la chanson francophone québécoise. Il nous a semblé indispensable de bien délimiter cette chanson québécoise, quitte à rappeler les relations multiples qu'elle entretient avec la chanson anglo-américaine en général et la chanson francophone en particulier, notamment celle de la France.

Nous n'avons pas non plus trop insisté sur la cohabitation de différents styles (musicaux), laissant sous silence par exemple la chanson folklorique traditionnelle, issue d'une double souche, la française et l'anglo-saxonne, laissant sous silence également la chanson western, très répandue aussi au Québec mais mal connue. Nous avons à peine effleuré la chanson qui nous est souvent venue de l'Acadie, de l'Ontario, de la Louisiane, etc.

Toutefois, la chanson western sera très souvent présente chez Michel Rivard ou Richard Desjardins, et «Dolorès» de Robert Charlebois en est une parodie très réussie. La chanson folklorique sera aussi très vivante chez Gilles Vigneault ou chez Paul Piché première manière, «La bittt à tibi» de Raoul Duguay en est aussi un fleuron incontesté, et que dire de l'engouement pour les "folkeux" qui se produira au cours des années 70. Enfin, les chansons d'Édith Butler, Angèle Arsenault, Zachary Richard, Robert Paquette et même Daniel Lavoie ou Roch Voisine auront suffisamment imprégné l'oreille québécoise (et son marché) pour que nous ayons la tentation légitime de nous les approprier. Ils ne nous en voudront pas.

Quand le Club de musique de la Maison Columbia veut séduire ses adhérents québécois un peu avant la période des fêtes de Noël, période propice à l'achat de disques, comme chacun le sait, il mise tout spécialement sur trois grandes figures de la chanson "traditionnelle" d'ici: La Bolduc et ses turluteries, Aimé Major et ses chansons de charme, et enfin Marcel Martel, un des pionniers de la musique western québécoise. Les promoteurs du Club Columbia font preuve d'une bonne connaissance du marché. Ajoutons Ginette Reno et Patrick Norman... Mais le public ainsi visé est un public d'un certain âge, très sensible à son héritage sonore et à ses rituels quand vont se multiplier les réunions de famille à l'époque des Fêtes. Quant au public plus jeune, le Club le bouscule à longueur d'année dans un flot continu de musique et d'images anglo-américaines, avec de temps à autre un Plume Latraverse par-ci, un Francis Cabrel par-là, ou encore Céline Dion, Les Colocs...

Le répertoire de la chanson québécoise est tout de même plus riche qu'il ne paraît au premier abord, surtout depuis les années 40, années durant lesquelles les publics se sont identifiés très profondément à une chanson produite au Québec et interprétée par des "vedettes" que le petit écran rendra encore plus familières. Cette identification s'est vite épaissie d'une signification politique, et très nombreux furent ceux qui projetèrent sur leurs chantres les espoirs d'une parole enfin déliée.

Pourtant, chanter en français au Québec n'est pas une sinécure. Et les contraintes industrielles sont rendues telles que le métier lui-même en est devenu problématique. Les carrières qui durent plus d'une génération sont pourtant assez nombreuses pour que la relève puisse se mesurer à des pairs qui donnent un sens à la pratique et une noblesse au «jeu insensé» de séduire, d'amuser et d'instruire par la musique, jusque «là où les mots butent», dirait Yves Simon en un éloge des bruiteurs. La chanson peut en effet remplir trois fonctions majeures dans une société: elle peut vouloir être une arme de combat, un instrument de contestation, d'animation populaire; elle peut également viser un but sans prétention, celui de distraire, d'amuser tout simplement, de divertir, et l'on sait ce que Pascal pensait du divertissement... et comment la radio a appris à l'endiguer; enfin, la chanson peut tendre vers l'art, se désirer œuvre artistique, quand le texte, la musique, l'interprétation et l'arrangement en font un objet global digne des arts majeurs. Chez un même artiste (auteur, compositeur, interprète ou mixeur), ces trois fonctions arrivent à coexister, et c'est tant mieux. Cette cohabitation des styles est sûrement un indice de vitalité, d'inventivité et de santé.

La chanson au Québec n'a peut-être pas la santé qu'on lui souhaiterait, le marché étant assez restreint, mais elle charrie tant d'émotions et avec une telle qualité que nous ne pouvons que lui présager une très longue vie; ici comme ailleurs dans le domaine culturel, il faut souhaiter une plus grande concertation entre les pays francophones.

Puisse ce guide général permettre une meilleure connaissance de la chanson québécoise. Puisse-t-elle surtout être entendue et appréciée à travers tous les médias susceptibles de la faire circuler, et donc de la mettre en valeur.

Robert Giroux

1

Préhistoire

Bien que les études historiques portant sur la chanson québécoise prennent très souvent comme point de départ la fin des années 20 et la découverte de La Bolduc, la chanson a toujours tenu une place de choix au cœur du peuple québécois et ce, depuis l'époque où les premiers colons vinrent s'établir sur les seigneuries de Nouvelle-France, au début du XVIIe siècle, apportant avec eux le riche bagage des traditions orales de diverses provinces françaises (principalement la Normandie et l'Île-de-France, mais aussi le Poitou, l'Aunis et le Saintonge); on évalue ainsi le corpus folklorique québécois à 50 000 chansons dont l'origine remonte au Moyen Âge.

Une de ces chansons prendra pour les Québécois une résonance particulière après la conquête britannique: il s'agit de «À la claire fontaine», qui deviendra même l'hymne des Patriotes pendant la révolte de 1837-38; dans ces circonstances, le refrain devient un chant d'amour nostalgique adressé à la mère patrie: «Il y a longtemps que je t'aime / Jamais je ne t'oublierai».

Étant donné le caractère changeant des chansons folkloriques, il était normal que ces dernières subissent quelques variantes adaptées aux réalités nord-américaines («Sur la route de Louviers» deviendra «Sur la route de Berthier») et que d'autres chansons de ce type, enrichies par les influences de la musique celtique venue d'Écosse et d'Irlande, naissent ici (notamment dans les camps de bûcherons: «Envoyons d'l'avant nos gens» et «Les raftsmen», par exemple); ainsi, dans notre corpus folklorique, une chanson sur vingt aurait vu le jour au Québec. Ce qui est peu étonnant, surtout si l'on considère l'éloignement, puis, à partir de 1760, suite à la conquête britannique, l'isolement relatif du Canada français par rapport à sa mère patrie.

Cet isolement prive également le peuple canadien d'un contact suivi avec la chanson française – qui connaît pendant le XIXe siècle un âge d'or (caveau, goguette, caf'conc') –, contact qui ne sera totalement renoué qu'avec l'avènement du disque et de la radio.

Le régime anglais et les chansons politiques

La domination britannique, toutefois, va susciter l'essor des chansons politiques: ces dernières sont le plus souvent anonymes, tout comme les chansons folkloriques, et chantées sur des timbres, mais plus éphémères parce qu'inspirées par des faits d'actualité. L'émergence du nationalisme canadien au début du XIXᵉ siècle va alimenter ce genre chansonnier qui atteindra son paroxysme avec la révolte des Patriotes de 1837-38, et qui survivra plus ou moins jusqu'à ces dernières années, dans les manifestations syndicales, par exemple.

Notons en passant que, pendant les années 30, La Bolduc chantait souvent des faits d'actualité sur des timbres folkloriques, reprenant ainsi à sa façon la forme d'expression caractéristique des chansons politiques du Régime anglais, bien que ses chansons à elle ne soient pas explicitement politisées.

L'échec de la révolte des Patriotes et l'unification du Haut-Canada anglophone et du Bas-Canada francophone, dont le but est l'assimilation à long terme de la nation canadienne à la culture britannique, seront vécus par la population canadienne comme un grand traumatisme; encore une fois, c'est la chanson qui exprime le mieux le désespoir de "l'âme canadienne": «Un Canadien errant» d'Antoine Gérin-Lajoie, composée en 1842, en est la preuve. Les décennies suivantes sont tristes: la lutte politique pour l'indépendance se mue en lutte idéologique entre libéraux (anciens Patriotes pour une bonne part) et conservateurs soutenus par le clergé. Ces derniers s'imposent progressivement tant et si bien qu'au moment où quatre provinces, dont le Québec, forment la Confédération canadienne, en 1867, ils exercent une force idéologique dont les effets se feront sentir pendant près d'un siècle, notamment sur la vie artistique et littéraire.

Du «Canadien errant» d'Antoine Gérin-Lajoie, on est passé à un «Ô Canada» (paroles d'Adolphe-Basile Routhier, musique de Calixa Lavallée) qui en dit long sur "l'évolution" des idées au sein de l'élite québécoise: «Sachons être un peuple de frères / Sous le joug de la loi; / Et répétons, comme nos pères, / Le cri vainqueur: Pour le Christ et le Roi!»

La chanson folklorique: un patrimoine à conserver

Pendant ce temps, les familles paysannes quittent, de plus en plus nombreuses, leurs terres ingrates pour s'établir en ville, à Montréal mais aussi dans les villes ouvrières de la Nouvelle-Angleterre, dans l'espoir d'obtenir un emploi sûr et de mener une vie plus facile.

Cette mutation d'une partie importante de la classe paysanne en prolétariat inquiète le clergé et les nationalistes conservateurs, pour diverses raisons, dont la plus ouvertement avancée est l'oubli dans lequel risque de sombrer la culture traditionnelle; c'est dans ce contexte que sont fondées vers 1860 les *Soirées canadiennes*, dont la devise était inspirée de Charles Nodier: «Hâtons-nous d'écouter les histoires du peuple avant qu'il ne les ait oubliées.» C'est dans cet esprit que des gens comme Hubert LaRue et surtout Ernest Gagnon publieront des recueils de "chansons populaires" qui feront autorité pendant un demi-siècle.

À la fin du siècle dernier commence également à se faire sentir, à Montréal, l'influence de la chanson française moderne, plus particulièrement la chanson de Montmartre. Cette période de la chanson québécoise demeure peu connue, bien que certains chercheurs aient commencé à s'y attaquer il y a quelques années. Nous pouvons néanmoins affirmer que la musique enregistrée ne fait pas encore l'objet d'une consommation de masse et le support privilégié, pour ne pas dire exclusif, de la chanson de l'époque est encore la scène (le parc Sohmer, par exemple, où se donnent des spectacles très courus); elle le demeurera jusqu'à la fin des années 20.

Le contexte sociopolitique

Après vingt ans de crise économique plus ou moins ininterrompue, le Québec entre, vers 1895, dans une période de prospérité. Sur la scène politique, cette période est dominée par les libéraux qui garderont le pouvoir jusqu'au milieu des années 30 en ménageant la chèvre et le chou, c'est-à-dire le clergé et la finance. Ce compromis aura des conséquences importantes sur l'évolution de la société québécoise: d'une part, le Québec s'industrialise très rapidement, mais par l'investissement de capitaux étrangers, surtout américains; d'autre part, le peuple québécois s'urbanise et se prolétarise à un rythme qui suit celui de l'industrialisation, tout en demeurant soumis à l'idéologie cléricale grâce, notamment, aux syndicats catholiques.

Cette ère de stabilité n'est troublée que par la Grande Guerre de 1914-1918 qui fera resurgir les vieux antagonismes entre Canadiens français et Canadiens anglais: ces derniers souhaitent une participation active du Canada aux côtés de la métropole britannique alors que les Canadiens français ne se sentent pas concernés par le conflit européen. Le premier ministre du

Canada, le conservateur Robert Borden, impose en 1917 la conscription... ce qui mettra le feu aux poudres. Plusieurs Québécois se réfugient dans les bois pour échapper à l'enrôlement. À Québec, des émeutes éclatent, durement réprimées par les soldats. La Première Guerre mondiale aura donc contribué à raviver les divisions ethniques au Canada.

On assiste, pendant les années 20, à un renouveau intellectuel dominé par le chanoine Lionel Groulx. Cet historien, qui influencera considérablement l'élite intellectuelle du Québec jusqu'à la fin des années 50, notamment grâce à la revue *L'Action française*, est favorable à une indépendance politique, sociale, économique et intellectuelle du Canada français. Par ailleurs, l'économiste Édouard Montpetit, tout comme son maître Errol Bouchette, veut inciter les francophones à fonder des industries afin qu'ils puissent exercer le contrôle de leur économie.

Le bouillonnement intellectuel s'intensifiera pendant les années 30, stimulé par la crise économique qui remet en question les fondements mêmes du capitalisme et de ses institutions. Le gouvernement québécois, en effet, est surpris par l'ampleur de la crise (26,4 % de chômeurs en 1932). Lui qui avait toujours adopté depuis le début du siècle une politique économique de laisser-faire doit improviser des mesures d'assistance pour soulager les chômeurs: "secours directs", travaux publics, promotion du retour à la terre. Mais toutes ces mesures se révéleront peu efficaces et il faudra attendre la Seconde Guerre mondiale, à partir de 1939, pour que la prospérité artificielle créée par l'économie de guerre résorbe le chômage de façon significative.

L'inefficacité des gouvernements face à la crise économique suscite le mécontentement tant du côté des élites qu'au sein de la population en général. Le pouvoir de négociation des syndicats est considérablement affaibli dans les circonstances, mais les sans-emploi participent à d'importantes manifestations dont les fameuses "marches de la faim" à Montréal. Les élites, d'autre part, cherchent une solution de rechange à un capitalisme que l'on croit moribond et à un socialisme qui effraie. C'est dans ce contexte que des Jésuites de Montréal et quelques laïcs rédigent en 1933 un *Programme de restauration sociale*. L'année suivante, quelques libéraux avec Paul Gouin à leur tête quittent leur parti pour former l'Action libérale nationale (A.L.N.), dont le manifeste s'inspire du *Programme de restauration sociale*. Ce programme peut être considéré, avec le manifeste de l'A.L.N., comme le prélude à la Révolution tranquille des années 60 par la volonté de libération sociale et économique qu'il exprime.

14

En attendant, l'A.L.N. s'allie au Parti conservateur et à son nouveau chef, Maurice Duplessis, pour former l'Union nationale. C'est ce nouveau parti qui mettra fin à près de quarante ans de règne libéral, aux élections de 1936. Toutefois, ceux et celles qui attendaient du nouveau gouvernement des réformes allant dans le sens d'une plus grande justice sociale seront déçus: Duplessis s'avère un ardent défenseur de l'entreprise privée et de la religion catholique, et il tente d'étouffer tout ce qui est lié de près ou de loin à la gauche. Là où il se distingue par rapport à son prédécesseur, c'est dans sa promotion de l'autonomie provinciale. Désormais, c'est ce thème qui dominera sa carrière politique.

L'entrée en guerre du Canada contre l'Allemagne en septembre 1939 fait resurgir la crainte de la conscription au Québec. Bien que le gouvernement libéral de Mackenzie King se soit engagé formellement à ne recruter des soldats pour le front européen que sur une base volontaire, ce qui a permis aux libéraux québécois d'Adélard Godbout de reprendre le pouvoir en octobre 1939, la pression du Canada anglais pousse Ottawa à revenir sur sa décision, démarche qu'il légitimera en 1942 par un plébiscite qui soulignera encore une fois le fossé séparant francophones et anglophones; comme ces derniers sont majoritaires au Canada, la conscription sera de nouveau décrétée. Le gouvernement Godbout, malgré des réformes substantielles (droit de vote accordé aux femmes, création d'Hydro-Québec à partir de laquelle s'effectuera la nationalisation des ressources hydro-électriques pendant les années 60, loi de l'instruction obligatoire, etc.), est perçu par les Québécois comme un valet du gouvernement fédéral, favorable à la conscription et à la centralisation des pouvoirs. Maurice Duplessis reprend donc le pouvoir en 1944 et le gardera pendant quinze ans.

La chanson québécoise au début du XXe siècle: premiers balbutiements

À partir du milieu des années 10, une suite de circonstances va donner une poussée importante à l'évolution de la chanson québécoise; d'abord, à partir de 1916, quelques ethnologues, dont les plus connus sont Édouard-Zotique Massicotte et Marius Barbeau, poursuivent le travail de longue haleine entrepris par Ernest Gagnon en recensant systématiquement les chansons folkloriques québécoises pour le compte de l'Université Laval où sont fondées les Archives de folklore en 1920. Ces travaux témoignent d'un intérêt qui trouve des échos au sein des populations urbaines, notamment à

Montréal; une bonne partie de ces citadins, fraîchement arrivés de la campagne, gardent un vif attachement pour une chanson qu'ils ont entendue, pendant leur jeunesse à la campagne, de la bouche de leurs parents ou de leurs grands-parents.

Cette nostalgie, jumelée au souci – ô combien noble aux yeux du clergé! – de préserver les traditions culturelles, peut expliquer l'engouement dont fait preuve, pendant les années 20, la population montréalaise à l'occasion de manifestations où le folklore est à l'honneur et dont les plus célèbres sont certainement les *Veillées du bon vieux temps* du Monument National, dont le principal animateur fut Conrad Gauthier.

Il s'agit d'un moment capital dans l'histoire de la chanson québécoise puisque cet événement rassemble une nouvelle génération d'artistes, la première d'où émergeront des vedettes nationales, à la faveur de tournées et de la diffusion de disques: des noms comme Armand Gauthier, Alexandre Bédard, Alexandre Desmarteaux, Ernest Arsenault, Ernest Nantel ont marqué cette époque, ainsi que Charles Marchand, Ovila Légaré et, bien sûr, La Bolduc dont la courte carrière et le succès (phénoménal pour l'époque) ont contribué à lui donner, dans notre imaginaire collectif, l'auréole d'un personnage légendaire comparable à Louis Cyr ou à Alexis le trotteur. Tous ces gens endisquent leurs interprétations – et parfois leurs compositions – pour les compagnies Starr, Compo, Columbia et Victor (qui deviendra RCA Victor).

La chanson de variétés

Le courant folklorique reste assez populaire pendant les années 30, mais il est quelque peu relégué en arrière-plan par les chansons de variétés (dites "chansonnettes" ou "chansons populaires") françaises et américaines que diffuse abondamment la radio; celle-ci, en effet, présente à Montréal depuis 1919, boude le folklore, jugé sans doute trop "primaire". Et l'invasion massive des radios québécoises par la chanson américaine achèvera de faire de la chanson folklorique un courant musical marginal. On peut penser aussi que, dans un contexte de crise économique, on préfère le plus souvent l'évasion et l'exotisme qu'offre la chanson sentimentale aux chansons d'actualité de La Bolduc.

Le phénomène de vedettariat amorcé avec cette dernière prendra donc son essor avec les chanteurs de charme et, à défaut de Bing Crosby ou de Tino Rossi, les Québécoises iront applaudir leurs copies conformes: Fernand Perron, Ludovic Huot, Jacques Aubert, puis Jean Lalonde, Fernand Robidoux, Robert L'Herbier, étoiles adulées mais au succès souvent éphémère dont la tradition a survécu jusqu'à nos jours, dans des atours plus modernes, avec Roch Voisine en passant par Michel Louvain.

Si ce style de chansons peut nous sembler aujourd'hui désuet, il ne faut pas oublier que pendant les années 30, les chanteurs de charme québécois ont contribué à freiner l'invasion sur les ondes radiophoniques des disques français et surtout américains. C'est aussi de ce courant des *crooners* qu'émergeront ceux qui jetteront après 1945 les bases d'une chanson québécoise originale et moderne.

En attendant, la chanson américaine jouit d'une très grande popularité, justifiant, semble-t-il, les inquiétudes du clergé qui travaillait à la préservation du patrimoine laurentien. C'est pourquoi l'abbé Charles-Émile Gadbois lance, en 1937, l'œuvre de *La Bonne Chanson*, qui veut propager les meilleures chansons de ce patrimoine. Cette entreprise, qui connaîtra pendant près de vingt ans un succès phénoménal, ne rendra pourtant pas vraiment service à la cause du folklore, donnant de celui-ci une vision tronquée et aseptisée.

Notons enfin l'apparition d'un troisième courant musical, le chant lyrique, grâce aux efforts de Lionel Daunais et de Charles Goulet: ceux-ci avaient tenté de lancer une Société canadienne d'opérette en 1925, mais l'entreprise ne durera que trois ans, faute d'argent. Un deuxième essai, en 1936, connaîtra plus de succès: il s'agit des Variétés lyriques dont les spectacles au Monument National réconcilient public d'élite et publics plus larges autour d'un répertoire composé d'airs d'opéra et d'opérette connus.

Les principaux lieux de diffusion de la chanson à cette époque sont, d'une part, les scènes populaires (parc Sohmer, Monument National, Théâtre National) et, d'autre part, les stations radiophoniques (CKAC, fondée en 1922, CHLP en 1935, et Radio-Canada, à partir de 1936). Sauf pour ce qui est de la radio d'État, les émissions et spectacles de chansons sont largement commandités par les grandes entreprises privées comme le Canadian National Railway (CNR).

La Bolduc: *Première vedette de la chanson québécoise.*

Lionel Daunais: *Un des fondateurs des Variétés lyriques.*

Les pionniers...

Marius Barbeau (1883-1969)

En enregistrant des versions de chansons et de récits issus de la tradition orale à partir de 1916 – plus de mille chansons retranscrites sur cent disques – et en fondant les Archives folkloriques en 1920, cet ethnologue a repris un travail commencé par Ernest Gagnon (1834-1915) et Édouard-Zotique Massicotte (1867-1947), soit la mise en valeur du folklore québécois et la reconnaissance par le milieu universitaire de l'intérêt que comporte la culture populaire d'ici en tant qu'objet d'étude scientifique.

L'intérêt des Montréalais de l'époque pour le folklore et la popularité des *Veillées du bon vieux temps* de Conrad Gauthier ne sont sans doute pas étrangers à l'entreprise de Barbeau. Félix-Antoine Savard, Luc Lacourcière et Conrad Laforte poursuivront son œuvre.

Roméo Beaudry

Compositeur prolifique qui réalisera des pastiches réussis de chansonnettes françaises («Ange de mon berceau», interprétée par Hector Pellerin) et des adaptations tirées de la comédie musicale américaine («Dis-leur bonjour», d'après «Say Hello to the Folks Back Home», interprétée par Albert Marier). Mais c'est en tant que directeur artistique de la compagnie Starr qu'il jouera un rôle important dans les premiers balbutiements de l'industrie de la chanson québécoise. C'est à ce titre qu'il donnera à La Bolduc sa première chance sur disque, à la fin des années 20. Sans doute apprécie-t-il chez cette dernière ses chansons qui traitent de l'actualité puisqu'il a composé, de son côté, «Votre avion va-t-il au paradis?», en 1927. Cette chanson qui faisait allusion à l'exploit de Charles Lindbergh fut un grand succès pour Albert Marier.

LA BOLDUC (Madame Édouard Bolduc, née Mary Travers) (1894-1941)

Première vedette de la chanson québécoise connue à l'échelle nationale, grâce notamment à de nombreuses tournées en province, Mary Travers est originaire de Gaspésie. Elle a grandi dans une famille où les chansons et la musique tenaient une place importante. Elle se fait connaître à Montréal en 1927, dans les *Veillées du bon vieux temps* organisées par Conrad Gauthier.

Boudée par les médias, elle n'en connaît pas moins un succès remarquable auprès de la population du Québec et même chez les Franco-Américains de la Nouvelle-Angleterre, grâce notamment à de nombreuses tournées dans les campagnes et les petites municipalités et, dans une moindre mesure, grâce à une centaine d'enregistrements dont les plus connus sont «J'ai un bouton sur la langue», «Le sauvage du Nord», «Chez ma tante Gervais», «Un petit bonhomme avec un nez pointu», «Arthémise marie le bedeau», «La pitoune», «Les maringouins», «La bastringue», «La cuisinière», «Ça va venir découragez-vous pas»...

La musique de ses chansons s'inspire des airs traditionnels; les paroles, par contre, peuvent être qualifiées de modernes dans la mesure où elles traitent parfois de sujets d'actualité, reliés entre autres à la crise économique, et ce, dans un langage populaire, voire "joualisant". C'est précisément l'aspect populaire de ces chansons qui les empêchera de tourner à la radio. Son turlutage charmera pourtant Charles Trenet qui la saluera au passage dans sa chanson «Dans les rues de Québec». Son personnage demeure associé à la décennie de la Grande Dépression, au même titre que Woody Guthrie aux États-Unis ou Édith Piaf première manière en France. Le mérite de La Bolduc sera reconnu tardivement, d'abord vers 1960 dans le mouvement d'affirmation du pays exprimé par Les Bozos et autres chansonniers de la Révolution tranquille (valorisation des musiques du terroir par Jean-Paul Filion, Jacques Labrecque, Gilles Vigneault et bien d'autres) puis pendant les vagues folkloriques de 1975 et 1990 (disque-hommage des Maringouins en 1991 et parution de quelques ouvrages consacrés au "phénomène", sans compter les intégrales parues sur disques compacts en 1993 et 1994).

Jean Carignan (1916-1988)

Remarquable violoneux au jeu mélodique inspiré du folklore celtique, surtout irlandais. Il commence à jouer en public dès l'âge de quatre ans. À onze ans, il perfectionne son art avec le violoneux Joseph Allard, à qui il rendra hommage sur disque en 1974. Pendant toute sa vie, il devra, à l'instar de plusieurs interprètes de folklore, pratiquer des métiers parallèles pour joindre les deux bouts (ouvrier d'usine, cordonnier, chauffeur de taxi...). À partir des années 50, il participe à de nombreux festivals de folklore, mais il enregistre peu, compte tenu de sa longue carrière (cinq simples et une quinzaine d'albums). Ce musicien au jeu rigoureux, authentique et original, acclamé autant par les violoneux que par les violonistes (de Louis "Pitou" Boudreault à Yehudi Menuhin!), jouira d'une reconnaissance relative pendant les années 70 (il a participé à un grand événement consacré à la musique folklorique, *La veil-*

lée des veillées, en novembre 1975), mais il doit abandonner la carrière musicale en 1978 à cause d'une surdité croissante consécutive à un emploi d'opérateur de marteau-piqueur, occupé pendant les années 40. L'Office national du film lui a consacré, en 1975, un documentaire important, *Jean Carignan, violoneux*.

Eugène Daigneault (1895-1960)

De la même génération que Charles Marchand et Conrad Gauthier (il a fait ses débuts en 1916), ce folkloriste né au Vermont est un pionnier de la radio montréalaise et y connaît une grande popularité, notamment pendant les années 40 alors qu'il anime les *Veillées canadiennes* de CKAC en compagnie d'Isidore Soucy, Blanche Gauthier et Ovila Légaré. De plus, il participe activement aux *Veillées du bon vieux temps* du Monument National pendant toutes les années que dure cet événement (1921-1941); on dit que son répertoire comportait quelques milliers de chansons folkloriques! Les générations plus jeunes se souviennent de son rôle du père Ovide dans le film *Un homme et son péché* (d'après le roman de Claude-Henri Grignon), puis dans le feuilleton radiophonique du même nom. Il jouera également ce rôle à la télévision jusqu'à sa mort; c'est son fils Pierre qui prendra alors la relève.

Lionel Daunais (1902-1982)

A contribué à l'implantation de l'art lyrique au Québec en fondant, en 1932, le Trio lyrique puis, avec Charles Goulet en 1936, les Variétés lyriques

qui connaîtront pendant vingt ans un succès remarquable tout en permettant au public de découvrir plusieurs belles voix québécoises (Yoland Guérard, Pierrette Alarie, Robert Savoie...).

Bien avant Fernand Robidoux, il se soucie d'écrire des chansons populaires qui soient authentiquement canadiennes sans verser carrément dans le folklore («Les patates seront bonnes cette année», «C'était un petit chien de laine», «Les perceurs de coffres-forts», «La tourtière»), annonçant ainsi le mouvement des auteurs-compositeurs-interprètes de l'après-guerre (années 40 et 50) dans lequel il sera d'ailleurs très actif.

Paul Dufault (1872-1930)

Un des maîtres interprètes de la chanson romantique urbaine. Entre 1906 et 1921, il enregistre une centaine de disques en français et en anglais dont le plus célèbre est certainement «Obstination».

Charles-Émile Gadbois (1906-1981)

Inspiré par *La Bonne Chanson* du barde breton Théodore Botrel, l'abbé Gadbois créa et promut, de 1937 à 1955, *La Bonne Chanson* québécoise, qui comprend plus de cinq cents chansons réparties en dix recueils. L'œuvre connut un succès phénoménal et marqua toute une génération par sa grande diffusion dans les écoles et les familles québécoises. Ses interprètes reconnus, sur disque et en spectacle, étaient André Bruneau, François Brunet, Paul-Émile Corbeil et Albert Viau.

Il s'agit de la première grande tentative d'endiguer l'influence grandissante de la chanson française et américaine moderne à la radio. En ce sens, Gadbois est un précurseur des Robidoux et L'Herbier, mais il poursuit des buts différents: en sauvegardant nos "meilleures" chansons – c'est-à-dire les plus édifiantes au point de vue moral –, on contribue à la sauvegarde de notre héritage canadien-français et catholique face au dangereux mirage américain.

Par ailleurs, l'esprit de gaieté familiale et de nostalgie associé à *La Bonne Chanson* aura une certaine influence sur le style des chansonniers des années 60, qui ont grandi dans un tel environnement.

Mgr Charles-Émile Gadbois

Ernest Gagnon (1834-1915)

Un des pionniers des recherches musicales et folkloriques au Québec. Il a notamment publié le recueil *Chansons populaires du Canada* qui connut de nombreuses éditions et réimpressions de 1865 au milieu du XXe siècle. Il faudra cependant attendre les travaux d'un Édouard-Zotique Massicotte et surtout d'un Marius Barbeau pour que les recherches folkloriques québécoises prennent leur véritable essor.

Conrad Gauthier (1885-1964)

Cet artiste qui, en 1918, créa une «première» québécoise en enregistrant un disque à New York (pour Columbia) avait tous les talents puisqu'il s'illustra au théâtre, sur disque, à la radio et même à la télévision. On lui doit également un certain nombre de compositions et d'adaptations de chansons folkloriques; cependant, nous voulons surtout souligner ici son rôle d'animateur des *Veillées du bon vieux temps*, à partir de 1921, au Monument National de Montréal, d'où émergèrent ou se consolidèrent plusieurs talents, dont ceux d'Ovila Légaré, Isidore Soucy, Hector Charland, Alfred Montmarquette, Eugène Daigneault et La Bolduc. Une de ses chansons les plus connues était «Souvenirs d'un vieillard».

Jean Lalonde (1914-1991)

Réplique canadienne de Bing Crosby, dont il interpréta d'abord les succès en anglais à Ottawa. Puis il déménagea à Montréal où, à partir de la fin des années 30, il chanta les mêmes succès, mais en français, ainsi que les ballades populaires de France («Sous le pont des soupirs»). Il est, avec Fernand Perron, Jacques Aubert et Ludovic Huot, un des premiers *crooners* (chanteurs de charme) québécois. Sa popularité lui a valu le surnom de "Don Juan de la chanson".

Le Soldat Lebrun (Roland Lebrun) (1919-1980)

Bien que son succès n'ait duré que le temps d'une guerre, Roland Lebrun a exercé une profonde influence sur la chanson québécoise de cette époque. D'abord, son succès fut phénoménal, au point où, au Québec, il vendait autant de disques que Bing Crosby, Tino Rossi ou Charles Trenet, exploit remarquable à cette époque.

Ensuite, il contribua à populariser la guitare qui remplacera presque le violon comme instrument national pendant la vague des chansonniers des années 60; et, surtout, par son jeu de guitare chaloupé, sa voix nasillarde et sa thématique (qui repose pour une bonne part sur une perception populaire de la religion et sur l'amour maternel), il fut, sans le savoir, le premier chanteur western québécois.

Bien qu'il ait passé tout le temps de la guerre à la base militaire de Valcartier, il a su, dans ses chansons, décrire avec une simplicité et une naïveté désarmantes, qui s'accordaient bien à la sensibilité d'un public qui venait de perdre La Bolduc, la douleur du soldat qui va risquer sa vie, loin de ses parents et de sa bien-aimée («L'adieu du soldat»). Ce genre de propos explique à la fois l'ampleur et les limites du succès de Roland Lebrun; car s'il est vrai qu'il a donné après la guerre d'autres spectacles très courus, ces spectacles étaient plus axés sur la nostalgie que sur la promotion de nouveau matériel.

Ovila Légaré (1901-1978)

Une carrière remarquablement longue (plus de cinquante ans!) et bien remplie de comédien, d'auteur-compositeur et d'interprète. Il fait ses débuts, en 1920, comme animateur des *Soirées de famille* organisées par Édouard-Zotique Massicotte au Monument National, qui seront remplacées, en 1921, par les *Veillées du bon vieux temps* de Conrad Gauthier. Il participera à plusieurs tournées provinciales avec de nombreux artistes dont La Bolduc avec qui il enregistrera quelques duos («La bastringue», «Mademoiselle dites-moi donc»). La Bolduc, de son côté, accompagnera Légaré à la guimbarde dans ses chansons comiques – on lui doit, par exemple, «Faut pas se faire de bile» et «Des mitaines pas d'pouces» interprétées entre autres par Jacques Labrecque, et «Cré quéteux», reprise récemment par La Bottine souriante.

Par la suite, il sera surtout connu comme comédien (son rôle le plus célèbre est sans doute celui de Didace Beauchemin dans l'adaptation télévisée du roman de Germaine Guèvremont, *Le Survenant*) mais continuera à endisquer sporadiquement jusqu'à sa mort, survenue à la fin des années 70, alors qu'un jeune public commençait à redécouvrir un folklore dont Légaré, avec Charles Marchand, avait fortement contribué à la diffusion... plusieurs années auparavant.

Léo Lesieur (1897-1983)

Auteur-compositeur d'origine franco-américaine. Une de ses chansons, «Toudiladitou», sera interprétée avec un certain succès par Ray Ventura en 1938. Lesieur est aussi un auteur-compositeur qui s'efforce d'écrire des chansons ressemblant davantage aux chansons françaises ou américaines qu'aux chansons d'inspiration folklorique de La Bolduc ou d'Ovila Légaré («Bonsoir, mon amour», «Pourquoi», «Votre cœur en retour», «Maman»...). En ce sens, il est, avec Lionel Daunais, un précurseur du mouvement qui se cristallisera dix ans plus tard autour de Robidoux et L'Herbier en faveur d'une "chanson canadienne" moderne. Lesieur écrira aussi des chansons pour Fernand Perron dans les années 30 et pour Lucille Dumont dans les années 40.

Charles Marchand (1890-1930)

Pratiquement oublié aujourd'hui, Marchand a été l'un des folkloristes les plus actifs et les plus connus au Québec avant 1940. Il fait ses débuts à Ottawa en 1910, puis à Montréal en 1919. En plus d'endisquer pour Edison, Starr et Columbia, il fonde avec Maurice Morissette *Le Carillon*, en 1926, revue qui traite de chansons et de contes traditionnels, et l'année suivante, il est le directeur artistique du premier Festival canadien de chansons, danses et métiers organisé par le Canadien Pacifique au Château Frontenac à Québec. À cette occasion est fondé le groupe Les Troubadours de Bytown avec lequel Marchand enregistrera à l'occasion.

Édouard-Zotique Massicotte (1867-1947)

Dans la lignée d'Ernest Gagnon et en collaboration avec Marius Barbeau, Massicotte a fait des recherches sur l'évolution de nos traditions. On lui doit aussi l'organisation des premières *Soirées du bon vieux temps*, à la salle Saint-Sulpice de Montréal en 1919, qui permirent, parmi d'autres, à Ovila Légaré de faire ses preuves.

Ernest McMillan

La chanson «Dans tous les cantons» est très populaire au Québec, mais à cause de son style musical, d'aucuns croient qu'il s'agit d'une vieille chanson traditionnelle, au même titre que «À la claire fontaine». Or, il n'en est rien: «Dans tous les cantons» est une composition de McMillan, primée au concours de la chanson du CPR Québec en 1930.

Hector Pellerin (1887-1953)

Baryton-vedette de l'"écurie" Victor au Québec pendant les années 20. Pellerin, qui s'accompagne souvent au piano, enregistra plus de deux cent vingt-cinq chansons dont plusieurs créations québécoises («Ne fais jamais pleurer ta mère» de Roméo Beaudry).

Fernand Perron

En n'interprétant que des chansons d'amour françaises, ce chanteur originaire de Sherbrooke, surnommé le "Merle rouge", devint le premier chanteur de charme québécois à la fin des années 20 («Y'a des loups» fut l'un de ses premiers succès). Sa popularité était telle qu'on le comparait à Tino Rossi et à Bing Crosby: ainsi, parmi les femmes qui assistaient à ses spectacles, certaines pleuraient ou s'évanouissaient. Mais comme le succès des chanteurs de charme est souvent éphémère, l'étoile de Perron perdit vite de son éclat au profit de nouvelles vedettes à qui il avait ouvert la voie: Jean Lalonde, Fernand Robidoux, Robert L'Herbier et, beaucoup plus tard, Michel Louvain.

Quatuor Alouette (1930-1965)

Groupe vocal formé en 1930 et qui se donne comme objectif «l'interprétation artistique de belles chansons du terroir canadien». Le quatuor acquerra au cours de sa carrière une renommée internationale.

ALYS ROBI (1923)

«La reine des années 40», comme l'a écrit Luc Plamondon dans la chanson-hommage «Alys en cinémascope», interprétée en 1979 par Diane Dufresne. Elle a connu une carrière houleuse où se côtoient gloire et déchéance. Née Alice Robitaille, elle chante dès l'âge de sept ans dans une station de radio de Québec. Mais c'est dix ans plus tard, pendant la Deuxième Guerre mondiale, que sa gloire atteint son apogée; bien qu'elle ait touché plusieurs styles musicaux avec assez de bonheur, elle fera surtout sa marque avec des chansons "exotiques" comme «Brésil», «Besame mucho», et surtout «Tico-tico» – dont elle a écrit les paroles en français – qui lui valent une réputation internationale auprès d'un public varié comprenant aussi bien soldats que membres de la famille royale d'Angleterre.

Toutefois, l'essor de cette carrière internationale est brisé par un tragique accident survenu aux États-Unis en 1947, alors qu'Alys Robi faisait un bout d'essai pour être la vedette d'un film à Hollywood. Hospitalisée pendant cinq ans dans un institut psychiatrique, elle doit subir, à sa sortie, les railleries et les risées d'un auditoire qui, dix ans auparavant, la vénérait, et elle fait face à l'obligation humiliante de se produire dans des clubs de deuxième classe. Il faudra de longues années d'efforts et d'acharnement pour qu'elle soit partiellement réhabilitée dans l'appréciation du public.

Elle participe sporadiquement à des émissions de variétés à la télévision et à des tournées-rétrospectives jusqu'en 1990, alors qu'elle tente un retour avec une chanson d'Alain Morisod, «Laissez-moi encore chanter». Sa persévérance porte fruit au milieu des années 90, alors que ses succès sont réédités sur disques compacts et qu'elle chante, pour la première fois, à la Place des Arts. Une série télévisuelle lui est aussi consacrée en 1996. Notons enfin que, parallèlement à la chanson, elle s'implique beaucoup dans la cause de la maladie mentale.

Alys Robi

Oscar Thiffault (1912)

Chanteur originaire de l'Estrie qui n'est pas sans rappeler La Bolduc par une thématique qui fait appel à l'actualité («Le Rocket Richard»), son humour s'approchant parfois du non-sens («Il mouillera pus pantoute»), et, à l'occasion, l'affirmation d'une identité exprimée en toute simplicité avec une pointe d'ironie («Je parle à la française», reprise par La Bottine souriante en 1981). Mais sa chanson-fétiche demeure «Le rapide blanc» dont le fameux "awignahein" est connu de tout bon Québécois qui se respecte.

Ovila Légaré: Une carrière de plus de cinquante ans.

26

2

1945-1957: Gestation et naissance d'une conscience chansonnière

La Seconde Guerre mondiale a eu des conséquences immédiates sur l'évolution de la planète dont la plus importante est probablement d'avoir brisé de façon irréversible les différentes formes d'isolement qui pouvaient encore subsister chez certains peuples. La Terre est en train de devenir un "village global", tendance que les progrès technologiques des médias et des communications ne feront que confirmer. Le Québec s'inscrit lui aussi dans ce mouvement de solidarité planétaire en émergence; du côté culturel, notamment, on découvre ce qui se fait ailleurs et on s'en inspire pour créer des œuvres davantage adaptées aux réalités des temps modernes. Cette modernisation de notre culture était déjà amorcée avant 1939, mais après la guerre, elle prendra une ampleur irrésistible et triomphera, à partir de la fin des années 50, des institutions traditionnelles avec la Révolution tranquille.

Des grèves qui font du bruit

Malgré la réélection de Duplessis en 1944 et son maintien au pouvoir jusqu'à sa mort en 1959, le Québec est en ébullition: les mineurs d'Asbestos, en 1949, et de Murdochville, en 1957, déclenchent des grèves durement réprimées mais qui suscitent la sympathie populaire. Des intellectuels fondent des revues (*Cité libre*, *Vrai*...) et y prennent la parole pour dénoncer l'idéologie traditionaliste qui maintient le Québec dans un obscurantisme quasi moyenâgeux.

Ces intellectuels, dont certains ont une formation en sciences sociales, discipline alors relativement nouvelle, définissent par tâtonnements un nouveau nationalisme plus orienté vers la gauche, qui ne repose plus sur la religion et les traditions, mais sur le progrès et la justice, et qui donne à l'État plus de responsabilités sociales à cet égard. Ce nouveau nationalisme commence à porter des fruits en 1960 avec la victoire des libéraux.

Entre la radio et les cabarets

Pour la chanson québécoise, le fait marquant de l'immédiat après-guerre est la prise de conscience de la présence envahissante de la chanson américaine sur nos ondes. Cette prise de conscience existait déjà pendant les années 30, mais elle n'était encore que le fait de quelques individus. Quant aux rares initiatives qui étaient prises pour contrer l'invasion américaine (dont la plus importante demeure l'entreprise de *La Bonne Chanson* menée par l'abbé Gadbois), elles étaient plus souvent qu'autrement prises par des membres du clergé et autres adeptes d'un nationalisme traditionnel.

Le mouvement qui se manifeste à partir de 1945 voit converger les énergies de plusieurs personnes bien déterminées à limiter la diffusion non seulement américaine, mais aussi française, de façon à faire une place à une chanson québécoise non plus uniquement folklorique, mais aussi résolument moderne, une chanson qui soit faite par des gens d'ici pour un public avant tout québécois (ou "canadien", comme on dit encore à l'époque) et qui ne passe plus sous silence les nouvelles réalités que vit ce public (la vie urbaine, par exemple...). Ces pionniers d'une conscience chansonnière moderne et spécifiquement québécoise ont donc contribué à leur façon à la préparation de la Révolution tranquille.

En tête de liste de ces pionniers, il faut signaler Fernand Robidoux, animateur radiophonique et chanteur, qui tentera des expériences assez casse-gueule pour l'époque (revue musicale *Coquetel '46* et quelques 78 tours enregistrés à Londres, ne comportant que du matériel québécois); mais sa persévérance finira par payer et il trouvera des alliés sûrs en des gens comme Robert L'Herbier, auteur-compositeur à ses heures et surtout interprète dévoué à la cause d'une chanson québécoise, et une nouvelle génération qui fera sa marque pendant les années 50, dont les figures les plus connues demeurent Raymond Lévesque et Jacques Blanchet.

Les efforts de Robidoux et L'Herbier sont imités à Radio-Canada par un animateur du nom de Guy Mauffette qui, dès 1942, avait donné son appui à un jeune auteur-compositeur-interprète originaire de la Mauricie, Félix Leclerc. En 1951, on le retrouve à la barre de l'émission *Baptiste et Marianne* qui se révéla être un important creuset de la chanson "canadienne".

D'aucuns se souviennent également d'une autre émission de Mauffette intitulée *Le cabaret du soir qui penche*.

Parallèlement à ces initiatives qui trouvent leur principal lieu d'exercice à la radio, un autre mouvement va favoriser – moins directement, toutefois – la naissance d'une chanson québécoise: il s'agit de la vogue des cabarets. Ceux-ci existaient depuis les années 30, mais ils étaient calqués sur le modèle américain. À la fin des années 40 et au début des années 50, le Faisan doré puis le Saint-Germain-des-Prés innovent en présentant à un public hétéroclite de la chanson surtout française, ce qui est une autre façon de contrer l'influence de la chanson américaine.

L'époque de ce qu'on a appelé "les nuits de Montréal" – on pourrait aussi parler des "nuits de Québec" avec des boîtes comme Chez Gérard, administrée par Gérard Thibault – a fait connaître au public québécois de nouveaux artistes français (Charles Aznavour, Mouloudji, Les Frères Jacques...) mais aussi de jeunes interprètes locaux (Fernand Gignac, Monique Leyrac).

En 1950, les Français, à leur tour, découvrent la "chanson canadienne", personnifiée par un solide gaillard sorti de nulle part et dont la gueule de bûcheron contraste avec la tendresse de sa poésie: Félix Leclerc avait consenti à se produire en France sans trop y croire; quarante ans plus tard, il demeure, avec Vigneault et Charlebois, l'artiste québécois le plus connu et le plus populaire auprès du public français. Ce succès étonne d'abord; puis d'autres artistes d'ici veulent aussi tenter leur chance... avec un succès qui est moins grand que celui de Félix, mais tout de même remarqué. Des gens comme Raymond Lévesque, Aglaé ou Guylaine Guy connaîtront pendant quelques années une popularité non négligeable en France.

L'apparition de la télévision en 1952 offre une autre tribune de choix à la nouvelle chanson québécoise; Robert L'Herbier et Rollande Désormeaux, Raymond Lévesque et Colette Bonheur animent des émissions qui contribuent à faire naître de nouveaux auteurs-compositeurs. L'apogée de cette effervescence est la création du Concours de la chanson canadienne en 1956 qui, par la participation massive et enthousiaste qu'il suscite, prouve hors de tout doute que notre chanson est désormais bien vivante.

La volonté de rupture de l'avant-garde

Après avoir connu une prospérité sans précédent due à leur situation d'oligopole pendant la guerre, les maisons d'édition québécoises doivent à nouveau faire face à la concurrence française après la guerre et, en moins de cinq ans, l'édition de la littérature québécoise subit un recul dramatique.

Félix Leclerc*: Il a inspiré Brassens et Brel.*

La fin des années 40 voit également naître une polémique entre écrivains français et québécois qui a pour objet l'autonomie de la littérature d'ici par rapport à la littérature française. Cette polémique fait l'objet d'un livre de Robert Charbonneau, *La France et nous*, paru en 1948. Pendant cette même année est créée la pièce *Tit-Coq* de Gratien Gélinas, qui marque la naissance d'un théâtre québécois moderne et qui connaîtra ici un énorme succès. Enfin, toujours en 1948, paraît un court texte qui stigmatisera la volonté de rupture animant l'avant-garde culturelle vis-à-vis un Québec sclérosé dans ses traditions, faisant figure d'anachronisme à l'âge de la bombe atomique et de l'existentialisme: *Refus global* suscitera de tels remous que son auteur, le peintre Paul-Émile Borduas, sera contraint de s'exiler. Ce qui, à l'époque, ne semblait qu'une petite révolte vite écrasée et oubliée deviendra, avec la Révolution tranquille, un véritable symbole de la lutte pour la libre expression.

Les années 50 sont sans contredit la décennie de la poésie québécoise moderne: on voit naître, en effet, plusieurs petites maisons d'édition véritablement artisanales, fondées et menées par des gens qui apprennent courageusement leur métier sur le tas. Plusieurs de ces maisons ne survivront pas à la décennie, mais elles n'en laisseront pas moins des recueils importants, témoignant d'un foisonnement de poètes modernes qui continueront de faire leur marque pendant les années 60, surtout aux éditions de l'Hexagone.

Le style dominant: la ballade

Comme la chanson québécoise n'en est encore qu'à ses premiers balbutiements, les textes, souvent, sont empreints d'une certaine naïveté qui exclut, par exemple, les propos engagés. Le style dominant semble être celui de la ballade, de la "chanson d'amour". Ici et là, certains auteurs réussissent tout de même à exploiter une certaine veine poétique. Mais cette période voit surtout naître de très belles mélodies, qui n'ont rien à envier à leurs concurrentes américaines et françaises.

Le style folklorique connaît également un regain de popularité: en témoignent trois grands succès, «Les fraises et les framboises» et «Prendre un verre de bière mon minou» pour la famille Soucy et «Le rapide blanc» pour Oscar Thiffault, dont les ventes dépassent les cent mille exemplaires. Cette popularité du style folklorique est telle qu'on en retrouve l'influence dans la chanson de variétés; on n'a qu'à penser à «La chanson d'Aglaé», écrite par Lionel Daunais.

Il faut également souligner la présence d'un courant musical apparu dans l'après-guerre, à la suite du succès phénoménal du Soldat Lebrun: le western. Après plusieurs années de grande popularité, à laquelle ont contribué des vedettes comme Willie Lamothe, Marcel Martel et Paul Brunelle, ce genre sera progressivement marginalisé à partir de la fin des années 50, avec la mise en place et l'organisation d'une industrie du disque locale.

Willie Lamothe: *«Je chante à cheval, m'accordant sur ma guitare»*...

Quelques auteurs de ce temps-là...

Aglaé (1933-1984)

Née Jocelyne Deslongchamps, elle débute au Faisan doré en 1950; Pierre Roche, accompagnateur de Charles Aznavour, la découvre, l'épouse et promeut sa carrière française. Son pseudonyme lui vient d'une chanson de Lionel Daunais, «La chanson d'Aglaé», qui fera connaître son interprète au public français à partir de 1952. Cette chanson, ainsi qu'une version du «Sauvage du Nord» (composition de La Bolduc), sont typiques du répertoire d'Aglaé, qui cultive un accent du terroir appuyé mis au service de textes fantaisistes.

Vers 1960, sentant le vent de la gloire tourner, elle revient s'établir au pays natal où elle tient un piano-bar avec son mari, dans les environs de Québec. Elle met fin à sa carrière en 1966.

Hélène Baillargeon (1916)

Son travail d'assistante auprès de Marius Barbeau au Musée national de l'Homme à Ottawa, entre 1950 et 1955, lui permet de se constituer un bon répertoire de chansons folkloriques qu'elle interprétera à l'occasion de nombreuses émissions de radio et de télévision tout au long des années 50 et 60, parmi lesquelles l'émission télévisée pour enfants *Chez Hélène* dont elle est l'animatrice. Sa carrière artistique prend fin en 1974 alors qu'elle est nommée juge à la Cour de la citoyenneté canadienne. Un an auparavant, elle avait reçu la médaille de l'Ordre du Canada pour avoir popularisé le répertoire folklorique auprès des Canadiens mais aussi à l'étranger.

Guy Bélanger

Personnalité de la radio, puis auteur-compositeur, il a contribué à l'émergence d'une chanson "canadienne" en produisant, à la fin des années 40, une série d'émissions consacrées à cette chanson naissante, série à laquelle il intégrera Fernand Robidoux. Avec ce dernier, il retravaille des chansons que lui envoient des auditeurs. Bélanger semble être doué pour la quête de talents nouveaux et, au début des années 70, il fait partie des conseillers assignés au concours amateur télévisé *Découvertes*, qui ne connaîtra malheureusement pas l'impact escompté.

Jacques Blanchet (1931-1981)

Faisant partie de la première génération de chansonniers québécois avec Félix Leclerc et Raymond Lévesque, Blanchet a joué un rôle-clé dans l'avènement d'une chanson "canadienne" soucieuse de son importance et de grande qualité.

Dans un premier temps, on le retrouve dans l'équipe de jeunes auteurs-compositeurs qui entoure Fernand Robidoux pendant son émission radiophonique, *Ici Fernand Robidoux*, au début des années 50, à CKAC. Cette émission fut en quelque sorte, avec *Baptiste et Marianne* de Guy Mauffette sur les ondes de Radio-Canada, un laboratoire de la chanson québécoise moderne, ne serait-ce que par la présence d'auteurs-compositeurs qui participeront, à partir de 1956, au Concours de la chanson canadienne. Blanchet en sera et sa chanson «Le ciel se marie avec la mer» remportera le premier prix de la première édition du concours, ce qui marque le sommet de sa carrière.

Jacques Blanchet

Dans un deuxième temps, en tant que participant à l'expérience des Bozos (où il remplace Claude Léveillée pendant quelques mois), il donne un sérieux coup de pouce à une deuxième génération, marquante, de chanson-

niers (Brousseau, DesRochers, Ferland, Léveillée). Puis, malgré une production de qualité où son style chansonnier s'enrichit notamment de l'influence du jazz («Les amis», «Douces souvenances»), il sombre progressivement dans l'oubli tant et si bien que sa mort ne suscitera que peu d'attention, malgré le beau disque-hommage réalisé par sa nièce Marie-José Thériault et par André Gagnon (*Marie-José Thériault chante Jacques Blanchet*).

Paul Brunelle (1923-1994)

Un des pionniers les plus célèbres du western québécois, avec Marcel Martel et Willie Lamothe. Dès l'âge de sept ans, il chante dans une chorale de Granby, sa ville natale. Au milieu des années 40, dans la foulée du succès du Soldat Lebrun et surtout de Willie Lamothe, il compose ses premières chansons: parmi celles-ci, c'est «Femmes que vous êtes jolies» qui le fera connaître. Sa popularité est très grande pendant les années 50, alors qu'il effectue plusieurs tournées. Par la suite, même s'il est quelque peu marginalisé à cause de son style western, il demeure adulé par un public amateur de ce genre musical et participe à de nombreuses émissions de folklore ou de western.

Il est dommage qu'un public trop préoccupé par les sonorités à la mode ait pu bouder un artiste aussi talentueux: contrairement au cliché qui veut que les chansons western d'ici soient d'une pauvreté et d'une monotonie désespérantes, les pièces de Brunelle savent capter l'attention par une instrumentation variée (accordéon, *pedal-*

steel guitar) et des influences puisant avec un même bonheur autant dans le rockabilly («Le train qui siffle», «Le rock de grand-mère», «Quand la lune deviendra dorée», version d'un succès d'Elvis Presley) que dans la valse musette («Le cow-boy des montagnes»). Sans compter que ce cow-boy aux mots simples sait parfois créer des vers qui, malgré leur désuétude, brillent par rapport à la plupart des paroles de chansons du même genre: «Femmes que vous êtes jolies / Quand vous avez seize printemps / Et que vos grands yeux innocents / Sur chaque rose s'extasient» («Femmes que vous êtes jolies»).

En 1982, ce chanteur qu'on a souvent comparé à Ernest Tubb pour la sincérité de sa voix (il maîtrise à merveille le *yodel* ou chant à la tyrolienne) et l'authenticité de ses chansons mettait fin à sa carrière pour cause de maladie, après avoir produit près de soixante simples et une vingtaine de microsillons. Ses chansons les plus connues sont «Destin cruel», «Le train qui siffle», «La marche des cavaliers» et, dans les années 70, «Poupée d'amour».

Estelle Caron (1926)

Cette artiste qui s'est produite au Faisan doré à la fin des années 40 fut la première à interpréter les compositions de Jacques Blanchet. Elle connaîtra une belle carrière pendant les années 50 avec des succès comme «Toi, tu es tout pour moi» (1957).

Clairette (1919)

D'abord comédienne dans des films de Pagnol (*avé l'assent de song pays*), puis chanteuse dans des revues, Clairette met les pieds au Québec pour la première fois en 1949, avec la troupe de Georges Guétary.

Elle établit définitivement domicile ici à la fin des années 50, se consacrant à l'animation chansonnière par le biais de boîtes à chansons, d'abord La Boîte à Clairette, puis Chez Clairette, de 1962 à 1972.

"Mère supérieure" a vu les premiers pas de nombreux artistes: Diane Dufresne, Robert Charlebois, Sylvain Lelièvre et sa sœur Danielle Oddera. La communauté reconnaîtra son aide précieuse en lui remettant un trophée lors du Gala des artistes de 1964.

Rollande Désormeaux (1926-1963)

Cette chanteuse-accordéoniste se fait connaître à Radio-Canada pendant les années 40, aux *Joyeux troubadours*. C'est là qu'elle rencontre celui qui deviendra son mari: Robert L'Herbier. Pendant plus de dix ans, ils forment le couple le plus populaire du Québec (prix Miss Radio pour Rollande Désormeaux en 1948). On se souvient également de *Rollande et Robert*, l'émission de télévision qui ouvrit la voie au Concours de la chanson canadienne. En 1963, elle meurt des suites d'une longue maladie, âgée d'à peine 37 ans.

Serge Deyglun

Pendant les années 50, on peut le voir et l'entendre chanter du western parodique dans les cabarets de Montréal, plus particulièrement au Saint-Germain-des-Prés. Ses chansons ont grandement influencé Plume Latraverse (qui lui a dédié la chanson «Herbe bleue») et ont motivé ce dernier à composer en français. Pendant les années 70, Deyglun tient une chronique de chasse et pêche dans le journal *La Presse* jusqu'à sa mort en 1972. Il a également publié de la poésie.

Lucille Dumont (1919)

Bien qu'elle commence sa carrière artistique au milieu des années 30, ses efforts ne seront couronnés qu'une dizaine d'années plus tard, plus précisément en 1947 alors qu'elle est la première chanteuse à être élue Miss Radio par les lecteurs de l'hebdomadaire *Radiomonde*. Deux ans plus tard, elle créera une chanson de Ray Ventura, «Insensiblement». Dès lors, elle mènera une brillante carrière pendant les années 50 et, dans une moindre mesure, les années 60. Elle a eu le courage – il en fallait à cette époque! – d'inclure dans son répertoire des auteurs d'ici, dont Léo Lesieur et Jacques Blanchet. De ce dernier, elle interprétera «Le ciel se marie avec la mer» lors du gala du premier Concours de la chanson canadienne, en 1957.

Par la suite, elle délaisse progressivement sa carrière d'interprète pour se consacrer à l'enseignement du chant à partir de 1968. Elle a enregistré, pendant les années 60, deux microsillons comportant des chansons écrites par de jeunes auteurs-compositeurs (Jacques Blanchet, Pierre Calvé, Stéphane Venne et Michel Conte) et animé, entre 1961 et 1973, plusieurs émissions de télévision où elle faisait la promotion du répertoire québécois.

Lucille Dumont

Marc Gélinas (1937)

Cet auteur-compositeur-interprète au talent précoce (à 18 ans, il compte déjà quelques années d'expérience dans ce domaine) se fera surtout connaître pendant les années 60, après avoir interprété «Va mon petit gars» (chanson gagante du Concours de la chanson canadienne en 1959).

On peut déjà noter que son écriture, bien que de grande qualité («Aide-toi, le ciel t'aidera», «Romance», «Boucles blondes»), se situe en marge des grands chansonniers d'alors (Blanchet, Lévesque, Leclerc), parce que de veine plus populaire que poétique.

(À suivre)

Guylaine Guy (1929)

Elle fait ses débuts au Faisan doré en 1950, puis poursuit sa carrière dans le circuit des cabarets et à la télévision. Après un court passage à Broadway en 1954, en tant que doublure dans la comédie musicale *Can-can*, elle devient la protégée de Charles Trenet qui lui fait enregistrer entre autres «En avril à Paris» et «Près de toi mon amour». À partir de là, elle mène une carrière française enviable pour bien des artistes d'ici: passage à l'Olympia en 1955 (avec Trenet et Louis Armstrong); couronnée "espoir de l'année 1956" à la remise des Triomphes français; et, en 1957, un rôle au cinéma dans *Huit femmes en noir* aux côtés de François Rosay. Par la suite, elle entreprend diverses tournées en Europe, en Afrique du Nord et au Moyen-Orient. Ce succès est d'autant plus remarquable qu'elle est la première interprète québécoise qui connaît une telle popularité à Paris sans avoir recours à la couleur folklorique d'une Aglaé, par exemple.

Parallèlement à sa carrière outre-mer, ses disques connaissent beaucoup de succès au Québec, notamment «Aye je l'aime» et «Merci mon Dieu» de Charles Aznavour, «Marie-Madeleine» de Jacques Blanchet et «À Rosemont sous la pluie» de Raymond Lévesque. Au début des années 60, elle revient au pays et, après un dernier grand succès en 1963, «Salvame Dios», elle délaisse la chanson pour la peinture, enregistrant tout de même quelques simples jusqu'en 1973.

Jacques Labrecque (1917-1995)

Dans la lignée des Massicotte, Barbeau et Lacourcière, Labrecque travaille à amasser des enregistrements de chansons folkloriques auprès de la population de différentes régions du Québec, mais il a un problème: alors que l'ethnologue ne doit jouer qu'un rôle effacé et se contenter de stimuler le chanteur, de lui délier la langue, en lui offrant quelques verres, par exemple, Labrecque ne peut résister à l'envie d'y aller de son petit refrain, puis d'un autre... et au bout du compte, c'est lui qui se donne en spectacle! Par conséquent, il a mieux servi la cause du folklore en l'interprétant lui-même sur disque.

Labrecque, en effet, est un des chanteurs de folklore les plus intègres et les plus savoureux que le Québec ait jamais portés: son timbre de voix, sa diction, son style souple et naturel (sa renommée de folkloriste tend à faire oublier que Labrecque, qui a étudié l'art vocal, a fait ses débuts au sein des Variétés lyriques en 1937 et que sa carrière se partagera pendant plusieurs années entre concerts de musique classique et folklorique) ainsi que le jeu de guitare de son accompagnateur, Tony Romandini (issu du milieu du jazz), donnent à ses interprétations une jeunesse éternelle, ce qui est le propre de tout bon corpus folklorique.

Le gouvernement du Québec a su reconnaître ce talent en le déléguant à plusieurs festivals folkloriques à travers le monde. Sa chanson-fétiche demeure «La parenté», écrite par Jean-Paul Filion et enregistrée en 1957. Le même Filion lui écrira «Monsieur Guindon», chanson qui sera interdite de diffusion à cause de son langage jugé trop audacieux! Outre l'interprétation de «La parenté», on peut noter un autre apport important de Labrecque à la chanson québécoise, et non le moindre: un microsillon consacré à un jeune auteur-compositeur de Natashquan qui, en 1959, commençait à peine à faire parler de lui dans la Vieille Capitale: Gilles Vigneault. Labrecque suscita alors une autre controverse avec un mot de trois lettres compris dans «Jos Montferrand» («Le cul su'l'bord du Cap-Diamant / Les pieds dans l'eau du Saint-Laurent»). C'était longtemps, bien longtemps avant Robert Charlebois et Plume Latraverse! Mais ces aléas n'entameront en rien la renommée de Labrecque qui demeurera, tout au long des années 60, le folkloriste par excellence au Québec.

Willie Lamothe (1920-1992)

Le premier et le plus célèbre des "cow-boys canadiens" est né à Saint-Hyacinthe où il est d'abord fantaisiste et professeur de danse. Puis vient la guerre de 1939-45; Lamothe est conscrit et, pendant son service militaire, apprend à jouer de la guitare. Il écrit ses premières chansons, sans doute inspiré par le succès que connaît alors le Soldat Lebrun, et donne des spectacles dans les camps de soldats au Québec.

Mais ce n'est qu'après la guerre qu'il est découvert par RCA Victor chez qui il enregistre ses premiers succès: «Je suis un cow-boy canadien», «Allô allô petit Michel» (le petit Michel Lamothe qui, devenu grand, sera bassiste au sein des groupes Offenbach puis Corbeau), «Je chante à cheval» et c'est le début d'une glorieuse carrière... auprès

d'un certain auditoire. Car, tout comme La Bolduc – dont il a hérité du public par la médiation du Soldat Lebrun –, Willie Lamothe est l'objet d'un certain mépris de la part des «modernes» qui jugent sa musique trop primaire.

Par contre, le succès phénoménal dont il jouit malgré tout incite d'autres Québécois (comme Marcel Martel ou Paul Brunelle) à l'imiter et, parallèlement à la chanson canadienne – poétique ou populaire – naissante, s'organise un autre courant, la chanson western (on ne parle pas encore de country), avec ses propres infrastructures. La persévérance de Lamothe finira par être récompensée pendant les années 70 alors qu'on lui offre quelques rôles au cinéma (*La vraie nature de Bernadette*, *La mort d'un bûcheron*) et, consécration suprême, une série télévisée qui obtient pendant six ans beaucoup de succès, *Le ranch à Willie*.

Sa popularité déborde même jusqu'aux États-Unis où il a vendu plus d'un million de disques, surtout chez les Franco-Américains. Il a d'ailleurs effectué une tournée en Louisiane en 1975. Cette décennie lui permet aussi d'élargir son public du côté des jeunes, grâce à l'intérêt de ceux-ci pour les musiques d'origine rurale, grâce surtout à des accompagnateurs compétents tel le guitariste Bobby Hachey (qui fait partie de ses musiciens à compter de 1967).

Un accident cardiaque interrompt sa carrière à la fin des années 70, le laissant partiellement paralysé, ce qui ne l'empêche pas de faire quelques apparitions à la télévision, notamment au Gala de l'ADISQ 1981 où on lui rend hommage pour l'ensemble de son œuvre.

FÉLIX LECLERC (1914-1988)

Il fait figure de géant dans notre chanson au point où l'on ne sait trop par quel aspect aborder le personnage ou l'œuvre. Disons d'abord qu'il est né en 1914 dans la Mauricie, qu'il a grandi dans l'amour de la famille, du travail et de la nature, trois thèmes qu'il célébrera abondamment dans son œuvre («Les soirs d'hiver», «J'ai deux montagnes») et dont il garde la nostalgie depuis le jour où il a dû se séparer des siens pour entreprendre son cours classique dans un pensionnat.

Après ses études en philosophie à Ottawa, on le retrouve à Québec puis à Trois-Rivières où il est annonceur de radio pendant les années 30. C'est à cette époque qu'il écrit sa première chanson, «Notre sentier», empreinte d'une belle mélancolie. Par la suite, il est de plus en plus présent dans la vie artistique et culturelle québécoise alors qu'il joue puis écrit du théâtre, notamment avec les Compagnons de Saint-Laurent. On lui doit également des recueils de contes (*Adagio*), de fables (*Allegro*) et de poèmes (*Andante*) qui connaissent un succès notable auprès des lecteurs québécois du début des années 40.

Et il y a bien sûr les chansons, de plus en plus nombreuses, mais qui n'attirent pas particulièrement l'attention du public. Celui-ci considère Leclerc plus comme un écrivain ou un comédien que comme un «chansonnier», espèce humaine rarissime au Québec! Jusqu'au jour où, en 1950, un certain Jacques Canetti, imprésario français à la recherche de nouveaux talents "canadiens", entend «Le train du Nord». Il finit par convaincre l'auteur-compositeur-interprète, qui est alors dans la trentaine avancée, de signer un engagement pour trois semaines de spectacles à l'ABC de Paris...

Leclerc passera trois ans en Europe, au cours desquels il remportera plusieurs prix dont celui de l'Académie Charles-Cros, à deux reprises pendant les années 50. (Selon Bruno Roy, il est le premier – et le dernier! – Québécois à avoir bâti sa carrière de chanteur d'abord en France.) Et du même coup, le Québec réalise soudain la beauté de la musique, la poésie des textes de son premier chansonnier!

Le phénomène «Félix» (car le prénom suffit à désigner l'artiste, marque ultime de l'attachement du public), parce qu'il est unique, suscite l'intérêt. Il sait allier, dans des textes qui évoquent avec justesse le pays québécois («Tu te lèveras tôt»), la sensibilité du poète et la force vigoureuse du paysan («Lettre à mon frère»), mise en évidence par une voix grave, à l'accent prononcé. Sa musique, également, est unique, sans précédent, du moins au Québec: marquée de l'influence médiévale, elle évoque assez souvent les musiques slave et tzigane («Le roi viendra demain», dédiée à Tagore, «Le Québecquois», «Chanson en russe») et revêt parfois les accents plus familiers de la musique folklorique («La veuve»).

Interprète unique, aussi, par le contraste entre, d'une part, ses allures de coureur des bois un peu rustaud et, d'autre part, sa grande timidité et la façon qu'il a de courtiser sa guitare – à notre avis, on n'a pas suffisamment souligné le jeu de guitare remarquable et, encore une fois, unique de Félix, musicien autodidacte.

Enfin et surtout, personnalité unique, il donne une impression d'intégrité, de force tranquille qui s'affirme sans se compromettre – il a "osé" se présenter sur scène seul avec sa guitare (ce qui influencera un Jacques Brel première manière et un Georges Brassens) et siffloter dans certaines de ses chansons («Le p'tit bonheur», «Francis»), sans rechercher les grands honneurs («Contumace»), et c'est justement ce qui lui vaut l'admiration du public: cet individu qui se lève debout et qui triomphe dans la mère patrie suscite des émules dans le monde de la chanson québécoise (dont Les Bozos, groupe de chansonniers ainsi nommés d'après une chanson de Félix, en guise d'hommage) et annonce l'engagement de tout un peuple à partir de 1960, dans le contexte de la Révolution tranquille. (À suivre)

Raymond Lévesque (1928)

Après Félix Leclerc, Raymond Lévesque est probablement le Québécois qui a connu la plus belle carrière française pendant les années 50; et pourtant, elle fut loin d'être aussi glorieuse que celle de Leclerc. Fils de l'éditeur Albert Lévesque, il fréquente l'école de diction de la légendaire madame Audet avant de travailler comme garçon de table dans des cabarets montréalais, plus particulièrement au Faisan doré où il côtoie Charles Aznavour, Jacques Normand et Jacques Blanchet, et se lie d'amitié avec Serge Deyglun et Fernand Robidoux, qui l'aideront à bâtir sa carrière d'auteur-compositeur-interprète.

Robidoux, notamment, sera le premier à créer des chansons de Léves-

Raymond Lévesque

que en 1949 («Flâner», «Le cœur du bon Dieu», «Le vieux de mon village», «La nuit s'en vient» et «Il ne faut jamais se promener les pieds dans l'eau»). Celui-ci, de son côté, participe à quelques émissions de radio et passe régulièrement au Faisan doré – en plus de côtoyer les auteurs-compositeurs qui assistent à l'émission *Ici Fernand Robidoux* –, mais ce n'est pas avant 1950 qu'il jouira d'un début de reconnaissance avec l'émission *Paulette et Raymond* qu'il coanime avec Paulette de Courval.

Il participe également aux débuts de la télévision canadienne avec Colette Bonheur dans l'émission *Mes jeunes années* et donne plusieurs spectacles au Saint-Germain-des-Prés. On le retrouve également, en 1953, dans la distribution originale d'une importante pièce de Marcel Dubé, *Zone*. La même année, il part tenter sa chance en France où il connaît des débuts plutôt difficiles. Après quelques mois, il rencontre Eddie Barclay qui contribuera beaucoup à le faire connaître; un des "poulains" de ce dernier est l'Américain Eddie Constantine qui vient tout juste de connaître le succès après plusieurs jours de sacrifice et qui sympathise, par conséquent, avec Lévesque. Il crée une de ses chansons, «Les trottoirs», qui lance vraiment la carrière française de son auteur-compositeur.

Dès lors, Lévesque travaille sans relâche sur la Rive-Gauche, dans les cabarets et les tournées, tant et si bien qu'en moins de cinq ans, il peut compter parmi ses amis Georges Brassens, Raymond Devos, Dalida et Juliette Gréco, qui ont connu comme lui des temps plus difficiles. Plusieurs interprètes, dont Bourvil, Cora Vaucaire, Yves Montand et Barbara, reprennent ses chansons. Bien que son succès en France soit plutôt modeste, il suffit à faire de Lévesque une vedette au Québec – ce qu'ignora le principal intéressé jusqu'en 1958! – où l'on peut entendre des versions de «La famille», «Une p'tite Canadienne», «À Rosemont sous la pluie», «La Vénus à Mimille» et surtout, à partir de 1956, «Quand les hommes vivront d'amour», probablement le plus gros succès international écrit par un Québécois, repris abondamment par d'autres artistes (Leclerc, Charlebois et Vigneault à l'occasion de la Superfrancofête de 1974, Offenbach en 1978 et, plus récemment, Luce Dufault).

Même si, de façon globale, Félix Leclerc a eu plus d'impact que Raymond Lévesque sur la chanson québécoise, ce dernier a tout de même suscité plus rapidement des émules dans le domaine de la chanson poétique qui deviendra, quelques années plus tard, le courant chansonnier, où l'influence de Félix se fera beaucoup plus sentir.

En 1958, donc, mis au courant de sa popularité au Québec, Raymond Lévesque revient chez lui et fréquente une nouvelle génération d'auteurs-compositeurs-interprètes dont certains fondent avec lui Les Bozos; cet événement marque un tournant dans sa carrière. (À suivre)

Monique Leyrac (1928)

Elle débute dans les grands cabarets montréalais du tournant des années 40 et 50, le Faisan doré et le Saint-Germain-des-Prés, où elle interprète des chansons françaises (compositions de Roche et Aznavour, Jean Rafa, Charles Trenet et aussi Félix Leclerc) et sud-américaines. En 1950, elle joue dans *Les lumières de ma ville*, première comédie musicale cinématographique québécoise, et y chante des compositions de Pierre Pétel. Accordant autant d'importance à sa carrière de comédienne qu'à celle d'interprète, on la retrouve sur les scènes de théâtres parisiens de 1952 à 1958. En tant qu'interprète de la chanson québécoise, toutefois, elle ne donnera sa pleine mesure qu'avec l'avènement du courant chansonnier, à partir de 1960. (À suivre)

Robert L'Herbier (1921)

Dans la lignée des Fernand Perron – dont il est le neveu – et Jean Lalonde, Robert Samson est un chanteur de charme qui connaîtra son premier succès en 1942 avec une de ses compositions – fait singulier à l'époque –, «Rita». Il avait pris le nom d'artiste de Robert L'Herbier deux ans auparavant par amitié pour le cinéaste Marcel L'Herbier. C'est son intégration au sein de l'équipe de la nouvelle et très populaire émission de Radio-Canada, *Les Joyeux Troubadours*, en 1942, qui lui assurera une brillante carrière; nous parlons, bien sûr, de la grande vedette qui fut le premier chanteur à recevoir la Médaille d'or de la radio en 1946 et 1948, dont les succès («Heureux comme un roi», «Douce France», «La polka d'amour»...) déclenchaient l'hystérie chez les dames, et qui a déjà effectué vingt rappels pour un spectacle qui ne devait durer que vingt minutes!

Mais ce qui justifie sa place prédominante dans une histoire de la chanson québécoise est le rôle majeur qu'il a joué avec Fernand Robidoux pour que cette chanson soit présente et vivante, établie sur des fondations solides. L'Herbier avait pour principe qu'un artiste qui veut être respecté doit interpréter des chansons qui lui appartiennent et c'est ce principe qui le poussa à composer plusieurs des chansons figurant dans son répertoire.

Selon ses propres dires, ses chansons (il en a composé une trentaine, dont «Voudras-tu», «Tu reviendras», «Rêver près de toi» et «Ouvre ton cœur», sans oublier un de ses premiers succès, «Rita») comportaient des textes un peu faibles, mais musicalement, elles supportaient assez bien la comparaison avec les chansonnettes françaises et américaines que diffusaient alors les radios québécoises.

Mais l'éclosion d'une chanson authentiquement québécoise et durable ne serait pas possible tant qu'elle ne demeurerait que l'apanage de quelques auteurs-compositeurs isolés; c'est pour briser cet isolement et faire connaître les productions locales que L'Herbier et Fernand Robidoux fondent, à la fin des années 40, la revue *Radio '49*. Plus tard, Robert L'Herbier et son épouse Rollande Désormeaux animent *Rollande et Robert* à la télévision, émission qui stimule aussi la naissance de jeunes talents d'ici. Ceux-ci sont assez nombreux en 1956 pour que L'Herbier organise la première d'une demi-douzaine d'éditions du Concours annuel de la chanson canadienne.

La grande popularité de cet événement, qui coïncide avec la naissance du mouvement chansonnier, démontre que la vitalité de la chanson québécoise a atteint un point de non-retour. Robert L'Herbier peut considérer que sa mission est accomplie et pendant la décennie suivante, il se retire progressivement du monde de la chanson pour se consacrer à Télé-Métropole, la première chaîne de télévision à faire concurrence à la télévision d'État et dont il est le cofondateur.

Marcel Martel (1925)

Un cow-boy de la première heure, avec Paul Brunelle et Willie Lamothe, Marcel Martel, comme Lamothe (et peut-être même davantage), a été profondément influencé par le Soldat Lebrun, autant en ce qui concerne la voix nasillarde que la nostalgie des paroles. Il apprend la guitare pendant son service militaire, à partir de 1941, et interprète les chansons de Lebrun. Puis, après la guerre, il compose ses propres chansons; c'est en 1947 qu'il enregistre son premier 78 tours, «La chaîne de mon cœur» et «Souvenir de mon enfance». C'est le succès immédiat et le début d'une carrière ponctuée de chansons qui sont aujourd'hui de grands classiques du genre: «Dans ma prairie», «Loin de toi chérie», «Charme hawaïen»... On lui doit également une reprise des «Trois cloches» de Jean Villard (déjà popularisée par Édith Piaf et Les Compagnons de la chanson), une version française de «In the Jailhouse Now» (standard du country américain popularisé par Jimmy Rodgers) intitulée «En prison maintenant», «Le

rock'n'roll du père Noël» (une chanson illustrant bien le style que Richard Baillargeon et Christian Côté ont baptisé «rockawilly», adaptation québécoise du rockabilly), et surtout la très belle ballade «Un coin du ciel».

Marcel Martel animera sa propre émission à la télévision entre 62 et 65. Sa discographie comporte plus de quatre-vingts simples et une quarantaine de microsillons, pour un répertoire dépassant cinq cents chansons. Il a mis fin à sa carrière au milieu des années 80.

Guy Mauffette (1915)

Animateur à Radio-Canada, il a beaucoup contribué à la diffusion de la chanson québécoise pendant les années 40 et 50. Dès 1942, il reconnaît le talent de Félix Leclerc; sans la foi de Mauffette, Leclerc n'aurait peut-être jamais pu faire son premier voyage en France. En 1951, il animait *Baptiste et Marianne*. De nombreux auteurs-compositeurs en herbe y envoyaient leurs chansons et Mauffette y prêtait une attention bienveillante.

La lutte de Mauffette, parce qu'elle se déroulait dans une radio d'État dont le rôle était de promouvoir la culture canadienne, fut peut-être moins héroïque que celle de Robidoux qui avait pour cadre la radio privée, mais cette différence ne justifie pas l'oubli relativement plus grand dans lequel est tombé le premier.

Dominique Michel (1932)

Ce petit bout de femme apprend le dur métier d'artiste dans les cabarets et dès la naissance de la télévision canadienne, en 1952, on peut la voir à l'émission *Mes jeunes années*. En 1954, pendant qu'elle séjourne à Paris, Raymond Lévesque lui écrit «Une petite Canadienne» et «La famille», qui sera son premier succès sur disque, mais c'est avec une chanson romantique de Camille Andréa, «Sur l'perron», qu'elle consolide sa popularité à partir de 1957. Ce succès ne se démentira jamais et "Dodo" demeure une des vedettes les plus connues au Québec, mais dans un registre différent, celui de la comédie, avec ou sans sa partenaire de scène, Denise Filiatrault (duo immortalisé par la télésérie *Moi et l'autre*, diffusée de 1967 à 1972 et reprise récemment).

Elle revient occasionnellement à la chanson, sur des disques parfois "sérieux" («Ces bottes sont faites pour marcher», version française d'un succès de Nancy Sinatra, et «Un homme») mais surtout fantaisistes («Je suis up, je suis down», «J'haïs l'hiver» et «Un clair de lune à Saint-Tite», adaptation québécoise réussie du «Clair de lune à Maubeuges» de Bourvil) et dans des revues musicales (surtout, depuis 1970, les *Bye Bye*, rétrospectives humoristiques annuelles diffusées à la télévision le soir du 31 décembre).

Muriel Millard (1924)

Jacques Normand la surnommait la "Mistinguett du Québec", tant elle aimait monter des revues à grand déploiement, avec force paillettes et danseurs. Très professionnels, ses spectacles ont fait les beaux jours – ou plutôt les belles nuits – des cabarets des années 50. Elle a connu son premier suc-

cès sur disque en 1942 avec la chanson «Y'a pas d'cerises en Alaska», mais son apport le plus important demeure une chanson très connue qui constitue une réussite dans le style folklorique et dont peu de gens savent qu'elle est l'auteure-compositrice: «Dans nos vieilles maisons», enregistrée au début des années 60 et reprise récemment par La Bottine souriante. Elle délaisse à toutes fins pratiques la chanson en faveur de la peinture à partir de 1970.

Roger Miron (1929)

Sa chanson-fétiche est sans contredit «À qui l'p'tit cœur après neuf heures?» (1956), titre qui évoque une expression populaire des années 40 dans les Laurentides d'où Miron est originaire. Celui-ci a aussi fait connaître au Québec quelques artistes de sa région (dont Claude Valade, Chantal Pary, André Sylvain et Jacques Michel) grâce à sa maison de disques Rusticana, fondée au début des années 60. Il est également, avec Les Trois Clefs et Carmen Déziel, un des tout premiers artistes québécois à avoir endisqué un rock'n'roll, «En avant le rock'n'roll», en 1957.

Paolo Noël (1929)

À ses débuts, fin des années 40, il est influencé par Luis Mariano et surtout Tino Rossi dont il gardera la voix haut perchée et dont il reprendra «Vierge Marie». Il finit par adopter un style marin qui a certains points communs avec l'univers des chansonniers, bien que Noël s'inscrive davantage dans la chanson populaire. À partir de la fin des années 60, il flirtera quelque temps avec des sonorités modernes qui n'ont plus rien à voir avec celles de son "maître": par exemple, il tâte du rock'n'roll – avec assez de bonheur – dans «T'as ben des beaux bip-bops» et «Flip, flop et fly», version française d'une chanson de Big Joe Turner.

Toutefois, cette "adaptabilité" ressemble parfois à de l'opportunisme, comme dans la chanson «Flouche flouche prout prout» (1972) où Paolo Noël use des préjugés les plus gros pour ridiculiser les homosexuels... ce qui en fait une de ses chansons les plus populaires, même si elle a plutôt mal vieilli. Depuis, Noël s'est fait plutôt discret, du moins jusqu'en 1992, alors qu'il effectuait un retour aux sources dans un spectacle-hommage à Tino Rossi, spectacle dont la tournée a connu un fort succès.

Jacques Normand (1922)

Autant que Robidoux, L'Herbier ou Mauffette, Normand s'est activement impliqué pour que s'épanouisse ici une chanson de langue française et plus particulièrement québécoise. Pour ne donner qu'un exemple, important en soi mais anecdotique en regard de tout ce qu'il a accompli par ailleurs, c'est Jacques Normand qui a permis à Jacques Canetti de découvrir Félix Leclerc. Né à Québec sous le nom de Raymond Chouinard, on peut l'entendre au lendemain de la Deuxième Guerre mondiale à la radio, où il chante du Jean Sablon, mais aussi de nouveaux talents français (il crée «Il faut de tout pour faire un monde» de Roche-Aznavour) et, de temps à autre, québécois.

Jacques Normand

Mais c'est comme animateur de cabarets qu'il donnera sa pleine mesure: en 1949, on lui confie l'animation des soirées du Faisan doré où il brille par son sens de l'humour. En 1952, suite à la fermeture du Faisan doré, il lance son propre cabaret, le Saint-Germain-des-Prés qui, bien que de dimensions plus modestes que le précédent, connaîtra une popularité assez grande dans les circonstances. En effet, l'apparition de la télévision mettra fin abruptement à cet âge d'or des cabarets et Normand doit fermer boutique en 1954. Il reste de cette "belle époque" une chanson que ce dernier a popularisée en 1949: «Les nuits de Montréal».

Mais Normand avait tout de même assuré ses arrières dès les débuts de la télévision en y animant, à partir de

45

1952, *Café des artistes* où il poursuivait sa promotion de la chanson québécoise. Sa réputation d'enfant terrible lui vaut encore une grande popularité pendant les années 60, alors qu'il co-anime pendant sept ans (de 1962 à 1969) avec Roger Baulu un des meilleurs talk-shows de l'histoire de notre télévision, *Les couche-tard.*

Pierre Pétel (1920)

Un des auteurs-compositeurs les plus prolifiques des années 50, il a participé activement au début de cette décennie à l'émission *Ici Fernand Robidoux* à CKAC. On lui doit les chansons du premier "film musical" québécois, *Les lumières de ma ville,* qui mettait en vedette Monique Leyrac, Guy Mauffette et Paul Berval.

Ti-Blanc Richard (1920-1981)

Le plus populaire des violoneux au Québec. Cette popularité s'explique sans doute par une présence régulière au petit écran, notamment dans des émissions hebdomadaires consacrées au folklore (les séries *Soirée canadienne*, animée par Louis Bilodeau et *À la canadienne*, animée par André Lejeune), car pour ce qui est de la qualité de ses interprétations, Ti-Blanc Richard était facilement surpassé par les Joseph Allard, Joseph Bouchard, Louis "Pitou" Boudreault et Ti-Jean Carignan. Ce dernier, en particulier, ne cachait pas son mépris pour la façon dont Richard bâclait ses reels. Néanmoins, la mort de Carignan suscita moins de bruit que celle de son rival. Reconnaissons tout de même au style de Ti-Blanc Richard

une certaine originalité, due à l'incorporation de certains éléments de la musique country américaine. Sa fille, Michèle Richard, a interprété une chanson à sa mémoire, «J'entends son violon».

Fernand Robidoux (1920)

Il n'est pas exagéré d'affirmer que Fernand Robidoux a été le fer de lance du mouvement des pionniers qui ont permis à la chanson québécoise d'acquérir assez de respect pour assurer sa viabilité. Dès les années 30, alors qu'il travaille dans différentes stations radiophoniques à travers la province, Robidoux prend conscience de l'ampleur de l'invasion américaine sur les ondes québécoises et organise un premier concours, intitulé *La feuille d'érable,* dans la région de Saint-Jean (près de Montréal) afin de revaloriser les disques francophones – surtout français à cette époque.

Mais son travail à la radio n'a pour but que de faciliter la carrière qu'il souhaite vraiment embrasser, celle de chanteur. Une chance s'offre bientôt à lui d'animer une émission sur la chansonnette avec Marie-Thérèse Lenoir, puis les événements se précipitent: le directeur de production de l'émission recommande Robidoux à RCA Victor qui lui permet d'enregistrer son premier – et son plus grand – succès, «Je croyais», dont il est l'auteur-compositeur.

Nous sommes en 1945, c'est le début d'une belle carrière dont les premières années voient tout de même alterner triomphes et échecs, ceux-ci causés par l'acharnement de Robidoux à promouvoir une chanson québécoise; en 1946, avec son épouse Jeanne Couet et Marie-Thérèse Lenoir, il monte une revue musicale de grande envergure entièrement réalisée par des Québécois, *Coquetel '46*, mais les gens du milieu, les médias et/ou le public ne sont pas encore prêts, et l'entreprise fait naufrage. En 1949, quelques disques totalisant une douzaine de créations québécoises et enregistrés à Londres connaissent le même sort. Notons enfin l'existence éphémère d'un bimensuel artistique fondé avec Robert L'Herbier, *Radio '49*.

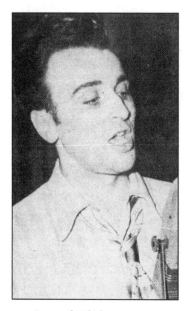

Fernand Robidoux

La compagnie RCA Victor se montrait toujours réticente vis-à-vis du répertoire québécois, si bien que Robidoux interprète le plus souvent des chansons américaines traduites en français; RCA voulait d'ailleurs faire de son poulain le Perry Como canadien. À la même époque cependant – plus précisément en 1947 –, il reçoit la Médaille d'or de la radio, mais c'est davantage le chanteur de charme que le promoteur de la chanson québécoise qui est récompensé.

Néanmoins, la popularité du premier donnera une tribune de choix au second et, en 1949, une dizaine de nouveaux talents gravitent autour de Robidoux et de son émission radiophonique, *Ici Fernand Robidoux*, sur les ondes de CKAC; certains d'entre eux marqueront les années 50, dont Jacques Blanchet et Raymond Lévesque.

À partir de 1959, Robidoux délaisse l'interprétation pour se consacrer à l'animation radiophonique (où il continue à promouvoir la chanson francophone dans des émissions comme *Music-Hall Digest*, en 1963), puis au journalisme. En 1990, quarante ans après avoir créé quelques compositions du jeune Raymond Lévesque, il reprend sur disque compact, avec une voix restée étonnamment belle, huit chansons du même auteur-compositeur. Ce disque-hommage est malheureusement gâché par les arrangements "nouvelâgeux" de son fils Michel (guitariste reconnu, pendant les années 70, au sein de la "communauté" du Ville Émard Blues Band, et qui a joué et composé, entre autres, pour Robert Charlebois et Renée Claude pendant leurs heures de gloire).

Fernand Robidoux a été le premier artiste à présenter un tour de chant en français dans un cabaret montréalais et à faire appel aux services de gérants, Peter Steele et Jimmy Nichols. Enfin, il est l'auteur d'une intéressante autobiographie, *Si ma chanson*.

Jen Roger (1928)

Il se fait les dents dans le milieu des cabarets au début des années 50, notamment au El Mocambo. Après avoir lancé sa carrière sur disque avec «Toi ma richesse» en 1953, il connaîtra pendant une vingtaine d'années une popularité constante, endisquant des versions françaises de succès américains dont il assure souvent lui-même la traduction. À l'occasion, il donnera dans la chanson d'amour où s'immiscent des odeurs d'encens («La madone» et «Le miracle de Sainte-Anne», son plus grand succès) et, pendant les années 60, dans des rythmes plus... profanes («Twist contre twist» avec Denise Filiatrault, et «L'amour unit le monde»)!

À l'apogée de sa carrière, en 1967, après avoir été couronné l'artiste le plus populaire du Québec (prix Orange et titre de Monsieur Radio-Télévision décerné au Gala des artistes), il entrera (le premier à le faire, selon certains) dans la courte liste des interprètes québécois ayant rempli le Forum de Montréal. Soulignons qu'à titre de M.C. (maître de cérémonie) du cabaret La Casa Loma, à partir de 1954, il a fait son humble part pour la cause de la chanson d'ici en mettant de l'avant une politique de promotion des artistes québécois. Il animera, en 1970-1971, une émission de concours amateur pour enfants, *Les découvertes de Jen Roger*, qui fera connaître à la grandeur du Québec un petit

bonhomme de neuf ans nommé René Simard.

Gérard Thibault (1917)

La chanson québécoise du tournant des années 40 et 50 est, bien sûr, marquée par les "nuits de Montréal", mais les "nuits de Québec" jouèrent également un rôle très important, bien que moins spectaculaire que les cabarets montréalais, pour l'évolution de notre chanson; et c'est à Gérard Thibault que l'on doit cette effervescence.

Celui-ci n'est pas sans rappeler Fernand Robidoux par son attitude de pionnier qui s'intéresse à tout ce qui est nouveau; mais c'est d'abord par accident que Thibault exploitera la formule du "restaurant chantant": le restaurant Chez Gérard, qui était ouvert 24 heures par jour pendant la Deuxième Guerre mondiale à cause de la proximité d'arsenaux et de chantiers maritimes, connaît une baisse de clientèle à partir de 1945. Thibault ferme son restaurant pendant la nuit, mais veut garder une clientèle le soir; il a alors l'idée d'y organiser des spectacles musicaux. Un des groupes invités, composé de l'accordéoniste français Fredo Gardoni et de la chanteuse Michèle Sandry, interprète des airs dans le style des bistrots français – ce qui était nouveau au Québec –, qui connaissent une popularité étonnante.

Puis les choses se précipitent. Un soir, un client offre à Thibault de donner un spectacle dans son restaurant: il s'agit de Charles Trenet – qui ne devait rester qu'une fin de semaine et qui demeura près d'un mois! Du jour au lendemain, tous les artistes français de passage au Québec veulent aller jouer Chez Gérard (c'était quelques mois avant la période faste du Faisan doré).

À partir de ce moment, Gérard Thibault ouvrit de nouvelles boîtes (Chez Émile, À la Page Blanche, La Boîte aux Chansons et La Porte Saint-Jean) qui touchaient chacune un public particulier, de sorte que de 1948 à 1977, Thibault a organisé aussi bien des spectacles avec de grands orchestres (First Piano Quartet) qu'avec des vedettes françaises (Roche-Aznavour, Lucienne Boyer, Patachou, Brassens...) ou locales (Fernand Gignac, Olivier Guimond, Yvan Daniel, Jacques Desrosiers...), des chansonniers débutants (le jeune Gilles Vigneault, Clémence DesRochers, Robert Charlebois première manière, Renée Claude...) et des interprètes yé-yés (Ginette Reno, Donald Lautrec, les Mégatones...).

Il faut noter que si les premiers spectacles, que l'on ne pouvait voir que Chez Gérard, mettaient surtout en vedette des artistes français, ils ont tout de même eu une grande influence sur bon nombre d'artistes locaux: ainsi, c'est en assistant à un spectacle de Trenet Chez Gérard (clandestinement, à cause de son jeune âge!) que Jean Lapointe a décidé de faire carrière dans la chanson.

Comme pour les cabarets de Montréal, l'arrivée de la télévision a modifié les habitudes de loisirs des gens de Québec, ce qui n'a pas empêché les boîtes de Gérard Thibault de demeurer actives jusqu'en 1978, année où un incendie ravage le restaurant Chez Gérard.

Une des principales conséquences de l'arrivée de la télévision étant la hausse des cachets des artistes, Gérard Thibault a eu l'idée, au début des années 60, d'organiser des tournées provinciales, ce qui lui permettait d'augmenter ses recettes tout en payant le même cachet. Mais pour se consacrer efficacement à cette activité, il aurait dû quitter Québec pour Montréal, ce qu'il refusa. C'est donc un jeune organisateur du nom de Guy Latraverse qui l'a remplacé.

Notons enfin que Gérard Thibault fut le premier à faire venir de ce côté-ci de l'Atlantique des scopitones, ces appareils où l'on pouvait voir des chansons mises en images, véritables ancêtres de nos vidéoclips.

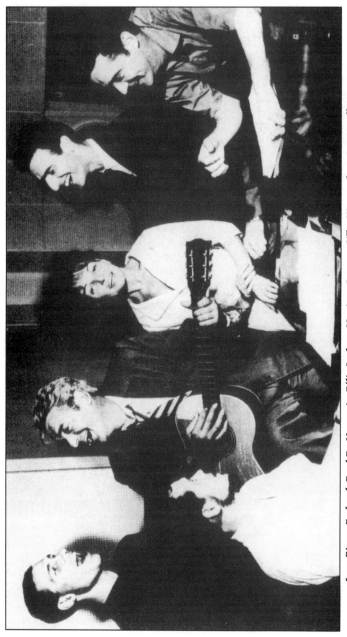

Jean-Pierre Ferland, Paul De Margerie, Félix Leclerc, Monique Leyrac, Gilles Vigneault et Guy Mauffette.

3

1957-1968: La chanson s'impose comme élément dynamique de culture

«C'est le temps que ça change!» Ce slogan adopté par le Parti libéral du Québec pour les élections de 1960 résume à merveille l'esprit de la décennie qui s'amorce; dans un contexte mondial marqué par la mise au rancart des institutions traditionnelles et l'émergence de nouvelles valeurs véhiculées par la jeunesse, jamais le Québec n'aura connu autant de changements en aussi peu de temps que pendant ces années 60, et ce, dans tous les domaines (idéologie, économie, culture, éducation, sport, religion).

Pour la première fois de son histoire, la chanson québécoise joue un rôle actif dans le processus de ces changements, soit en tentant de redéfinir la spécificité du pays (chansonniers), soit en tentant de l'intégrer dans le courant mondial, en imitant les sonorités à la mode (yé-yés). Bien implantée dans le paysage, il faut désormais et il faudra de plus en plus compter avec la chanson comme élément dynamique de notre culture.

Le rattrapage d'une certaine modernité

Le triomphe du libéral Jean Lesage aux élections de juin 1960 représente l'aboutissement d'une lutte menée par plusieurs intellectuels pendant les années 50, et dont nous avons parlé dans le chapitre précédent.

Les principaux objectifs du gouvernement libéral sont l'affirmation du Québec sur les scènes fédérale et surtout (ce qui est nouveau) internationale, et une politique de rattrapage dans les domaines technologique, économique et culturel qui permettra à la société québécoise d'accéder pleinement à la modernité, au même titre que les autres sociétés occidentales. Ces deux objectifs font appel à un même moyen, soit la mise en place de nouvelles structures gouvernementales ou la consolidation de celles qui sont déjà en place; on parle de moins en moins de "gouvernement de la province de Québec", et de plus en plus d'"État québécois".

Par un train de mesures impressionnant (création des ministères des Affaires culturelles et de l'Éducation, réforme scolaire, nationalisation des entreprises hydro-électriques, mise en place d'organismes, telle la Société générale de financement, destinés à venir en aide aux entreprises québécoises, etc.) constituant ce que l'on appellera la Révolution tranquille, cet État remplace, surtout dans les domaines de l'éducation et de la santé, un clergé dépassé par les événements (et dont l'autorité déjà affaiblie sera définitivement marginalisée après le concile Vatican II), et tente de faire passer le contrôle de l'économie québécoise des mains anglo-saxonnes (américaines, surtout) aux Québécois francophones.

Mais la Révolution tranquille ne se limite pas aux mesures prises par le gouvernement et, malgré l'intensité et l'importance des réformes, les libéraux sont bientôt débordés sur leur gauche par de nouveaux mouvements qui militent pour l'indépendance du Québec (Rassemblement pour l'indépendance nationale) et/ou pour la cause socialiste (Parti socialiste du Québec).

Le plus radical de ces mouvements est sans contredit le Front de libération du Québec qui se manifeste dès 1963 en faisant sauter des bombes en des lieux qui symbolisent la sujétion des Québécois francophones.

De plus, le mouvement syndical, qui n'a plus à subir la répression sauvage de Duplessis, connaît un essor important et devient plus militant, plus revendicateur. D'importantes grèves (Radio-Canada en 1959, *La Presse* en 1964, les employés des secteurs public et parapublic en 1966) ponctuent ces années de dégel, mais ne sont néanmoins qu'un prélude aux crises qui marqueront le Québec au début des années 70.

Grèves et boîtes à chansons

L'événement marquant de la fin des années 50 est l'émergence, aussi puissante qu'inattendue, d'une nouvelle vague d'auteurs-compositeurs-interprètes que l'on désignera par le terme "chansonniers". (Au Québec, cette appellation est davantage synonyme d'auteur-compositeur-interprète que de chanteur qui traite de l'actualité dans ses œuvres, comme c'est le cas en France.)

Gilles Vigneault: *Ses chansons deviennent vite des hymnes nationaux.*

Cette émergence est marquée par deux facteurs qui peuvent expliquer sa force: d'abord, le Concours de la chanson canadienne a donné pour la première fois à une jeune génération le sentiment qu'elle n'avait pas à rougir de la "production locale". Ensuite, on sent, dès les derniers mois du règne de Duplessis, sinon la rapidité et l'ampleur des changements qui se préparent, du moins l'impérieuse nécessité de prendre la parole, question de redéfinir une identité collective trop longtemps faussée par les élites traditionnelles.

La grève de Radio-Canada, début 1959, sera l'occasion qui permettra au phénomène chansonnier de se manifester: les artistes sont d'une part privés d'un important moyen de diffusion et d'autre part, ils appuient les grévistes pour qui ils donnent des spectacles; une poignée de chansonniers peu connus du public (sauf Raymond Lévesque et Jacques Blanchet) improvisent une boîte à chansons dont le nom (Chez Bozo, en hommage à Félix Leclerc) servira bientôt à désigner le groupe (Les Bozos).

L'événement en soi est peu spectaculaire. Il n'en est pas moins le point de départ (même si les premières boîtes à chansons connues sont apparues à partir de 1957, avec La Boîte des compositeurs de Rollande Désormeaux et Robert L'Herbier, puis Chez les scribes de Françoys Pilon et La Boîte aux chansonniers de Guy Bouchard) d'une floraison des boîtes à chansons qui ira en s'accélérant jusqu'en 1967, alors que le mouvement connaît un certain essoufflement.

C'est l'époque héroïque des "ouvre-boîtes" alors qu'un chansonnier pouvait parcourir – par ses propres moyens – de longues distances avec sa guitare et son micro... pour gagner quelques dollars chaque soir! Des spectacles dans les boîtes à chansons, il est resté une image, voire un cliché: un jeune chansonnier ne s'accompagnant qu'à la guitare, debout, le pied sur une chaise, face à un public regroupé autour de tables éclairées par des chandelles enfoncées dans des goulots de bouteilles, dans une petite salle décorée de filets de pêche et autres modestes accessoires.

À cet esprit d'introspection qui caractérise l'œuvre et les lieux de manifestation des chansonniers s'oppose l'exubérance et l'insouciance de la chanson dite populaire. Là encore, c'est une toute nouvelle génération de chanteurs et chanteuses qui occupe le devant de la scène, stimulée par le succès phénoménal que connaît Michel Louvain à partir de 1957 et favorisée par l'impact international du rock'n'roll, une musique dont les vedettes et le public ont presque le même âge.

Ces interprètes de la chanson populaire se retrouvent d'abord dans les cabarets, qui connaissent alors leurs dernières belles années, puis, à partir de 1961, à la télévision. Bien que la télévision d'État ait lancé en 1957 une émission inspirée d'*American Bandstand* et qui s'adresse au public adolescent, *Le club des autographes*, c'est la toute nouvelle station de télévision privée, Télé-Métropole, qui dominera et marquera le genre, à partir de 1962, avec *Jeunesse d'aujourd'hui*.

Comme la France, le Québec connaît donc jusqu'aux alentours de 1968 le phénomène yé-yé, aussi énergique dans les nouveaux rythmes qu'il diffuse que dans le maintien de son parallélisme au mouvement chansonnier. Les deux groupes feront ainsi semblant de s'ignorer jusqu'au milieu des années 60, alors que, pressentant sans doute le déclin de vitalité de leurs genres respectifs, ils comprendront petit à petit l'importance des "échanges nécessaires". C'est l'événement Charlebois en 1968 qui viendra sanctionner définitivement une ébauche d'"union sacrée" des artistes et surtout des publics.

Signalons enfin que cette décennie verra apparaître les premières maisons de disques québécoises importantes: les chansonniers se retrouveront surtout sur étiquette Sélect à partir de 1959, et aussi sur Gamma qui est fondée en 1965. Du côté de la chanson populaire, on remarque surtout les maisons Trans-Canada, fondée en 1960, et Jupiter, à partir de 1965.

La part du cinéma et des revues

Outre la chanson, le secteur culturel qui manifeste le plus grand dynamisme à la faveur du nouveau contexte social est le cinéma. Suite à son déménagement à Montréal en 1956, l'Office national du film engage de plus en plus d'effectifs francophones, dont les œuvres de fiction mais surtout les documentaires complètent à merveille l'œuvre des chansonniers dans la quête d'une identité nationale (il faut voir, à ce propos, la production de Pierre Perrault pendant les années 60, de *Pour la suite du monde* à *Un pays sans bon sens*).

Plus souvent qu'autrement, on travaille avec des moyens modestes mais, comme pour la chanson, il n'y a désormais plus de doute quant à l'existence et la vitalité d'un cinéma authentiquement québécois.

Curieusement, la Révolution tranquille ne marque pas de véritable rupture dans la littérature québécoise, pas au début des années 60, du moins: dans l'ensemble, les écrivains ne font que poursuivre une quête amorcée pendant les années 50, quête de sens, d'identité et/ou de liberté dans un monde dont les "valeurs sûres" sont mises à rude épreuve. Seul l'essai, partiellement libéré d'une censure protéiforme, se renouvelle avec des auteurs comme Gilles Leclerc (*Journal d'un inquisiteur*) ou Jean-Paul Desbiens (*Les insolences du frère Untel*), dénonciateurs d'un système devenu insupportable et à la recherche de solutions de rechange.

Notons toutefois que l'arrivée des libéraux au pouvoir marquera le début d'une politique culturelle qui viendra en aide au monde de l'édition québécoise, bien moribonde depuis la fin des années 40.

Il faut aussi remarquer l'apparition de la revue *Parti pris*, qui reprend la tâche de *Cité libre* (certains collaborateurs de *Parti pris* furent d'abord citélibristes) et la pousse un cran plus loin, faisant la promotion d'un Québec indépendant et socialiste.

Par souci de rapprocher la littérature du peuple – ou l'inverse –, certains auteurs publient aux éditions Parti pris des romans où sont décrites sans compromis les conditions de vie d'anti-héros (ouvriers, chômeurs, laissés pour compte) qui s'expriment en joual (langue québécoise "corrompue" par l'anglais et qui se parle surtout dans les quartiers ouvriers des grandes villes). Malgré la controverse qu'ils suscitèrent lors de leur parution, les romans parti-pristes ont fait long feu et l'emploi du joual n'a pas vraiment fait école sauf peut-être au théâtre, à partir des *Belles-sœurs* de Michel Tremblay, mais avec des objectifs différents.

Deux univers thématiques parallèles

Chansonniers et yé-yés diffèrent non seulement par leurs styles musicaux, mais aussi par leurs univers thématiques. Le premier groupe, à l'exemple de Félix Leclerc, s'affaire à nommer le pays dans des chansons poétiques où les voyages, les paysages et les forces de la nature – plus particulièrement la mer et la neige – occupent une place centrale et servent de support à une quête d'identité et de liberté, tant collectives qu'individuelles.

De leur côté, les artistes yé-yés, afin de divertir leur public adolescent, chantent, au moyen des incontournables versions de succès américains, les préoccupations quotidiennes de ce public (l'école, le cinéma, la danse, les flirts, etc.) dans des textes généralement superficiels et sur des musiques qui sont autant de prétextes pour danser.

À partir du milieu des années 60, on sent quelques changements, de part et d'autre: la deuxième génération des chansonniers (dont Robert Charlebois et Claude Dubois sont les fleurons) intègre la ville dans son univers poétique et tente d'élargir la palette musicale jusqu'alors assez restreinte des prédécesseurs.

Quant à la nouvelle vague des groupes yé-yés qui apparaît à la même époque, elle se distingue par la part de plus en plus grande qu'y occupent les compositions originales où se manifeste – encore confusément toutefois – une amorce de révolte plus en accord avec le message véhiculé alors par le rock international.

LES HOU - LOPS

Une chanson polarisée:
yé-yés contre chansonniers

Les Alexandrins (1965-1973)

Ce groupe issu de l'école de musique Vincent-d'Indy en 1965 est d'abord un quatuor avant de devenir un duo constitué du couple Luc et Lise Cousineau qui cessera ses activités en 1973 après avoir pris le nom de Luc et Lise en 1970, et Les Cousineau deux ans plus tard. Leur formation musicale pousse Les Alexandrins à incorporer des éléments jazzy et classiques dans un style *a priori* chansonnier. Leurs premières années sont marquées par des succès comme «Chante, chansonnier, chante», «John Kennedy» et surtout, en 1967, «Les copains». Comme plusieurs autres artistes québécois à la fin des années 60 et à la suite de Charlebois, ils prennent le tournant californien avec des titres comme «Angéla mon amour» et «Octobre au mois de mai».

Après la séparation du duo, Lise Cousineau se retrouvera au sein des formations Ville Émard Blues Band et Toubabou.

Les Aristocrates (1962-1968)

Groupe de la vague yé-yé mené par Donald Bélanger et qui connaîtra ses plus grands succès en 1967 avec «Pour oublier» et «Cette chanson elle est pour toi».

Les Baronets (1961-1972)

Un des groupes les plus populaires des années 60, ce trio (composé de René Angélil, Jean Beaulne et Pierre Labelle) était spécialisé dans les versions françaises de chansons des Beatles: «C'est fou, mais c'est tout» («Hold Me Tight») ou «Un p'tit sous-marin jaune» («Yellow Submarine»), pour ne nommer que celles-là.

Découvert par Jean Simon en 1961, le groupe connaîtra onze ans d'existence, longévité remarquable (surtout à cette époque) pour une formation québécoise. Les spectacles des Baronets incorporaient des chansons et des numéros comiques. C'est cette deuxième voie que choisira Pierre Labelle après la dissolution du groupe. Quant à René Angélil, il est devenu, au début des années 80, l'heureux gérant (et plus récemment, l'heureux époux) de Céline Dion.

À noter que, après le départ de Jean Beaulne en 1970, Labelle et Angélil ont participé avec Françoise Lemieux et Clémence DesRochers à une revue musicale composée par cette dernière, *La belle amanchure*.

Les Bel Canto (1962-1971)

Groupe originaire de Québec dont les membres, dans ce joyeux bal masqué que fut le mouvement yé-yé, se sont d'abord fait remarquer par le port d'habits de velours rouge et de jabots de dentelle blancs (ce qui leur vaudra le surnom de Seigneurs de la Nouvelle Vague dans les médias de l'époque)! Mais ce n'étaient pas là les seuls atouts du groupe, loin s'en faut: en Aurèle (Dany) Bolduc et René Letarte, Les Bel Canto avaient des auteurs-compositeurs prolifiques qui les démarquaient de la plupart de leurs concurrents à une époque où ceux-ci donnaient surtout dans les versions françaises de succès anglophones.

Ainsi, leur premier microsillon comportait huit de leurs compositions et seulement trois adaptations de succès étrangers (en 1965!). Bolduc et Letarte composeront d'ailleurs des chansons pour d'autres artistes, dont Renée Claude («Lorsque nous serons vieux», en 1969). C'est aussi à eux que le groupe doit, toujours en 1965, son premier et plus grand succès, «Découragé», dont le simple comporte, en face B, une reprise électrique d'une chanson de Jean-Pierre Ferland, «Feuille de gui».

Par la suite, le style des Bel Canto connaîtra une évolution marquée par un souci d'explorer de nouvelles avenues, moins audacieuses certes que celles qui s'expriment alors aux États-Unis ou en Grande-Bretagne, mais qui s'efforcent tout de même d'intégrer les influences extérieures plutôt que de se laisser dominer par elles, comme c'était le cas pour la plupart des groupes yé-

yés d'alors. Ce parcours singulier est jalonné de quelques versions de chansons anglophones («Seul», d'après «All I Have to Do Is Dream» des Everly Brothers et «Les filles d'Ève», inspirée d'un succès des Zombies, «She's Not There»), d'autres succès signés Bolduc-Letarte («Coui Coui», «Une croix sur mon nom») et des chansons moins commerciales où le groupe se permet des expériences sonores et rythmiques («Quand reviendras-tu?», produite par Tony Roman, «Que c'est étrange», «Quand vient le matin»).

En 1970, après un séjour décevant en Europe où ils enregistreront au fameux studio Abbey Road de Londres quelques pièces demeurées inédites à ce jour, Les Bel Canto tentent de regagner la faveur d'un public dont les goûts ont évolué bien vite en cinq ans; trop vite sans doute puisque malgré un changement de nom (Les Kanto) et d'image, et un microsillon qui se veut adapté aux sonorités du jour, le groupe se sépare en 1971.

Dans les années suivantes, René Letarte œuvrera comme producteur, notamment auprès de Jacques Michel, Les Séguin et Jim et Bertrand. Il poursuivra sa carrière de troubadour sous le nom de René d'Antoine, et publiera en 1996 une étude des sonorités de la langue française dans la chanson, *Petit référentiel de l'auteur-compositeur*.

Léo Benoît

Ce chanteur western illustre bien un phénomène que les Américains appellent *one hit wonder*.

En 1958, il connaît un immense succès avec «Le rock'n'roll dans l'lit», une chanson rythmée aux paroles fantaisistes et quelque peu gaillardes («Le rock'n'roll dans l'lit / Est supérieur, j'vous l'dis / À celui d'Elvis Presley») sur une musique combinant influences rockabilly et latine et jouée avec une instrumentation dépouillée (guitare, contrebasse et accordéon) mais efficace. Malgré une certaine censure dont elle fera l'objet sur les ondes de la radio (ou peut-être grâce à cette censure qui suscitait la curiosité du public), cette chanson se vendra à trois cent mille exemplaires.

Un tel exploit, qui s'explique davantage par un heureux concours de circonstances que par une promotion bien orchestrée, ne se répétera pas, sans doute parce que Léo Benoît n'a jamais eu d'autre ambition que de divertir les gens à travers diverses tournées effectuées dans les campagnes du Québec et de ses alentours jusqu'au début des années 70.

Sauf pour une reprise de style yéyé de sa chanson-fétiche, rebaptisée «Le gogo dans mon lit», pendant les années 60, et pour quelques autres enregistrements, il restera fidèle au style folklorique et western de ses débuts.

Père Bernard

Franciscain qui s'est consacré à la chanson d'inspiration religieuse, genre qui a connu une certaine vogue au début des années 60, non seulement au Québec avec Jacqueline Lemay, mais aussi en Europe avec le père Aimé Duval et Sœur Sourire, et dont le style dépouillé (sans doute inspiré du folk-revival américain), mettant en évidence le texte, a eu une certaine influence sur les façons de composer des chansonniers québécois.

Du Père Bernard, on se souviendra de «Sur tous les chemins du monde», «La légende des brigands» et «Prends la route» qui fut — jadis — une des chansons préférées de Robert Charlebois!

Pierre Bourdon

Davantage interprète de classiques de la poésie française (dont il compose la musique) que chansonnier, Bourdon n'a enregistré qu'un seul microsillon, mais digne de mention, tant par le choix des textes (une face ancienne – Villon, Marot, Ronsard... – et une face moderne – Verlaine, Prévert, le Québécois Sylvain Garneau...) que par les arrangements de Paul De Margerie. Ce microsillon comprend entre autres une version remarquable du «Roi Renaud».

LES BOZOS (1959-1961)

Les pionniers du mouvement chansonnier au Québec. Ce groupe, qui comprend Jacques Blanchet, Hervé Brousseau, Clémence DesRochers, Jean-Pierre Ferland, André Gagnon, Claude Léveillée et Raymond Lévesque, n'est pas un ensemble musical mais plutôt une association d'auteurs-compositeurs-interprètes qui veulent faire valoir une chanson où l'accent est mis sur la qualité du texte, sans pour autant négliger la musique.

Cette approche fait d'eux les continuateurs de Félix Leclerc, dont la chanson «Bozo» leur a inspiré le nom du groupe. L'arrivée des Bozos est le point de départ d'une nouvelle génération – sauf pour Blanchet et Lévesque, les membres du groupe étaient pratiquement inconnus avant 1959. Le groupe se découvrira une identité propre autour de nouveaux lieux de rassemblement; la fondation de la boîte à chansons Chez Bozo, en 1959, suscitera en effet une quantité phénoménale d'émules à travers tout le Québec pendant les dix années suivantes.

Les Bozos: *Les pionniers du mouvement chansonnier au Québec.*

61

Hervé Brousseau (1937)

Chansonnier originaire de Québec, il se fait connaître au sein des Bozos à partir de 1959. Sa carrière n'atteindra jamais une ampleur comparable à celle de ses camarades et après quelques succès («Il avait fait fortune», «Au bassin Louise», «Mon patin» et, probablement le plus connu, «Rêve et conquête»), il réorientera sa carrière à titre de scripteur, scénariste et réalisateur à la télévision à partir de 1967.

Gilles Brown (1943)

Auteur-compositeur-interprète et producteur à qui l'on doit plus de trois cents adaptations françaises de succès américains, adaptations qui ont alimenté le répertoire des jeunes vedettes populaires. À titre d'interprète, Brown est surtout actif entre 1963 et 1973, notamment en duo avec Yves Martin (1971-1973).

Les Cailloux (1963-1968)

Inspirés des groupes du folk-revival américain (Kingston Trio, New Christy Minstrels, Brothers Four), tant dans leurs tenues vestimentaires que dans leurs sonorités musicales, Yves Lapierre, Jean Fortier, Robert Jourdain et Jean-Pierre Goulet forment au début des années 60 Les Cailloux, dont la carrière, malgré sa brièveté (cinq ou six ans, à peine), marquera l'évolution de la chanson québécoise.

Bien qu'œuvrant dans le circuit des chansonniers, Les Cailloux sont des interprètes folkloriques, courant qui s'est marginalisé depuis la fin des années 50 et l'avènement du yé-yé: la jeunesse, enthousiasmée par les nouvelles sonorités provenant des États-Unis, considère le folklore comme dépassé.

L'apport des Cailloux, avec d'autres groupes de même style bien que moins populaires, tels Les Cabestans ou Les Quatre-vingts, est d'avoir renouvelé l'intérêt de la population, et surtout des jeunes, pour la chanson traditionnelle par une interprétation dynamique reposant sur des instruments à cordes (guitare et banjo) et des harmonies vocales remarquables, ne sacrifiant en rien aux modes de l'époque.

Cette authenticité explique sans doute que, une trentaine d'années plus tard, des chansons comme «Dans mon canot d'écorce», «Commençons la semaine» ou «Les moines de Saint-Bernardin» n'aient pas pris une ride. Le cheval de bataille du groupe en spectacle était «J'ai deux grands bœufs dans mon étable» dont les différentes versions (à la façon de Félix Leclerc, de Willie Lamothe ou du yé-yé) étaient assez cocasses. On peut considérer Les Cailloux comme les précurseurs des Karrik et de La Bottine souriante.

Pierre Calvé (1939)

Après avoir bourlingué sur les mers pendant la deuxième moitié des années 50, Pierre Calvé quitte la marine marchande en 1961 et présente ses premières compositions en spectacle en Gaspésie, puis sur l'album *Chansons de ports et haute mer*. Le succès est immédiat et c'est le début d'une carrière assez discrète qui mènera Calvé en tournées à travers le Québec mais aussi dans le reste du Canada, en Nouvelle-Angleterre et en Louisiane.

Pierre Calvé

On peut retenir deux chansons-fétiches de Calvé, représentatives de deux périodes de sa carrière. La plus connue est celle qui l'a lancé, «Quand les bateaux s'en vont» (texte de Gilles Vigneault), typique, par son dépouille-ment, du mouvement chansonnier dans lequel Calvé s'inscrivait.

La deuxième date de 1974; il s'agit de «Vivre en ce pays», aux arrangements plus élaborés (dus à François Dom-pierre) et au texte engagé, que Robert Charlebois avait déjà créé avec succès l'année précédente. Entre ces deux points de repère, une cinquantaine de chansons dont plusieurs dénotent une influence sud-américaine, tant dans les

textes que dans les arrangements («Ve-racruz», «J'irai au Pérou», «Chez Rosita», «Julie connaissait la musique»).

L'interprétation de Calvé, qui joue de la guitare rythmique et est accompa-gné avec bonheur par son frère Jacques à la guitare solo et à l'accordéon, est vi-vante, rafraîchissante et contraste avec le style un peu monotone de la plupart des chansonniers qui ne font souvent qu'égrener quelques accords de guitare acoustique en guise d'accompagne-ment au texte.

Après la parution de «Vivre en ce pays», Pierre Calvé mettra un frein à sa carrière. Par la suite, il assumera pen-dant quelque temps la direction de La Boîte à chansons de l'hôtel Méridien à Montréal. Il donne encore, à quelques (trop) rares occasions, des spectacles avec son frère dans les petites salles du Québec.

César et les Romains (1965-1968)

Avec leurs costumes de scène fan-taisistes (tuniques, capes et sandales ro-maines), César et les Romains sont, avec Les Classels, le groupe le plus re-présentatif de la mode yé-yé. Presque tous originaires de l'Abitibi, les mem-bres du groupe, avant d'adopter leurs costumes de scène et d'être découverts par le grand public, jouent du r'n'b à travers les clubs et hôtels du Québec.

C'est en 1965, pendant une série de spectacles au Café de l'Est de Mont-réal, que naît l'idée d'un nouveau nom et d'un costume approprié. En quel-ques semaines, César et les Romains deviennent les coqueluches de la jeu-nesse québécoise avec des succès comme «Toi et moi», «Je sais» et surtout

«Splish splash», version française du succès de Bobby Darin.

En 1967, on troque la tunique contre le costume de ville, question de faire plus sérieux (le groupe cherche alors à élargir son public du côté adulte) et les engagements à l'étranger se font de plus en plus nombreux: États-Unis, Porto Rico, Bahamas... Il était même question, en 1968, de participer au *Ed Sullivan Show* et de donner des spectacles à Las Vegas, mais au Québec, le yé-yé s'essouffle et le groupe se sépare après quatre microsillons et quinze 45 tours.

Christine Charbonneau (1943)

Une des rares auteurs-compositeurs-interprètes féminines à s'être fait connaître pendant les années 60. Elle écrit ses premières chansons à 13 ans et lance son premier microsillon, *Les insolences d'une jeune femme*, en 1963. Des chansons comme «La guerre des jupes», «La beatnik», «Ville-Marie», «Le pays dont je parle» et «Je te chercherai» datent de cette époque. Après trois microsillons et une participation en 1969 au Festival de Spa, elle se consacre à l'écriture de chansons pour d'autres interprètes. À ce titre, sa production est importante: parmi les artistes qui ont créé ses chansons, mentionnons France Castel, Renée Claude, Patsy Gallant, Christine Chartrand, Pierre Lalonde, Michel Louvain et la chanteuse française Sheila. Elle effectue un retour en tant qu'interprète avec les albums *C'est pas c'que tu penses* (1975) et *Quintessence* (1977). Le plus grand succès de cette période est la chanson «Censuré».

Jeanne D'Arc Charlebois

Dans le courant – peu fréquenté pendant les années 60 – de la chanson folklorique, Jeanne D'Arc Charlebois était considérée comme l'héritière de La Bolduc dont elle a repris plusieurs chansons avec le même entrain.

Robert Charlebois (1944)

Chansonnier anonyme lors de ses débuts en 1961, c'est une chanson au style vaguement folklorique, «La Boulée», qui fait connaître son nom au grand public, du moins celui des chansonniers, en 1965.

Après deux microsillons qui se démarquent peu de la production chansonnière ambiante, sinon par certains arrangements jazzy et des influences sud-américaines («Hommage à Joao Gilberto»), une revue musicale et humoristique intitulée *Yé-yé versus chansonniers* où il stigmatise déjà des stéréotypes musicaux qu'il contribuera à faire éclater trois ans plus tard, et entre deux voyages en Martinique et en Californie, qui seront déterminants pour son orientation musicale future, il monte une deuxième revue pendant l'été 1967, *Terre des bums*, parodie de *Terre des hommes*, l'exposition universelle qui se tient à Montréal cette année-là.

Il publie ensuite, au début de 68, un troisième microsillon marquant une nette transition entre deux styles avec des pièces comme «50 000 000 d'hommes» (allusion au nombre de visiteurs de l'exposition *Terre des hommes*), «Demain l'hiver», «Protest song», et surtout «Presqu'Amérique» et «C'est pour ça». Avec ce microsillon, Charlebois devient le premier chansonnier à s'accompagner à la guitare électrique. Mais ce n'est là que le prélude de plus grandes choses à venir... (À suivre)

Les Classels (1964-1971)

De tous les groupes yé-yés au Québec, Les Classels furent certainement le plus populaire. Formé en 1964, le groupe adopte cheveux, habits et instruments blancs, ce qui ne manquera pas d'attirer l'attention du public, d'autant plus qu'ils auraient été les premiers à adopter une tenue de scène aussi excentrique. Mais leur succès ne tient pas uniquement à leurs costumes: des pièces comme «Avant de me dire adieu», «Le sentier de neige», «Qu'est devenu notre passé», «Les trois cloches» (reprise du succès d'Édith Piaf et des Compagnons de la chanson), et surtout «Ton amour a changé ma vie» mettent en valeur la voix puissante de Gilles Girard, chanteur principal du groupe.

Les Classels sont connus surtout pour leurs ballades (qui sont souvent, d'ailleurs, des compositions originales de Ben Kaye, leur gérant, Lucien Brien et Hal Stanley) mais ils ont aussi commis quelques chansons plus rythmées («Je», «Lucille», «Prends-moi»). À partir de 1966, toutefois, le groupe semble vouloir prendre ses distances avec la vogue yé-yé, et tend à s'orienter vers ce qu'il est convenu d'appeler la belle chanson. Suite à leur prestation sur la scène de l'Exposition universelle de Montréal, en 1967, ils délaisseront le blanc pour revenir à des couleurs plus conventionnelles et après un ultime effort pour s'adapter aux nouvelles sono-

rités en vogue («Perdu», «L'herbe de la paix»), le groupe finira par se séparer. Gilles Girard tentera avec plus ou moins de succès de poursuivre sa carrière, en solo ou avec d'autres incarnations du groupe (Les Super-Classels, 1977).

En 1989, il se tournera vers le western, comme certains autres musiciens de l'époque yé-yé (Dino L'Espérance de César et les Romains ou Denis Champoux des Mégatones, par exemple), et lancera son premier album solo, *Une touche de classe*.

Renée Claude (1939)

On peut affirmer sans se tromper que Renée Claude a été pendant les années 60 et 70, et demeure aujourd'hui, malgré une popularité moins éclatante, une des grandes interprètes de la chanson québécoise. Bien qu'elle ne soit pas auteure-compositrice, la qualité de son interprétation et surtout son répertoire puisé auprès des chansonniers français (Georges Brassens, Gilbert Bécaud, Ricet Barrier, Léo Ferré) et québécois (Gilles Vigneault, Jean-Paul Filion, Christine Charbonneau, Jean-Pierre Ferland) l'associent à ce mouvement.

Dès 1965, son talent est pleinement reconnu, au point où un trophée Renée-Claude est décerné à partir de cette année-là par la boîte à chansons Le Patriote à l'interprète qui s'y est le plus distingué. Cette même année, elle amorce une collaboration de sept ans avec l'auteur-compositeur et producteur Stéphane Venne. L'année suivante, ce travail donne lieu, sur des textes de Venne et des musiques de François

Dompierre, à *Il y eut un jour*, un des premiers albums-concepts de la chanson québécoise. À partir de 1967, année où elle effectue une tournée québécoise aux côtés de Jacques Brel et où elle est invitée au fameux *Tonight Show* de Johnny Carson, elle élargira progressivement son public avec des chansons de facture plus pop qui demeurent toutefois de grande qualité («T'es pas une autre», «Shippagan», «Lorsque nous serons vieux»). (À suivre)

Pierre Daigneault (1925)

Interprète du folklore québécois, dans la même veine que son père Eugène. On connaît surtout son interprétation de «La destinée, la rose au bois». Sous le pseudonyme de Pierre Saurel, il a également écrit des romans policiers (série «Le Manchot») et d'espionnage (les aventures du célèbre espion canadien IXE-13, qui ont inspiré une comédie musicale au cinéaste et écrivain Jacques Godbout en 1972).

Paul De Margerie (1931-1968)

Ne serait-ce que comme premier pianiste-accompagnateur de Jean-Pierre Ferland, son nom méritait d'être mentionné; il a composé entre autres les musiques de «Les enfants que j'aurai», «N'ouvre pas», «J'amoure» et la très belle «Ton visage».

Mais c'est le travail du directeur d'orchestre et de l'arrangeur à l'emploi de la maison Sélect que nous voulons ici souligner: de formation classique, De Margerie savait "habiller" les musiques a priori un peu frustres des chansonniers (qui se contentaient souvent, dans les boîtes à chansons, de gratter leur guitare) avec sobriété et nuance, annonçant ainsi François Dompierre. Il a laissé également quelques albums de musique instrumentale enregistrés avec quelques-uns des meilleurs musiciens de jazz du Québec.

Sa mort au milieu des années 60 fut ressenti d'autant plus douloureusement qu'un grand nombre de chansonniers avaient souvent fait appel à sa collaboration.

CLÉMENCE DESROCHERS (1934)

Sherbrookoise de naissance, elle tient de son père, le poète Alfred DesRochers, l'amour de la nature et des mots pour la célébrer. Après un début de carrière peu concluant dans l'enseignement, elle s'inscrit au Conservatoire d'art dramatique, noble institution qui prise encore le théâtre "à la française" et qui lui fait vite comprendre que sa voix un peu criarde ne lui vaudra jamais les rôles de jeunes ingénues. Elle décide dès lors de miser sur ses lacunes, ne se doutant probablement pas qu'elle pourra en vivre! En effet, Clémence (et c'est là sa force) bâtira sa carrière sur ses défauts et ses peurs. Elle les étalera au grand jour et créera ainsi un lien d'une rare complicité avec le public.

Clémence DesRochers*: «Moi j'ouvre des boîtes pis j'ferme des bars»...*

Bien sûr, on connaît la monologuiste comique, celle qui faisait ses débuts professionnels en 1958, au Saint-Germain-des-Prés, avec *Ce que toute jeune fille devrait savoir, ou Mon entrée à Radio-Canada*. Par contre, peu de gens se souviennent de la figure féminine des Bozos, ces pionniers de l'activité chansonnière au Québec. L'aventure dure trois ans, à la suite de quoi Clémence entreprend l'écriture de la première comédie musicale québécoise: *Le vol rose du flamant*. Au cœur des années 60, on fait appel à son talent pour inaugurer d'innombrables boîtes à chansons, ce qui lui vaut le surnom de "l'ouvre-boîte" et qui lui fera chanter plus tard: «Moi j'ouvre des boîtes pis j'ferme des bars»!

Au tournant de la décennie, elle crée de nombreuses revues musicales (*La grosse tête, La belle amanchure, C'est pas une revue, c't'un show*) au succès variable, dont la plus célèbre demeure *Les girls*, spectacle féministe humoristique qui compte dans ses rangs une Diane Dufresne encore bien timide. On retient de cette période les chansons «Quelques jours encor», «La chaloupe Verchères», «L'amante et l'épouse» et «Je ferai un jardin». Après un silence de quelques années, une chanson qui se moque de ses insuccès («Le monde aime mieux Mireille Mathieu») la révèle ironiquement au grand public et marque le début d'une série de triomphes.

Bien qu'elle ménage une place importante à la chanson dans ses spectacles, ses monologues jouissent d'une plus grande popularité auprès d'un public venu avant tout pour rire. Il faudra même attendre que des interprètes comme Renée Claude lui consacrent un spectacle (*Moi c'est Clémence que j'aime le mieux*) pour que l'on apprécie à leur juste valeur les bijoux de sensibilité que sont «La vie d'factrie», «Les deux vieilles», «L'homme de ma vie» et «La ville depuis».

L'œuvre de Clémence DesRochers n'aura certes pas révolutionné la pratique chansonnière mais ses portraits impressionnistes font aujourd'hui figure de précurseurs aux textes des Beau Dommage et Luc Plamondon.

Claude Dubois (1947)

Au milieu des années 60, Claude Dubois n'est qu'un chansonnier parmi les autres: deux microsillons assez conventionnels et un petit succès, «J'ai souvenir encore». Comme Charlebois, il sera profondément influencé par la musique underground américaine et il donnera toute sa mesure pendant les années 70. (À suivre)

Yvan Dufresne (1930)

Après avoir tenté une carrière de chanteur à voix, il entre en contact avec Robert L'Herbier et Jean Bertrand et fonde avec eux l'Amicale de la chanson (sorte d'ancêtre de l'ADISQ), responsable de la mise sur pied du premier Concours de la chanson canadienne. Enhardi par le succès du microsillon comportant les douze chansons primées à ce concours (on en aurait vendu 100 000 exemplaires et chacune des douze pièces aurait obtenu une place au palmarès), Dufresne tente, à partir de 1957, une nouvelle aventure en tant qu'imprésario et producteur pour la maison de disques Apex.

C'est à ce titre qu'il a lancé, entre autres, les carrières des trois «L», soit Michel Louvain, Pierre Lalonde et Donald Lautrec, et des deux Ginette (Ginette Reno et Ginette Sage). C'est lui qui, en 1964, a fondé la maison de disques Jupiter qui devait accueillir certains artistes yé-yés de la première (Tony Roman) et de la deuxième vague (Les Sinners) ainsi qu'un jeune auteur-compositeur qui fera sa marque pendant les années 70, Jacques Michel. De 1972 à 1976, il est directeur de la section francophone chez London et, en 1981, président de l'ADISQ.

Germaine Dugas (1934)

Cette auteure-compositrice-interprète arrive à une époque où le scoutisme et les mouvements de jeunesse catholiques (JEC, JOC) connaissent encore ici une certaine vitalité; c'est ce qui explique en bonne partie le succès durable que connaîtra, à partir de 1958, une de ses compositions, «Viens avec moi et tu verras», d'abord interprétée par les Collégiens Troubadours.

En tant qu'interprète, elle-même attire l'attention avec «Mes cousins», mais c'est l'année suivante qu'elle créera ce qui demeure sa chanson la plus connue, «Deux enfants du même âge». Cette chanson, qui occupera les sommets des palmarès, ainsi qu'un premier album plutôt bien accueilli, en 1961, lui assureront quelques années fastes au cours desquelles elle se produira, entre autres, à Paris, sur la scène de Chez Patachou. Mais l'insuccès de son deuxième album en 1963 marque le début du déclin de sa carrière. Après avoir abandonné la scène en 1972, elle est revenue sporadiquement à la chanson, sans grand succès.

Éric (1948)

Ce beau blondinet a connu un tel succès, en 1966, avec sa chanson «Nathalie» que ces deux prénoms, Éric et Nathalie, devinrent très populaires auprès des jeunes couples québécois qui cherchaient des noms pour leurs enfants. Éric poursuit ensuite une carrière sans histoire jalonnée surtout de ballades jusqu'en 1972, composant au passage la chanson «Marie-Boucane» pour le film *Finalement*, en 1970.

Les Excentriques (1964-1967)

On peut retenir deux choses à propos de ce groupe: leurs cheveux et habits roses et leur plus grand, pour ne pas dire leur seul véritable succès: «Fume, fume, fume» (version française de «Fun, fun, fun» des Beach Boys).

Jean-Pierre Ferland (1934)

Pendant les années 60, il est un des chansonniers les plus modernes par la qualité de ses textes. Selon Félix Leclerc, il aurait été le premier auteur-compositeur-interprète à célébrer la femme amante («Les femmes de trente ans», «Ça fait longtemps déjà») alors qu'auparavant, dans l'imaginaire canadien-français, la femme ne pouvait s'épanouir qu'en tant que mère.

L'amante n'est d'ailleurs qu'un des aspects de l'attachement sensuel qu'éprouve Ferland pour tout ce qui est manifestation de la vie («Lucky seven», «Avant de m'assagir») et surtout de l'amour, thème qu'il a su traiter de façon personnelle («Les immortelles», «J'amoure») – ce qui n'est pas une mince tâche!

L'humour est aussi présent dans plusieurs chansons de Ferland («Flamenco pour Maria», «Les bums de la 33e avenue») et sert parfois de véhicule à une certaine critique sociale («Les journalistes», «Chanson engagée pour plaire à monsieur et madame de...»).

Il sait également s'entourer de musiciens compétents pour ses arrangements: Paul De Margerie, Frank Dervieux, Paul Baillargeon. Comme tous les grands chansonniers de sa génération, il tente une percée en France, mais son œuvre de chanteur à texte classique ne lui donne pas ce côté pittoresque qui a fait la gloire d'un Leclerc ou d'un Vigneault, et tout en recevant un prix de l'Académie Charles-Cros, Ferland renoue définitivement avec sa carrière québécoise en 1968 avec «Je reviens chez nous», le plus grand succès de cette première période de sa carrière.

Mais cette réconciliation masque le désarroi qu'il éprouve face aux grandes crises de son époque et la remise en cause de plusieurs valeurs traditionnelles, non seulement au Québec mais à l'échelle mondiale. Ce désarroi se traduit par une certaine amertume dans des chansons comme «La mort du dernier cerf d'Amérique» (allusion à l'assassinat de Robert Kennedy) et surtout «Je le sais», dont l'humour cache mal le cynisme. Puis, un soir de 1968, Ferland va assister au spectacle *L'Osstidcho* et à partir de là, il ne verra plus la vie de la même manière. (À suivre)

Denise Filiatrault (1931)

Puisque dans sa carrière, elle a touché à tout (cabaret, théâtre, cinéma, télévision, radio...), il était normal que nous lui accordions au moins une petite place dans ce livre. D'autant plus que son apport à la chanson, bien que discret, n'est pas aussi anecdotique qu'il semblerait à première vue. Ses débuts sont marqués par sa participation à l'audacieuse entreprise mise sur pied par Fernand Robidoux, la revue musicale *Coquetel '46*. Une douzaine d'années plus tard, elle enregistre ses premiers disques, dont un rock'n'roll intitulé «Rocket rock'n'roll» (en hommage au joueur de hockey Maurice "Rocket" Richard).

Mais ce n'est qu'en 1962 qu'elle connaîtra un véritable succès dans un duo avec Jen Roger, «Twist contre twist», et surtout «La jeunesse d'aujour-

d'hui». Cette dernière chanson, écrite et créée par Gabélus Côté, traduit à sa façon la crise des valeurs que traversait alors le Québec. Comme l'ont fait valoir Richard Baillargeon et Christian Côté dans *Une histoire de la musique populaire au Québec*, le traitement humoristique du sujet fait de cette chanson une attaque contre les nouvelles ou les anciennes valeurs, selon qu'on prenne le texte au pied de la lettre ou de façon ironique, ce qui, à en juger par le style yé-yé de sa version, était le cas de l'interprétation de Denise Filiatrault.

Par la suite, cette dernière prendra ses distances avec la chanson tout en y revenant de temps à autre, notamment dans les comédies musicales *Le vol rose du flamant* de Clémence DesRochers et Pierre Brault (1964), *Monica la mitraille* de Robert Gauthier et Michel Conte (1968) et *Demain matin, Montréal m'attend* de Michel Tremblay et François Dompierre (1970), qu'elle mettra en scène vingt-cinq ans plus tard.

Jean-Paul Filion (1927)

Chansonnier de la première heure, il fait ses débuts en 1956. D'obédience folklorique, à une époque où le trop petit nombre de boîtes à chansons lui donne peu de chances de présenter des spectacles, Filion délaissera assez vite la chanson, après un séjour à Paris en 1960, pour se consacrer à une carrière d'écrivain et de producteur à la télévision, malgré un deuxième album en 1966. On lui doit surtout «La parenté», qui se vendra en 1957 à 100 000 exemplaires et qui deviendra la chanson-fétiche de Jacques Labrecque, mais aussi «La pitro», «Su'l chemin des habitants», «La folle» (qui lui vaudra le premier prix du Concours de la chanson canadienne de 1958). Des textes importants sur la chanson également, dans lesquels il affirme que la chanson est désormais la seule poésie encore viable dans notre monde moderne.

Louise Forestier (1943)

À sa sortie de l'École nationale de théâtre, au milieu des années 60, elle décide de sa lancer dans la chanson. Sa carrière part d'un bon pied alors qu'elle remporte, à l'occasion d'un concours organisé par la boîte à chansons Le Patriote, le trophée Renée-Claude.

En 1967 sort son premier microsillon, dans la lignée des grandes interprètes de l'époque (Pauline Julien, Monique Leyrac et Renée Claude). Elle y chante, entre autres, Georges Dor («Le vent»), Claude Gauthier («Tu ne ris plus») et surtout Robert Charlebois («La Boulée», «Les ouaouarons» et «Monument National»). Elle entre en contact avec ce dernier à la fin de 1967 et c'est à ce moment que les deux anciens étudiants de l'École nationale de théâtre concocteront, avec l'aide de Mouffe, Claude Péloquin, Yvon Deschamps et le Jazz libre du Québec, cette véritable bombe qu'est *L'Osstidcho*. (À suivre)

Claude Gauthier (1939)

Il mène une carrière discrète, soutenue par un public qui lui est fidèle depuis près de trente ans. Il fait partie, avec Pierre Létourneau, Pierre Calvé et Robert Charlebois, de la deuxième vague de chansonniers. Plusieurs de ses chansons évoquent les amours menacées par la distance («Mes amours, mes trouvères») et le temps («Tu ne ris plus»): c'est le côté romantique du chanteur qui, contenu dans une voix douce et un physique de jeune premier, plaît aux dames.

Mais Gauthier chante aussi le pays et n'hésite pas à prendre parti. Du «Grand six pieds» au «Plus beau voyage», cet engagement est remarquable: la première chanson est une des rares dont le propos politique soit aussi explicite – nous sommes en 1961! – et la deuxième, qui date de 1972, constitue une admirable synthèse de toutes les composantes (géographiques, sociales et historiques) du pays québécois avec une ouverture vers l'avenir dans laquelle l'artiste lie son sort à celui du pays: «Je suis Québec, mort ou vivant!» Tant par la beauté du texte que par la progression de la musique (d'Yvan Ouellet), Gauthier s'est surpassé et «Le plus beau voyage» est certainement un des classiques incontournables de la chanson québécoise.

Après ce sommet, sa carrière connaîtra un certain ralentissement pendant les années 70 et 80, néanmoins ponctuée de chansons de qualité («Ça prend des racines», «Les beaux instants», «Ocean Ranger», «Le chant des arbres») et d'un remarquable microsillon enregistré en spectacle en 1975, *Les beaux instants*. Après la parution de *Ça prend des racines*, deux ans plus tard, Gauthier ne lancera que deux albums, *Tendresses.O.S.* en 1984 et *Planète cœur* en 1991. Par ailleurs, on le retrouvera à l'occasion au cinéma, notamment dans *Les ordres* de Michel Brault, film évoquant l'invasion du Québec par les troupes canadiennes en octobre 1970. Plus récemment, c'est en tant que comédien que la jeune génération a découvert Gauthier dans le téléroman *Chambres en ville*.

Marc Gélinas (suite)

Après être disparu de l'avant-scène en 1962 et s'être consacré, avec Michèle Sandry, à l'animation du cabaret Le Cochon borgne (où il affiche ses prises de position en faveur d'un Québec indépendant), Marc Gélinas fait un retour remarqué à partir de 1965 et connaîtra un certain succès jusqu'en 1971 avec des chansons comme «De vie à éternité», «Tu te souviendras de moi», «Le bateau de minuit», «J'ai du bon feu», «Mommy, Daddy» (chantée avec Dominique Michel, et qui fait vibrer la corde sensible du "syndrome louisianais") et son plus grand succès, «La Ronde». Depuis, il a abandonné la scène pour se consacrer à l'enseignement du chant jusqu'en 1974, et on a pu le voir à l'occasion au théâtre, à la télévision et au cinéma. Notons enfin que parallèlement à sa carrière d'interprète, Marc Gélinas composera des chansons pour Pierre Lalonde, Ginette Ravel et Ginette Reno.

Les Gendarmes (1965-1968)

Comme Les Classels, ce groupe, dont les membres portent pendant quelque temps le costume du gendarme français, a pour figure centrale un chanteur à la voix remarquable, Guy Harvey, spécialisé dans les versions françaises de Neil Sedaka et autres chansons romantiques: «Reviens vers moi», «Oh Carole», «Ne pleure pas», «Le cœur d'une maman», «Angélica» ne sont que quelques-uns des quarante 45 tours enregistrés par Guy Harvey, avec ou sans Les Gendarmes, de 1965 à 1970. Le groupe se sépare en 1968, comme plusieurs autres formations yéyés.

Fernand Gignac (1934)

Après des débuts précoces au Faisan doré en 1949 (il n'est âgé que de 14 ans!) et le succès d'un premier simple en 1957 («Je n'ai fait que passer»), ce sont des apparitions régulières au *Club des autographes*, de 1960 à 1962, en compagnie de Margot Lefebvre, qui consolideront définitivement sa popularité auprès du public québécois. Bien que *Le club des autographes* soit une émission télévisée qui s'adresse au public adolescent, Gignac ne "succombera" jamais au yé-yé ni à aucune mode musicale: se situant dans la tradition des chanteurs de charme, il interprète avec constance la "vieille chanson française" («J'avais vingt ans» de Tino Rossi dont Gignac est l'émule) et certains auteurs-compositeurs québécois (Jacques Blanchet, par exemple). C'est une formule gagnante qui lui vaut une popularité encore solide après plus de quarante ans de carrière, malgré le mutisme des critiques et l'indifférence des médias.

Gignac a su s'attacher un public nombreux et fidèle, bien que vieillissant, et se constituer un répertoire adapté aux préoccupations de ce public («Le temps qu'il nous reste», enregistrée en 1979). La popularité du chanteur est consolidée par celle du comédien, que l'on peut apprécier dans des téléromans parmi les plus écoutés au Québec (*Symphorien*, *Entre chien et loup*, et surtout *Les Moineau et les Pinson*). Sa chanson-fétiche est indéniablement «Donnez-moi des roses» (1962).

Yoland Guérard (1923-1987)

Cet interprète s'est d'abord fait connaître dans le milieu du chant lyrique et de l'opéra: c'est ainsi qu'il fait ses débuts avec les Variétés lyriques en 1948. Il en deviendra le directeur cinq ans plus tard. Après avoir participé à une tournée américaine de la comédie musicale *South Pacific* en 1955-1956 et fondé avec Robert Savoie en 1957 le Grand Opéra de Montréal, Yoland Guérard fait cette même année une première incursion dans le domaine de la chanson populaire avec «Les étoiles», primée au premier Concours de la chanson canadienne.

Il mènera ainsi de front carrières populaire et lyrique, jusqu'en 1964, avant de favoriser davantage ce dernier genre pendant encore une dizaine d'années. En tant que chanteur populaire, outre «Les étoiles», il connaîtra plusieurs autres succès dont «Ciao, ciao Bambina», «Peux-tu songer», «De Grenade à Séville». Il se montrera également, à la fin des années 50, un grand défenseur de la chanson d'ici en s'en faisant l'interprète («À la brunante», «Mon petit baluchon») et en animant, jusqu'en 1983, plusieurs émissions de télévision qui veulent mettre en valeur artistes lyriques et de variétés. La plus importante de ces émissions est sans doute *Découvertes*, qui se voulait un lieu d'expression de nouveaux talents de la chanson.

Il abandonne le chant dans la deuxième moitié des années 70, pour se consacrer davantage à ses activités d'administrateur et de producteur, même s'il reviendra brièvement à l'opéra de 1981 à 1983. Pendant les deux années suivantes, il tâte un peu de cinéma (rôle de Samuel Chapdelaine, aux côtés de Carole Laure, dans *Maria Chapdelaine* de Gilles Carle), de théâtre et de téléroman avant d'être nommé à la tête du Centre culturel canadien à Paris, en 1985.

Les Hou-Lops (1962-1969)

Les membres de ce groupe yé-yé, en quête d'une image plus voyante, adoptèrent en 1964 le nom de Têtes blanches après avoir décoloré leurs cheveux, mais Les Classels avaient déjà exploité l'idée et l'on dut revenir à une coiffure naturelle et au nom original de la formation, soit Les Hou-Lops. C'est de cette époque que date leur premier album, *Voici Les Hou-Lops/Têtes blanches*, considéré aujourd'hui comme un petit chef-d'œuvre du rock instrumental dans la tradition des Ventures, Chantay's et autres Surfaris (ou des Megatones et des Jaguars, pour nommer des vedettes locales).

Par la suite, ils connaîtront quelques succès produits par Yvan Dufresne (reprise du «Mother in Law» d'Allen Toussaint, «Vendredi m'obsède», d'après le «Friday on my Mind» des Easybeats, et «Oh non») dont le plus populaire et le plus remarquable demeure «Blue jeans sur la plage», la chanson sentimentale incontournable de l'été 1965 au Québec, composition originale de Louise Rousseau et du guitariste Claude Dominique, qui sera reprise par le groupe Aut'Chose dix ans plus tard.

Le son des Hou-Lops, lorgnant du côté du rhythm'n'blues et du rock britanniques, s'inspire plus particulièrement des Animals et des Rolling Stones. Ils auront d'ailleurs le privilège de jouer en première partie de ce groupe à l'Olympia de Paris au printemps 1966. Après une tournée en compagnie de Johnny Hallyday en 1968, le groupe se dissout l'année suivante.

Les Jérolas (1955-1974)

De la fin des années 50 à leur séparation, Jérôme Lemay et Jean Lapointe formeront un duo extrêmement populaire où l'humour tient une place de choix; l'un comme l'autre sont des imitateurs hors pair en plus d'interpréter des chansons fantaisistes. Ce talent résulte d'un dur apprentissage dans les cabarets, qui furent une bonne école pour toute une génération d'artistes.

Leur principal apport à la chanson québécoise est la création, dix ans avant Charlebois, d'un rock'n'roll chanté dans la langue populaire du Québec. Leur répertoire, autour de 1960, comprend des versions françaises de succès des Coasters («Charlie Brown», «Jones s'est montré» — «Along came Jones» — et leur plus grand succès, «Yakety Yak»), mais aussi quelques compositions originales (le «Méo Penché» de Jérôme Lemay qui sera repris par Pierre Bertrand, ex-bassiste de Beau Dommage, en 1981, sur un rythme reggae).

Leurs interprétations sont remarquables et Lemay, en particulier, s'avère un excellent guitariste, au point où le groupe aura le privilège de donner, en 1963, une performance au *Ed Sullivan Show*! Cet événement leur aurait apporté une consécration telle qu'une carrière internationale semblait alors possible; mais ce rêve s'évanouira en 1964 après un accident de voiture qui immobilisera Jean Lapointe pendant plusieurs mois.

Néanmoins, le succès des Jérolas aura suscité, au début des années 60, une vague de ce que l'on appelle les duos rythmés, véritables précurseurs d'un rock'n'roll (voire parfois d'un rock de garage) québécois authentique, malheureusement oubliés de nos jours: Lionel et Pierre («La voisine d'à côté», «Avez-vous vu mon pote»), Les Rythmos («Twist que tu es belle», «Frisette»), Les Satellites («À mort»)...

Au moment où ils reprennent leurs activités, en 1966, leur popularité au Québec est à peu près intacte et le demeurera jusqu'à la fin de leur carrière. Au début des années 70, toutefois, Jean Lapointe se sent à l'étroit et amorce une carrière cinématographique. C'est lui qui mettra fin à l'association en 1974, pour se consacrer à une carrière solo qui, après des débuts difficiles, connaîtra un grand succès au Québec et même, pendant quelques années, en France. Quant à Jérôme Lemay, il quittera, après quelques tentatives infructueuses, la scène artistique... du moins jusqu'en 1993, alors que le duo se reforme pour présenter quelques numéros, dans le cadre de la tournée d'adieu de Jean Lapointe.

PAULINE JULIEN (1928)

Après avoir reçu une formation de comédienne à Paris, elle amorce une carrière d'interprète dans les cabarets de la Rive-Gauche. Son répertoire comprend alors Brecht, Ferré et Vian, entre autres. Au début des années 60, elle revient au Québec et découvre les chansonniers: Raymond Lévesque, Claude Léveillée, Gilles Vigneault et, plus tard, Georges Dor. Sa belle voix légèrement âpre et sa passion la font remarquer du public, du moins celui des chansonniers, au même titre que Monique Leyrac ou Renée Claude.

Cette passion se retrouve non seulement dans son interprétation, mais aussi, de plus en plus, dans son engagement politique; elle a épousé le poète et journaliste indépendantiste Gérald Godin (qui siégera en tant que député du Parti québécois de 1976 à 1994) et a crié, à l'exemple du général de Gaulle, «Vive le Québec libre!» lors d'une réunion de la francophonie au Gabon en 1968. Cet engagement politique s'exprimera plus explicitement dans le répertoire de Pauline Julien pendant les années 70. En attendant, elle consacre ses albums à différents auteurs québécois et français: Raymond Lévesque (1965), Boris Vian (1966) et Gilbert Langevin (*Comme je crie, comme je chante*, 1969), sans oublier son microsillon de 1967, *Suite québécoise*, qui lui vaudra un premier prix Charles-Cros en 1970. (À suivre)

Pauline Julien: *Des interprétations passionnées et un engagement politique.*

Pierre Lalonde (1941)

Il travaille comme disc-jockey à Saint-Jérôme dans une station de radio appartenant à son père, Jean Lalonde, le plus populaire *crooner* des années 30 et 40, lorsque l'imprésario Yvan Dufresne le découvre au début des années 60. Il enregistre bientôt son premier disque, «Chip chip»; mais c'est en tant qu'animateur de l'émission télévisée *Jeunesse d'aujourd'hui*, à partir de 1962, qu'il se fera connaître.

L'année suivante, il est élu "Découverte de l'année" par la télévision montréalaise. Cette idole inoffensive fait figure de Pat Boone québécois (il reprendra d'ailleurs le «Speedy Gonzales» de Boone sous le titre de «Petit Gonzalez») avec des succès qui traduisent les préoccupations des jeunes sans menacer d'aucune façon l'ordre établi et la paix publique (la révolte édulcorée dans «Nous on est dans le vent» et la quête de plaisirs adolescents dans «C'est le temps des vacances»).

Il quitte le Québec en 1967 pour animer sa propre émission de télévision à New York, *The Peter Martin Show* – expérience qu'il répétera à l'occasion pour le public américain ou canadien-anglais. La fin de la vogue yé-yé le désorientera quelque peu et pendant quelques années il se cherchera un nouveau style, ce qui donnera lieu à quelques tentatives intéressantes (*Inouïk,* en collaboration avec Stéphane Venne) mais sans lendemain.

Depuis 1970, il mène une carrière, peu spectaculaire mais régulièrement jalonnée de succès, de chanteur de variétés qui a su vieillir avec son public et qui continue de plaire aux dames. Pendant les années 80, il délaisse la chanson pour l'animation de différentes émissions télévisées. En 1994, dans l'engouement général d'une nouvelle génération pour la mode des années 60, Pierre Lalonde profitera de la manne qui passe en reprenant ses vieux succès sur un nouveau disque, le premier depuis 1977. Signalons que l'auteur-compositeur-interprète Daniel Bélanger a repris en spectacle un de ses succès: «Donne-moi ta bouche».

Serge Laprade (1941)

Celui qu'on a surnommé le "Beau Brummel" connaît la gloire en 1965 avec une reprise du grand succès d'Hervé Vilard, «Capri, c'est fini». La popularité de cette chanson tient moins à l'interprétation banale de Laprade qu'à son look qui fait rêver les femmes. C'est essentiellement sur ce charme qu'il mise pour mener sa carrière: animateur d'un jeu télévisé, d'une émission de variétés, d'un téléthon annuel, auteur de quelques recueils de pensées parfumées à l'eau de rose... et même candidat (défait) aux élections fédérales de 1988!

Guy Latraverse (1939)

Ce jeune comptable assiste aux premiers balbutiements du mouvement chansonnier et s'y implique très tôt: il organise dès 1959 un spectacle d'Hervé Brousseau avec Jean-Pierre Ferland en première partie. Plus tard, Claude Léveillée, puis Jacques Blanchet, André Gagnon et quelques autres font appel à ses services pour leur comptabilité.

En 1962, il devient l'imprésario de Léveillée, dont il produira le spectacle à la Place des Arts en 1964 (une première pour un chanteur québécois!), et c'est alors le véritable début de sa carrière. Désormais, plusieurs chansonniers passent par lui. De plus, à compter de 1963, il prend la relève de Gérard Thibault pour l'organisation des tournées québécoises de grandes vedettes françaises (Guy Béart, Charles Aznavour, Annie Cordy...); il se relève d'une première faillite grâce à la tournée canadienne de Petula Clark dont il avait obtenu le contrat quelques mois avant le succès international de la chanson «Downtown».

Par la suite, il ne s'occupe plus de comptabilité, mais uniquement de direction artistique et de production de spectacles. C'est alors qu'il entend parler de *L'Osstidcho*; pour Guy Latraverse comme pour bien d'autres, cet événement est un point tournant... (À suivre)

Donald Lautrec (1940)

En 1961, un ancien acrobate veut chanter et le fait savoir à l'imprésario Yvan Dufresne, qui a déjà lancé la carrière phénoménale de Michel Louvain quelques années auparavant. Les premières tentatives sont peu encourageantes et le premier disque de Lautrec, «Personne au monde» (paroles de Marc Gélinas et musique de Cécile Coulombe), ne se vend qu'à 34 copies!

Mais le vent tourne bientôt en 1963 et «L'amour unit le monde» (d'après «Love Makes the World Go Round» de Paul Anka) est le premier d'une série de succès qui feront danser les jeunes: «Tu dis des bêtises», «Loop de loop», «Loin dans ma campagne», et surtout «Manon, viens danser le ska», chanson-fétiche de Lautrec première manière, reconnu comme Révélation de l'année en 1965. Après une percée sans lendemain en Europe (où il tournera en 1970 dans *Le diable aime les bijoux*, un film policier de série B), son style évolue vers un rock plus énergique, voire vaguement psychédélique, qu'illustre bien la reprise du succès de Barry Ryan, «Éloïse», prélude au nouveau Lautrec qui se révélera à partir de 1969. (À suivre)

FÉLIX LECLERC (suite)

Période un peu troublée pour "le chanteur canadien". Malgré la vénération que lui portent les chansonniers dans leur ensemble, l'étoile de Félix a un peu pâli depuis la fin des années 50. L'émergence d'une nouvelle génération d'auteurs-compositeurs-interprètes au Québec et le déferlement de la vague yé-yé en France comme dans son pays le relèguent au second plan. De plus, Leclerc fait face à un dilemme douloureux: miser sur une carrière française ou sur une carrière québécoise.

Ces remises en question et ce déchirement ne l'empêchent tout de même pas d'enregistrer de nouvelles chansons où il est égal à lui-même: «Tu te lèveras tôt», «Tour de reins» (1958), «La vie, l'amour, la mort» (1962), «La fête», «Premier amour» (1963), «La vie» (1966), «Variations sur le verbe donner» (1967), «En attendant l'enfant» (1968) et des reprises peu nombreuses, mais bien choisies («La chanson de Pierrot» de Raymond Devos, «Le testament» de Villon, «Ton visage» de Jean-Pierre Ferland et «L'écharpe» de Maurice Fanon).

L'album-bilan de 1969, *J'inviterai l'enfance*, témoigne d'un apaisement et annonce la mutation du Félix "canadien-français" en Félix "québécois". (À suivre)

Tex Lecor (1933)

Né Paul Lecorre, "le dernier des vrais", comme on l'a surnommé pendant un certain temps, fait ses débuts de chansonnier à Montréal en 1957. Il se fera remarquer deux ans plus tard par le folkloriste Jacques Labrecque qui reprend sa chanson «Le grand Jos» et le recommande auprès de la compagnie London où il enregistre son premier microsillon en 1960, campant un personnage de paysan (voire de bûcheron, métier qu'il a exercé dans sa jeunesse) exilé en ville («Le campagnard») avec un accent du terroir et un humour qui évoquent Ricet Barrier, sans toujours l'égaler («Les poules», «Elle avait un trou»).

Ce côté gaulois de son personnage le confinera jusqu'au milieu des années 60 dans des clubs et des boîtes à chansons telles La Poubelle et La Catastrophe où, en plus de ses prestations comiques, le public peut apprécier quelques chansons réalistes empreintes d'une certaine poésie, telle «Rue Sainte-Famille», probablement la plus connue de sa première période.

À partir de 1967, ses disques connaissent une plus grande diffusion, plus particulièrement «Le dernier des vrais», «Je t'amène avec moi» et «Noël au camp», un récitatif toujours très populaire à la radio pendant le temps des Fêtes. On lui doit également, en 1968, la composition de «La Bolduc '68» (sorte de pot-pourri de chansons de la vedette des années 30 apprêté à la sauce musicale pop du jour) qui deviendra un succès pour Marthe Fleurant, et «Go go Trudeau» pour Les Sinners. Mais ce n'est qu'après 1969 que Tex connaîtra sa plus grande popularité, dans un style un peu plus commercial, mais tout aussi intéressant. (À suivre)

Margot Lefebvre (1936-1989)

L'émission *Le club des autographes* la fait connaître en 1960 alors qu'elle y apparaît régulièrement, seule ou en compagnie de Fernand Gignac, pour interpréter des chansons qui perpétuent la tradition des diseuses des années 40 («La Madone»). Son nom demeure pourtant associé à un succès pop de l'année 1963, «C'est la faute au bossa-nova», version française du «Blame it on the Bossa Nova» d'Edye Gorme. La fin de la vague yé-yé met brusquement un terme à cette gloire somme toute éphémère; bien que son nom demeure vaguement présent au souvenir du public, grâce aux différentes vagues rétro, Margot Lefebvre gagnera sa vie avec des métiers plus modestes.

André Lejeune (1935)

Auteur-compositeur-interprète qui œuvre dans le même créneau que Marc Gélinas et qui, après avoir connu une période assez faste à la fin des années 50, se verra relégué à un certain oubli pendant une quinzaine d'années, tout en maintenant une présence active dans les cabarets et les boîtes à chansons.

Il se fait remarquer en 1957 avec la chanson «Prétends que tu es heureux», ainsi qu'avec quelques rock'n'rolls («Qu'est-ce que le rock'n'roll» et «Reviens»). Il récidivera dans ce genre musical nouveau avec «La fin de la semaine», en 1959, année où il connaît également son plus grand succès, «Une promesse».

Il refera surface à la télévision pendant les années 70 avec la populaire émission folklorique *À la canadienne* (1974-1978). Depuis, il s'est consacré à diverses activités de promotion de la chanson d'ici: direction de la maison de disques Colibri, administrateur de cabarets, formation du Chœur des artistes, projet d'un musée de la chanson, etc.

Jacqueline Lemay (1937)

Native du Témiscamingue, Jacqueline Lemay est la sœur du Jérola Jérôme Lemay. À 17 ans, elle chante du rock'n'roll en anglais dans les cabarets de Rouyn-Noranda.

En 1957, elle entre à l'Institut séculier des Oblates de Marie-Immaculée; du rock'n'roll, elle passe à la chanson religieuse (!) dont elle sera l'une des principales représentantes au Québec, avec des chansons comme «Vive la vie», «Route claire» ou «Si tu vois la mer». En 1963, elle quitte les Oblates. Comme elle s'accompagnait déjà à la guitare, il était normal qu'elle adopte le style chansonnier. En 1967, elle donne un récital bien accueilli au Patriote et sort un microsillon, *Un long voyage*.

(À suivre)

Pierre Létourneau (1938)

Bien qu'on le classait dans le clan des chansonniers pendant les années 60, Pierre Létourneau lorgnait aussi du côté de la chanson populaire, comme le démontrent des chansons comme «La chanson des pissenlits» et «Grand-père est un yé-yé».

En fait, il a contribué modestement, avec Stéphane Venne et Marc Gélinas, à abolir la barrière entre les yé-yés et les chansonniers. Si Létourneau est identifié à ce dernier groupe, c'est que ses plus grands succès sont des chansons dans ce style («Terre vague», «Pour ma mélancolie» et bien sûr «Les colombes»).

Il faut noter, toutefois, que même dans ses pièces de style populaire, les textes sont bien travaillés. Cette capacité d'écrire aussi bien des chansons à texte que des musiques populaires lui sera particulièrement précieuse durant les années 70.

(À suivre)

Claude Léveillée: *Le premier grand mélodiste de la chanson québécoise.*

Monique Leyrac

Michel Louvain

CLAUDE LÉVEILLÉE (1932)

Le premier grand mélodiste de la chanson québécoise. Il écrit ses premières chansons au milieu des années 50, mais ce n'est pas avant la création des Bozos, en 1959, qu'il se fera remarquer du grand public. Entre-temps, le "petit" public – celui des enfants – avait déjà pu le voir à la télévision, dans l'émission *Domino* (1957-1959) où il personnifiait le clown Cloclo. Pendant les années 60, Léveillée aura maintes fois l'occasion de faire valoir ses talents de comédien dans des téléromans, des téléthéâtres ou des comédies musicales dont il compose évidemment la musique.

Chez Bozo est la première d'une série de boîtes à chansons qu'il contribuera à fonder jusqu'en 1967: mentionnons à titre d'exemple La Butte à Mathieu, Le Patriote, et surtout Le Chat noir, dans laquelle il s'est davantage impliqué et qui a permis au public montréalais de découvrir entre autres Gilles Vigneault, Claude Gauthier, Pierre Létourneau, Pierre Calvé...

À l'époque des Bozos, Édith Piaf, de passage au Québec, le remarque et l'engage comme pianiste. Chance inespérée pour Léveillée d'apprendre au contact d'une artiste de talent et d'expérience. Il lui écrit une chanson qu'il reprendra lui-même avec un grand succès au Québec, «Les vieux pianos».

En 1962, il enregistre sa chanson-fétiche, «Frédéric», qui lui assure une place de choix dans le panthéon de la chanson québécoise et qui lui vaudra une certaine reconnaissance en France. Dès lors, il travaille sans relâche aux projets les plus divers, souvent avec l'assistance d'André Gagnon. Le public reste stupéfié à l'écoute de ce pianiste autodidacte qui compose et joue avec une intuition remarquable, une sensibilité et une virtuosité sans précédent jusqu'alors dans la chanson québécoise, des musiques où transparaissent des influences jazz et classiques (les pièces instrumentales «Pour les amants» et «Gigue et jazz»).

Ses textes, souvent empreints de mélancolie et de douloureuse nostalgie, n'atteignent toutefois pas toujours la même force que ses musiques. C'est pourquoi il fait parfois appel à certains paroliers chevronnés: Henri Tachan, Clémence DesRochers, le dramaturge Marcel Dubé – dont les pièces de théâtre collent si bien à la musique de Léveillée – et surtout Gilles Vigneault. Ce dernier lui écrira de véritables bijoux: «Funambule», «L'hiver», «Il n'y a pas de bout du monde» et «Les rendez-vous».

En 1964, Léveillée, accompagné d'un orchestre dirigé par André Gagnon, est le premier chanteur québécois à faire la Place des Arts, la plus prestigieuse salle de spectacles à Montréal à cette époque. Il effectue également une tournée dans une trentaine de villes d'Union soviétique, en 1968. Pendant cette période, il contribue à ce qui deviendra les premières comédies musicales québécoises, hormis *Le Vol rose du flamant* de Clémence DesRochers et Pierre Brault: *Les éphémères*, écrite en 1963 avec Paul Buissonneau (qui ne sera jamais jouée) et *Le doux temps des amours* en 1964, première de sept collaborations avec Louis-Georges Carrier. (À suivre)

RAYMOND LÉVESQUE (suite)

Pendant les années 60, Lévesque, à l'exemple d'un nombre croissant de Québécois, prend conscience de la situation sociopolitique du Québec. Dès lors, son approche artistique se modifie sensiblement: de chansonnier au sens québécois, il deviendra chansonnier au sens français du terme, c'est-à-dire auteur et interprète de chansons commentant l'actualité, dans la tradition de Béranger.

Lévesque sera un des premiers (et rares) chanteurs à adopter la cause d'un Québec indépendant et socialiste en véhiculant ses opinions dans ses chansons. Son style populiste ainsi que sa réputation gagnée au cours des années 50 permettent la diffusion, à partir des années 1967-1968, de quelques-unes de ces chansons, dont «Québec, mon pays» et surtout «Bozo-les-culottes», à la défense des prisonniers politiques québécois. Il s'impliquera d'ailleurs activement dans les événements au profit de la cause des prisonniers politiques, notamment lors des différentes éditions de *Poèmes et chants de la résistance*.

Toutefois, au cours des années 70, il est progressivement marginalisé, malgré le vibrant hommage que lui rendent Leclerc, Vigneault et Charlebois en interprétant «Quand les hommes vivront d'amour» à la fin du spectacle de la Superfrancofête, en 1974. De plus en plus, Lévesque se consacre à l'écriture (théâtre, poésie, essais humoristiques et autobiographie) aux dépens de la chanson, qu'il délaisse tout à fait en 1986, victime de surdité. C'est une fin de carrière un peu triste pour quelqu'un qui a tant apporté à la chanson québécoise, mais en guise de consolation, il peut apprécier les divers hommages qu'on lui a rendus pendant les années 80, à commencer par le trophée-témoignage qu'il reçoit pour l'ensemble de son œuvre, lors du Gala de l'ADISQ de 1980.

La station radiophonique CIEL-MF a également mis sur pied, en 1986, le prix Raymond-Lévesque, décerné à un auteur-compositeur-interprète, et dont le premier récipiendaire sera, à tout seigneur tout honneur, monsieur Lévesque lui-même.

Monique Leyrac (suite)

Après avoir fait ses classes au Faisan doré et au Saint-Germain-des-Prés et voyagé en France pendant les années 50, Monique Leyrac, à l'exemple de Pauline Julien, inclut dans son répertoire, à partir de 1960, plusieurs compositions des chansonniers d'ici qu'elle sait mettre en valeur avec sa voix de «dentelle de Bruges», pour reprendre la métaphore d'Alain Sylvain.

Pendant les années 60 et, dans une moindre mesure, pendant les années 70, elle enregistre plusieurs chansons dans un style que les Anglo-Saxons qualifieraient de *middle of the road*, qui connaissent parfois le succès («C'est toute une musique», 1970), mais aussi – et surtout – des albums qui sont devenus de grands classiques de la chanson québécoise: *Monique Leyrac chante Léveillée et Vigneault*, *Monique Leyrac chante Nelligan* et *Monique Leyrac chante Félix Leclerc*.

Ce dernier lui a écrit «Chanson de femme d'autrefois et d'aujourd'hui» qu'elle interprète sur l'album-bilan de Leclerc, *Mon fils*. Sur ce même album, elle participe également aux «Rogations» avec Jean-Pierre Ferland et Gilles Vigneault, et à «La nuit du 15 novembre» (qui salue la victoire du Parti québécois en 1976) avec François Dompierre, Claude Gauthier, Marc Gosselin, Jean Lapointe et Philippe Ostiguy. Pendant les années 80, elle se consacre à sa carrière de comédienne, ne chantant plus qu'à l'occasion, dans certaines émissions de télévision, ce qui est bien dommage, puisque ses rares apparitions confirment à quel point son talent d'interprète est demeuré intact.

Michel Louvain (1937)

Chanteur de charme dans la tradition inaugurée par Fernand Perron et Jean Lalonde et poursuivie par Robert L'Herbier et Fernand Robidoux, Michel Louvain apparaît dans un contexte particulier, soit les premières années du rock'n'roll et la popularité phénoménale d'Elvis Presley. La jeunesse québécoise, en mal d'idoles, ne tardera pas à faire du beau Michel la première vedette pop du Québec, bien que celui-ci, contrairement à Presley, ne donne jamais dans la chanson rock.

Cette image d'amoureux et de gendre idéal explique, davantage que sa voix limitée, l'ampleur de son succès, orchestré par son gérant Yvan Dufresne, celui-là même qui le découvrit en 1957. Louvain, sous le nom de Mike Mitchell puis Mike Poulin, travaillait alors comme animateur de soirée (M.C.) dans un hôtel de Laval. Il enregistre d'abord «Un certain sourire» (version française de «A Certain Smile» de Johnny Mathis) puis «Buenas noches mi amor», qui sort à la fois en 78 tours et en 45 tours, une première au Québec.

«Buenas noches...» marque aussi le début des scènes d'hystérie collective qui iront en se multipliant jusqu'au début des années 60, alors que l'arrivée d'autres idoles fera quelque peu pâlir l'étoile de Louvain. À cette époque, et pendant encore quelques années, les tubes s'accumulent, portant souvent comme titres des prénoms féminins: «Lison» – qui se serait vendu à plus de 80 000 exemplaires, en 1958! –, «Sylvie», «Louise», «Linda»...

Cette dernière chanson a été enregistrée lors d'un voyage peu concluant en France en 1959, mais la mention "made in France" sur la pochette du microsillon *Linda* n'était pas pour nuire aux chiffres de vente au Québec. À partir de 1967, sentant le vent tourner, Louvain s'orientera davantage vers le public adulte, ce qui ne l'empêchera pas de connaître une relative traversée du désert jusqu'en 1976, alors que le succès de «La dame en bleu» lui ouvre la Place des Arts. Il anime de 1986 à 1992 une émission de variétés très populaire auprès d'un public dont la moyenne d'âge est de plus en plus élevée.

Les Lutins (1965-1970)

Ce groupe que l'on a d'abord remarqué, à ses débuts, à cause du jeune âge de ses membres (entre 13 et 15 ans) se distingue également de la plupart de ses pairs par un son "garage" et par un répertoire constitué de matériel original (paroles du chanteur Simon Brouillard et musiques du guitariste Serge Lambert). Parmi leurs plus grands succès, on peut mentionner: «Elle n'a rien compris», «Laissez-nous vivre», «A-t-on le droit?» et surtout «Je cherche» qui sera repris vingt ans plus tard par le groupe The Gruesomes et, plus récemment, par le Boum Ding Band. Jacques Michel leur a écrit deux chansons en 1968: «Monsieur le robot» et «Roquet belles oreilles».

À la fin de cette même année, Simon Brouillard quitte le groupe et poursuit, sous le nom de Simon, une carrière solo qui connaîtra son apogée en 1970 avec deux succès, «Adieu jolie

Candy» (reprise d'une chanson interprétée par Jean-François Michael) et «Luxembourg». Les autres membres, de leur côté, poursuivront l'aventure des Lutins (devenus Les Luths) jusqu'en 1970. Une tentative intéressante de créer, après les duos rythmés et avant Charlebois, une musique rock substantielle, qui évite d'imiter servilement les succès anglo-saxons, et mise au service de textes qui expriment plus spécifiquement les revendications de la jeunesse.

Jacques Michel (1941)

Il aurait pu devenir une victime de la polarisation artiste populaire/chansonnier. Adepte d'un style folk-rock qui le fera considérer comme un Bob Dylan québécois, Jacques Michel ne peut, de toute évidence, se situer exclusivement dans une catégorie, et comme on ne connaissait pas vraiment d'autre alternative à cette époque, il tâta de l'une comme de l'autre. C'est ainsi que, dès 1965, le Festival du disque lui décerne le trophée de la chanson yé-yé de l'année pour «Je retourne chez moi»; pourtant, cette chanson se voulait une satire de la mode yé-yé!

Jacques Michel poursuivra, sur cette lancée, une carrière plutôt discrète où il s'affirmera, lentement mais sûrement, autant comme interprète, avec des succès comme «Fume ta marijuana» (1967), «Sur un dinosaure» (1968) ou «À cause d'une fleur» (1969), que comme auteur-compositeur (notamment pour Les Lutins avec «Monsieur le robot» et «Roquet belles oreilles». Mais ce n'est que dans la foulée des décibels électriques de *L'Osstidcho* et dans un climat politique tout aussi tendu que la carrière de Jacques Michel prendra vraiment toute son envergure. (À suivre)

Les Miladys (1965-1972)

Ce trio vocal fut un des groupes féminins les plus populaires dans le Québec de la deuxième moitié des années 60, avec des succès dont les plus connus sont «Monsieur Dupont», «Sugartown» et «Trois p'tits vagabonds». On a retenu des Miladys leur polyvalence et la qualité de leurs harmonies vocales, ainsi que les chorégraphies et les costumes qui accompagnaient leurs prestations, et qui plaisaient beaucoup aux jeunes. Leur répertoire comportait surtout des adaptations de succès anglophones (à l'exception de «À cause de toi», composition originale d'une des membres du groupe, Denise Biron, et du producteur Denis Pantis) auxquelles s'ajoutaient, sur scène, des chansons de Nana Mouskouri, Petula Clark, Michel Legrand et France Gall.

Monique Miville-Deschênes (1940)

Une des rares auteures-compositrices-interprètes (avec Christine Charbonneau) à avoir connu un certain succès auprès du public chansonnier avec des pièces comme «Hallali» et «Je m'engage» (extraites de son premier album, en 1962), avant de tomber progressivement dans l'oubli et ce, malgré le parrainage de Félix Leclerc. Aujourd'hui, elle est surtout active dans le milieu théâtral.

Pierre Nolès (1938)

Auteur-compositeur très prolifique, le premier à écrire spécifiquement pour les chanteurs populaires («Pourquoi donc as-tu brisé mon cœur?» pour Michel Louvain, «Roger» pour Ginette Reno, «C'est le ska» pour Donald Lautrec...). Il a également adapté plusieurs succès de langue anglaise. Par la suite, il se cantonnera dans la publication de disques de musique instrumentale destinés aux amateurs de danse sociale.

Pierre Perpall

Les vedettes noires de la chanson québécoise ne sont pas légion; jusqu'à présent, on n'en dénombre que quatre, une par décennie. Le plus populaire fut sans aucun doute Boule Noire pendant les années 70; les trois autres sont Normand Brathwaite pour les années 80, Luck Mervil (du groupe Rude Luck) pour les années 90 et Pierre Perpall pour les années 60.

Ce dernier était surnommé, en 1966, le James Brown du Québec («Ma Lili Hé-Lo», «Shotgun» de Junior Walker, «Stop il faut arrêter»). Il sombre vite dans l'oubli pour reparaître brièvement à la fin des années 70 aux côtés de Boule Noire sur l'album *La connexion noire*.

Ginette Reno (1946)

Elle commence sa carrière à l'âge de 14 ans (en 1960), à l'occasion du concours *Les découvertes de Jean Simon*, au Café provincial, véritable pépinière de vedettes populaires des années 60. Deux ans plus tard, l'imprésario Yvan Dufresne lui fait enregistrer son premier disque, «J'aime Guy», fortement marqué par le style yé-yé. Mais la voix puissante de Ginette Reno lui permet de ne pas se limiter à ce style et elle élargira progressivement la variété de son répertoire avec les années, en premier lieu du côté de la ballade et de la valse («Tu vivras toujours dans mon cœur» et «La dernière valse»).

Ainsi, l'extinction du yé-yé n'entamera pas la popularité de Ginette Reno; bien au contraire, elle permettra à une grande interprète (pour ne pas dire LA plus grande interprète de variétés du Québec) de prendre tout son essor. (À suivre)

Michèle Richard (1946)

Originaire de Sherbrooke, elle est la fille du violoneux Ti-Blanc Richard dans la troupe duquel elle chante, toute jeune. En 1962, alors qu'elle est âgée de seize ans, et après quelques disques qui l'ont fait connaître dans sa région («Lacets roses» et «Du rouge à lèvres sur ton collet»), c'est toute la jeunesse québécoise qui la découvre grâce à un succès de Sylvie Vartan, «Quand le film est triste».

Comme Vartan en France, Michèle Richard deviendra la reine du yé-yé au Québec en reprenant d'autres chansons de l'interprète française — elles-mêmes des versions de succès américains! –, «La plus belle pour aller danser» ou «Les boîtes à gogo» par exemple, mais aussi des chansons "originales" comme «À la fin de la soirée» et «Je suis libre».

Ces chansons rythmées et surtout son "look" que veulent imiter bien des adolescentes au Québec expliquent l'ampleur du succès de Michèle Richard.

Michèle Richard

À la fin des années 60, sans doute pour ressembler davantage à son modèle français, elle teint ses cheveux noirs en blond et poursuit une carrière jalonnée de spectacles à grand déploiement, dans la tradition de Muriel Millard (notamment à la fin des années 70, alors qu'elle présente deux revues de music-hall à Montréal), et de nombreux albums (près de quarante en date de 1996). On la retrouve régulièrement en première page des journaux à vedettes.

Jenny Rock (1946)

Née Jeannine de Bellefeuille, Jenny Rock enregistre d'abord deux microsillons chez Sélect au milieu des années 60: le premier arrangé par Paul De Margerie et le second, par Marcel Lévèque. Mais c'est avec la chanson-thème du film *Le gendarme de Saint-Tropez*, «Douliou, douliou Saint-Tropez», qu'elle fera la première partie des Rolling Stones en 1965 et de Johnny Hallyday en 1966, lors de leurs passages à Montréal. À cette époque, elle connaît quelques autres succès sur disque, généralement des adaptations de succès anglophones («Le sloopy», «Noir c'est noir», cette dernière ayant été interprétée par Johnny Hallyday) et parfois des compositions («Daddy»).

Son jeu scénique et son interprétation très énergiques en ont fait la première rockeuse du Québec, un titre que s'appropriera avec plus de bonheur Diane Dufresne quelques années plus tard. Malheureusement, malgré cette présence et quelques tentatives pour refaire surface, sa carrière ne survivra pas à la fin des années 60.

Tony Roman (1942)

Cet ancien pianiste-accompagnateur de vedettes populaires se fait connaître vers 1964-1965 avec une version française du succès de Manfred Mann, «Do Wah Diddy Diddy». Cette chanson connaîtra une popularité telle qu'au Québec (130 000 exemplaires vendus) elle reléguera dans l'ombre la version originale. Il faut dire que Tony Roman fait preuve sur scène d'une énergie qu'il sait communiquer à son jeune public. À la télévision, en particulier, où les chanteurs donnaient jusqu'alors des performances assez statiques, Roman

bouge beaucoup, sautille et arpente la scène avec son micro. On lui doit également d'autres versions dont «Hanky Panky», «Mustang Sally» et une adaptation du «You Never Can Tell» de Chuck Berry, «C'est l'amour qui nous mène à l'autel».

En 1966, il se fait producteur et lance sa propre compagnie de disques, Canusa, qui fera connaître de nouveaux artistes tels Johnny Farago, Patrick Zabé et Nanette Workman, puis, en 1969, il récidive avec Révolution qui endisquera La Révolution française et Stéphane. Il s'est retiré en Californie au début des années 80. Aux dernières nouvelles, il y vit toujours à titre de producteur de disques, de films et d'émissions de télévision.

Raoul Roy (1936-1986)

En plus d'être un excellent interprète de la chanson folklorique pendant les années 60, Raoul Roy était aussi un érudit en cette matière, ayant eu l'occasion de travailler avec Luc Lacourcière des Archives de folklore de l'Université Laval. Les versions qu'il a recueillies et endisquées proviennent surtout du comté de Rimouski, dans le Bas-du-Fleuve, d'où il est originaire, et de la Gaspésie, plus particulièrement du pêcheur Séverin Langlois, surnommé le Capitaine Tit-Lou, figure légendaire bien connue des folkloristes québécois.

Ginette Sage (1941)

Chanteuse et animatrice occasionnelle, en compagnie de Pierre Sénécal, du *Club des autographes*. Yvan Dufresne a produit quelques-uns de ses 45 tours au début des années 60: «Normand», «C'est ma fête» (adaptation du succès de Lesley Gore, «It's my party») et un duo avec Donald Lautrec, «Hey Paula», version française d'un succès de Paul & Paula.

Pierre Sénécal (1943)

Il se fait connaître à peu près à la même époque que Michel Louvain, soit en 1957, à l'âge de 14 ans (ce qui lui vaudra le surnom de "Benjamin de la chanson") avec une chanson qui lui va comme un gant, «Trop jeune», et aussi, un peu plus tard, en tant que co-animateur, avec Ginette Sage, du *Club des autographes*. Il connaît, jusqu'au milieu des années 60, quelques succès tels «Les yeux d'un ange», «Un coin du ciel bleu» et «Reviens-moi mon amour», puis devient choriste professionnel jusqu'en 1983, année où il effectue un retour sur disque.

Les Sinners (1965-1976)

Ce groupe, qui s'est illustré davantage par son sens de la provocation (ils ont fait leur première apparition à l'émission *Jeunesse d'aujourd'hui*... accompagnés d'un bébé éléphant!) que par la qualité de sa musique, s'est formé en 1965. Ce n'est qu'avec leur quatrième 45 tours, une version française de «Penny Lane», qu'ils connaissent un certain succès. Ils récidivent avec «Ne reste pas sous la pluie», d'après «Don't Go Out Into the Rain» des Herman's Hermits.

Outre ces deux chansons, leur discographie (comprenant huit microsillons et plus d'une vingtaine de simples)

ne comporte à peu près que des compositions de leur cru (paroles du guitariste-chanteur François Guy et musiques des autres membres du groupe). En soi, cette volonté de n'interpréter que leur propre matériel est louable. Malheureusement, le talent n'est pas toujours à la mesure des ambitions et plusieurs de ces chansons qui se voulaient fantaisistes ou satiriques (par exemple «La 3e fuite de Mohamed'Z'Ali», «Les hippies du quartier» ou leur version de «La ballade du bûcheron» de Serge Deyglun) ont assez mal vieilli.

Accordons-leur tout de même, à défaut d'un génie créatif, une volonté non seulement de se démarquer mais d'aller plus loin que les autres groupes yé-yés, de briser en somme le carcan des normes peu à peu imposées par les divers agents de l'industrie naissante du disque et du spectacle québécois aux artistes populaires. Cette volonté s'est affirmée dans des expériences, sinon toujours réussies, du moins sympathiques: ils sont un des premiers (et rares) groupes yé-yés qui ont exprimé une certaine conscience historique et nationaliste dans des chansons comme «Notre étang», «Versailles 1667», sans oublier «L'hymne à Ti-pop», composé à la demande de *Parti pris* (Ti-pop était un mouvement lancé par l'équipe de la revue afin de réhabiliter la culture populaire québécoise d'avant la Révolution tranquille, tout en affirmant le caractère révolu de cette culture, pour bien la garder à distance). Deuxième innovation, la publication, en 1968, de *Vox populi*, premier album-concept lancé par un groupe de musique pop québécois (où l'on retrouve la chanson-titre d'un film de Jacques Godbout, *Kid sentiment*, dans lequel jouaient deux membres du groupe).

Enfin, Les Sinners, sans doute sous l'influence de Robert Charlebois qu'ils fréquentent alors, contribuent tout comme lui à ébrécher, de façon moins spectaculaire mais tout aussi active, le mur qui séparait artistes populaires et chansonniers: Tex Lecor, identifié à ce deuxième camp, collabore avec eux au printemps 1968 à la composition d'un hymne ironique à la "trudeaumanie" qui a cours alors au Canada, «Go go Trudeau». Par la suite, dans la foulée de *L'Osstidcho* et après quelques changements dans la formation du groupe, celui-ci changera d'appellation (La Révolution française), avant de revenir à son nom original en 1970. (À suivre)

Les Sultans (1964-1968)

Contrairement aux productions des Sinners, la musique des Sultans a plutôt bien subi l'épreuve du temps, grâce à un style folk-rock qui les situe quelque part entre les Beatles et le duo Simon & Garfunkel et dont le journaliste Richard Baillargeon a bien identifié les caractéristiques, soit «l'accompagnement acoustique» et le «soutien vocal discret faisant ressortir la voix et la guitare des solistes».

À partir de 1965, avec des chansons comme «Vivre sa vie» et «On est trop jeune» mais aussi grâce aux allures de beau gosse du chanteur Bruce Huard, ce groupe originaire de Saint-Hyacinthe est, avec Les Classels et César et les Romains, une des formations les plus célèbres des années 60 au Québec; la présence de leur premier album (lancé en 1966) sur la liste des meilleurs vendeurs locaux pendant près d'un an en est l'illustration probante.

Cette célébrité est d'autant plus méritée que Les Sultans, à travers des versions judicieusement choisies et favorisant, plutôt que les habituels Beatles et Rolling Stones, des groupes un peu moins connus alors au Québec, tels les Kinks, Them ou les Zombies (sans oublier leur chanson-fétiche, empruntée à Michel Polnareff, «La poupée qui fait non»), glissent à l'occasion dans leur répertoire des compositions originales comme «Va-t'en», «Les filles» et «L'amour s'en va».

Malgré un talent d'une qualité rare chez les artistes yé-yés, le groupe ne résistera pas à la débâcle de 1968. Mis à part l'impression de plafonnement et les projets divergents des membres du groupe, leur décision de mettre fin à l'aventure musicale s'explique aussi par un sentiment clairement exprimé dans une chanson de l'année précédente, «Pour qui, pourquoi»: «Les choses changent / Les temps m'ont fait vieillir / L'adolescence / Pour moi vient de finir». Ainsi, Les Sultans auront connu une carrière exemplaire jusqu'à la fin en choisissant le bon moment pour se séparer et en lançant un dernier album présentant leur spectacle d'adieu ainsi qu'un dernier simple remarquable, «En fermant la porte».

Par la suite, le chanteur Bruce Huard tentera de mener une carrière solo qui, après un départ prometteur à la fin des années 60 («L'amour, l'amour, l'amour» et «Je pleure») et quelques versions puisées dans le répertoire country-folk-rock californien (plus précisément du côté de James Taylor et du groupe The Band), s'étiolera jusqu'en 1976, année où il abandonne le monde du spectacle. Il a effectué en 1992 un retour sur disque (*Un visage dans l'ombre*) plutôt bien accueilli par la critique, mais qui semble avoir laissé le grand public indifférent.

Claude Valade (1944)

Originaire des Laurentides, elle est découverte à 18 ans par le chanteur et producteur Roger Miron («À qui l'p'tit cœur après neuf heures»), en 1962. Bien qu'œuvrant dans la chanson populaire, son répertoire se caractérise moins par les rythmes "dans le vent" que par des chansons de variétés de facture plus classique (d'ailleurs, Claude Valade, pendant les années 60, porte la robe longue en spectacle!).

«Sylvain», «Sous une pluie d'étoiles», «Je suis à toi», «Si l'amour est la loi», «Après l'amour» et «Vin d'été» (avec Robert Demontigny) sont quelques-uns des succès de cette époque. En 1971 et 1972, elle fait carrière aux États-Unis sous le nom de Claudia Valade et participe à plusieurs spectacles donnés par Frank Sinatra, notamment à Miami, Las Vegas et au Carnegie Hall de New York. À la même époque, elle fait la première partie du spectacle de Tom Jones au Forum de Montréal, où elle récidivera en 1975 en participant à un autre spectacle de Sinatra. Cette même année, elle interprète «Aide-moi à passer la nuit» (version française du succès country de Kris Kristofferson «Help Me

Take Through the Night») qui deviendra une de ses meilleures ventes (trois cent mille exemplaires).

Elle reprendra cette formule gagnante avec une autre version de Kristofferson traduite par Christine Charbonneau, «Viens t'étendre au creux de mes bras» (d'après «For the Good Times»). À plusieurs reprises pendant cette décennie, elle participe à des festivals internationaux de la chanson (Tokyo, Rio de Janeiro et Antibes où elle remporte un prix d'interprétation en 1976 pour «Je n'ai pas assez d'une vie»). Puis, de 1979 à 1982, elle aborde la chanson gospel.

Mais son retour à la chanson populaire ne connaît pas le succès des décennies précédentes et elle prend peu à peu ses distances avec le monde du spectacle et se consacre surtout à l'école de music-hall qu'elle a ouverte en 1990.

Stéphane Venne (1941)

D'abord chansonnier, Venne enregistre trois microsillons où se côtoient le pire et le meilleur: par exemple, une chanson comme «Cher Jérôme» trahit une maladresse à laquelle on peut s'attendre de la part d'un jeune auteur-compositeur, mais elle met surtout en relief la faiblesse de Venne en tant qu'interprète.

Le principal intéressé sera le premier à en convenir et malgré le succès respectable de «Un jour, un jour», chanson-thème de l'Exposition universelle de Montréal, en 1967, il délaissera tout à fait l'interprétation pour œuvrer désormais dans les coulisses où son travail d'auteur-compositeur et de producteur, entre autres, constitueront pendant les années 70 un apport important pour la chanson d'ici. Signalons pour l'instant sa collaboration, en tant que parolier, avec le compositeur François Dompierre, au premier album-concept québécois, *Il y eut un jour* de Renée Claude, en 1965. (À suivre)

GILLES VIGNEAULT (1928)

Né dans un village situé "en dehors de la carte", Natashquan (comment l'ignorer, désormais?), Vigneault a grandi dans un milieu où la musique, plus précisément la musique folklorique, était fortement valorisée. Il obtient, à l'université Laval, une licence en lettres et se consacre à l'enseignement. Puis, il commence à publier différents textes (contes, poésie, théâtre).

En 1959, les événements se précipitent: Jacques Labrecque consacre tout un microsillon à ses chansons (*Jacques Labrecque chante Gilles Vigneault*), lequel est devenu depuis un classique du folk international. Malgré ou grâce à la controverse que suscite «Jos Montferrand», la renommée de Vigneault s'étend et ce dernier, malgré sa voix éraillée, donne en 1960 ses premiers spectacles en tant que chansonnier, dans la région de Québec et, contre toute attente, il connaît assez rapidement le succès.

Désormais, plus rien ne l'arrêtera: en peu de temps, il conquerra Montréal et à partir de 1966, il débute une carrière parallèle en France où sa renommée, petit à petit, prendra de l'ampleur. Signe des temps: contrairement à Félix Leclerc, qui a dû être reconnu à Paris avant que le Québec ne le reconnaisse, Vigneault, au moment où il part tenter sa chance outre-Atlantique, est pleinement reconnu dans son pays d'origine.

Comment expliquer le succès de Vigneault? Que ce soit à Québec, Montréal ou Paris, au-delà de l'auteur-compositeur-interprète, c'est le poète de l'identité que l'on applaudit: identité québécoise, bien sûr, mais évoquée avec une telle profondeur qu'elle rejoint l'identité individuelle («Le pays de chacun») et devient, par le fait même, universelle («...voilà le pays du monde»). Le pays s'avère ainsi un concept qui peut être interprété à plusieurs niveaux («Il me reste un pays»).

Ce pays qu'il «reste à nommer» que proposait Vigneault tombait pile à une époque où le Québec découvrait l'importance de la prise de la parole. À cet aspect spatial de l'identité se greffe un aspect temporel qui se fait surtout sentir dans la musique ou dans les allusions à la musique. Vigneault n'est pas un interprète de chansons traditionnelles, mais ses musiques sont souvent imprégnées du folklore qui a marqué son enfance, comme il le reconnaît lui-même dans son texte «Moi, quand j'ai connu la musique...» et sa chanson «Tam di delam».

Les influences traditionnelles des musiques de Vigneault sont variées et omniprésentes: le folklore celtique pour les chansons au rythme enjoué («La danse à Saint-Dilon»), la chanson folklorique française pour certaines ballades, tant dans la mélodie que dans le texte («Quand vous mourrez de nos amours», «J'ai planté un chêne»), le plain-chant («La Manikoutai»), voire la musique amérindienne («Jack Monoloy»).

Mais jamais l'utilisation du folklore ne sert à une évocation nostalgique du "bon vieux temps" (comme le feront plusieurs "folkeux" des années 70), au contraire; pour Vigneault, le passé, le folklore ne sont pas des fins en soi, mais des assises solides dont un individu, un peuple ont besoin pour cheminer vers l'avenir: «C'est le talent de l'avenir d'être parfois enraciné.» Cette symbolique de l'arbre et de la rivière, qui puisent à leurs sources pour aller de l'avant, illustre bien la perception qu'a Vigneault de l'identité.

Enfin, un autre élément qui explique le succès de Vigneault est son aisance sur scène, sa facilité à communiquer avec son public: celui-ci peut apprécier, en plus de l'interprète, le gigueur et le conteur; encore une fois, l'influence de la tradition orale se manifeste. Il faut souligner également sa collaboration occasionnelle avec plusieurs chansonniers de l'époque (Claude Léveillée et Pierre Calvé) et la fidélité de son chef d'orchestre, Gaston Rochon, qui travaille à l'arrangement de ses chansons depuis le premier disque. Cette collaboration s'intensifiera à partir de 1973 alors que Rochon participera à la composition de musiques pour les chansons de Vigneault; il en résultera d'autres grands classiques de la chanson québécoise. (À suivre)

Nanette Workman (1945)

Artiste d'origine américaine découverte à New York par Tony Roman avec qui elle chante en 1967, sous le nom de Nanette, «Hey Joe» et «Petit homme». L'association Tony Roman-Nanette évoque le couple Sonny & Cher qui connaît alors son heure de gloire aux États-Unis. Parmi ses autres succès, puisés dans le répertoire des reprises de chansons françaises et des adaptations de succès anglophones, on retrouve «Peint en noir», «Mercy», «Et maintenant», «Je me rétracte» et «Guantanamera». À partir de 1970, Nanette Workman ira travailler quelques années en Angleterre et en France à titre de choriste. Le fait de côtoyer des artistes du calibre des Rolling Stones, John Lennon, Joe Cocker ou Johnny Hallyday lui donnera de l'assurance et elle reviendra en force au Québec en 1974. (À suivre)

4

1968-1977: L'âge d'or de la chanson québécoise

1968 voit se lever de nombreuses contestations étudiantes et ouvrières un peu partout sur le globe: les événements de Mai 1968 à Paris, la révolution avortée du Printemps de Prague, les manifestations pacifistes américaines, le *Women's Lib*; tous ces mouvements semblent animés d'un même désir de briser les institutions existantes pour construire une société égalitaire. Le Québec n'échappe pas à ce vent de liberté. Bien que de sérieuses agitations perturbent la vie politique (la crise majeure aura lieu en 1970), les Québécois poursuivent leur "révolution tranquille" à coups de livres, de pièces de théâtre, de films et, bien sûr, de chansons. La culture, parallèlement à l'idéologie politique, définira le passé, le présent et l'avenir du peuple québécois.

La marmite commence à bouillir...

Les années 60 marquent la renaissance du Québec, son passage de la "grande noirceur" à l'ère moderne. Et que de si profonds changements, sur tous les fronts, se produisent en une seule décennie n'est pas sans provoquer quelques remous. La marmite commence en effet à bouillir un peu fort en 1968, année des grèves étudiantes et du célèbre affrontement entre des groupes nationalistes et un Pierre Trudeau sur le point d'être élu premier ministre du Canada.

Le couvercle saute toutefois en octobre 1970. Un groupuscule indépendantiste, le F.L.Q., kidnappe un diplomate britannique, James Richard Cross, et le ministre québécois du Travail, Pierre Laporte. Le premier sera libéré en décembre, la dépouille du second sera retrouvée dans le coffre arrière d'une automobile.

Une véritable paranoïa s'empare alors des gouvernements et Pierre Trudeau croit nécessaire le décret de la Loi des mesures de guerre. En l'espace de quelques heures, le Québec se retrouve littéralement assiégé par l'armée canadienne, des milliers de foyers sont perquisitionnés, des centaines de libres penseurs et sympathisants à la cause nationaliste sont emprisonnés.

Cet événement, à jamais gravé dans notre inconscient collectif, laisse un goût amer dans la bouche de nombreux Québécois. En effet, plusieurs s'interrogent encore aujourd'hui sur la férocité de la répression fédérale et sur la promptitude un peu louche à coffrer les intellectuels jugés trop gauchisants. Certains avancent même que monsieur Trudeau n'attendait qu'une telle occasion pour briser le mouvement indépendantiste...

Le Parti québécois, fondé en 1968, devient alors le principal porte-flambeau de l'idéologie souverainiste. Bien que certains esprits entretiennent volontiers la confusion entre ce parti et le F.L.Q., le projet d'indépendance gagne des adeptes et les troupes de René Lévesque sont portées au pouvoir en 1976. Le nouveau gouvernement promet un référendum sur l'avenir constitutionnel du Québec et invitera la population à se prononcer en 1980.

Outre la recherche d'une affirmation politique, la crise d'identité du peuple québécois se manifeste sous différentes formes: valorisation du folklore, de l'artisanat, retour à la terre, vie communautaire, prolifération du fleurdelisé. Même les slogans publicitaires reflètent cette appartenance: «On est six millions, faut se parler». Bien que la prise en main frôle parfois le nombrilisme, elle est nécessaire et elle éclate de partout.

Sur la même lancée, de nombreux mouvements politiques et sociaux s'accordent aux grands courants de pensée occidentaux et profitent des années 70 pour consolider leurs assises: associations syndicales (les trois grands chefs syndicaux seront même emprisonnés en 1972, pendant la grève générale des employés des secteurs public et parapublic), groupes féministes et comités de citoyens continuent de se former et de militer très activement. Les cégeps assurent un enseignement post-secondaire qui se résume parfois à de longues discussions philosophiques, et de nouveaux régimes sociaux comme l'assurance-maladie s'inspirent des modèles socialistes pour garantir un minimum de "bien-être" à tous. En revanche, les autorités religieuses et institutionnelles voient fondre leur pouvoir et leur influence face à la génération des baby-boomers qui savoure allègrement ses révolutions sociale et sexuelle.

L'Osstidcho: *Louise Forestier, Yvon Deschamps, Mouffe, Robert Charlebois.*

Une période de vaches grasses

Une société s'approprie un pays en s'appropriant une culture (ou est-ce l'inverse?). Une chose est certaine: la chanson est présente partout, dans tous les rassemblements populaires (la Fête nationale, la Chant'Août) et dans toutes les manifestations politiques. Encore ici, nous sommes en droit de nous demander laquelle, de la politique ou de la chanson, a le mieux servi la cause de l'autre.

Encouragée par une demande croissante pour le produit local, l'industrie se dote d'infrastructures plus solides. En tête de file, un joyeux mégalomane, Guy Latraverse, fonde Kébec-Spec et produit les plus grands noms: Charlebois, Dufresne, Ferland, Deschamps. Ces vedettes se payent désormais toutes les scènes (l'Outremont, le Patriote, la Comédie-Canadienne, le Grand Théâtre de Québec), même celles jadis réservées aux stars étrangères (la Place des Arts). L'époque des boîtes à chansons est bel et bien révolue, le showbiz québécois accède aux ligues majeures.

De plus, quelques carrières s'étendent jusqu'en Europe. Robert Charlebois y fait des débuts maladroits mais fracassants et convainc ses cousins de l'urgence de faire swinguer le français. Gilles Vigneault y recrute un public fidèle et sans cesse grandissant tandis que Diane Dufresne séduit ou choque par ses excentricités; elle devra toutefois attendre la fin des années 70 pour triompher à l'Olympia de Paris.

Malgré la petitesse du marché (5 millions de francophones), certains disques québécois se vendent à quelques centaines de milliers de copies. Ces énormes succès financent la production d'artistes inconnus. En effet, en cette période de vaches grasses, et de coûts de fabrication encore modestes, il est relativement facile de s'offrir un album. Mais, bien sûr, qui dit quantité dit qualité variable...

Quelques grands talents sont révélés au public grâce à des festivals comme la Chant'Août (Fabienne Thibeault) ou à des concours comme le Festival de la chanson de Granby (Priscilla Lapointe et cette même Fabienne Thibeault).

Il va sans dire que la télévision et la radio profitent pleinement de cette bouffée de fierté nationale et consacrent une part importante de leur programmation aux artistes locaux. Des émissions comme *Appelez-moi Lise* (animée par Lise Payette), *Showbizz* (animée par Claude Dubois), *Les Coqueluches* (animée par Gaston L'Heureux et Guy Boucher), le *Donald Lautrec Chaud* ou, dans un créneau plus jeune et plus populaire, *Jeunesse* (animée, entre autres, par Jacques Salvail) présentent un large éventail de la grouillante activité chansonnière.

Une créativité tous azimuts

Comme nous le mentionnions précédemment, l'essor culturel du Québec se manifeste dans toutes les disciplines artistiques. Des maisons d'édition comme Parti pris et Les Éditions du jour regroupent des auteurs qui vibrent presque tous à la cause nationaliste et sociale, soit en la revendiquant clairement, soit en choisissant d'écrire dans leur vraie langue maternelle, le québécois. La gauche se rassemble autour des collectifs *Poèmes et chants de la résistance* et du *Québékiss* de Marie Savard, manifeste de solidarité qui prend la forme d'une revue et d'un spectacle poétique. La littérature féministe se fait elle aussi les dents, grâce, entre autres, aux Éditions du remue-ménage et aux Éditions de la Pleine Lune. La poésie est plus vivante que jamais (*La nuit de la poésie*, en 1970), elle respire sous la plume des Gaston Miron, Michèle Lalonde (et son célèbre *Speak White*) ou Raoul Duguay.

Le théâtre subit à son tour une véritable révolution avec l'événement-charnière que deviennent *Les belles-sœurs* de Michel Tremblay. Au scandale des uns et au plaisir des autres, ce jeune auteur et son metteur en scène attitré, André Brassard, osent porter à la scène cette langue populaire montréalaise qu'est le joual. Ainsi, le besoin criant de se définir prendra chez les nouveaux dramaturges québécois la forme d'un rejet des styles et langages traditionnels (français). Il faut également mentionner l'impact considérable du Grand Cirque ordinaire, cette troupe de jeunes comédiens dont émergeront des noms aussi importants que Raymond Cloutier, Paule Baillargeon, Jocelyn Bérubé et Guy Thauvette. Ils bousculent à leur façon la tradition théâtrale en intégrant de l'improvisation et des chansons.

Sur les grands écrans, la vogue du cinéma-vérité bat son plein pendant cette décennie. Les documentaires ou docu-fictions auscultent le quotidien des milieux ouvriers et des luttes syndicales, on reproche même parfois à leurs réalisateurs de verser dans le misérabilisme. Les films plus "populaires", signés Gilles Carle ou Denis Héroux, se veulent beaucoup plus légers, bien que mettant également en scène les gens "ordinaires". Au plus fort d'une mode érotico-comique, le Québec découvre les charmes cachés de Danielle Ouimet, Louise Turcot et Monique Mercure dans *Valérie* et *Deux femmes en or*.

On retient donc de cette période l'énorme créativité tous azimuts qui l'a animée, l'expression non pas d'une caste privilégiée, mais de toute une communauté en mal de parole, comme en font foi l'explosion des manifestations populaires et le succès phénoménal d'un artiste préoccupé par les causes sociales comme Yvon Deschamps.

Une introspection qui voisine l'ésotérisme

Les chansons parlent, bien sûr, du pays mais elles racontent aussi l'urbanité, elles inventent une poésie avec les ruelles et le béton. Le courant parallèle de la contre-culture célèbre pour sa part les vertus du retour à la terre, le contact avec la nature, source de vie. Dans certains cas, ce mouvement vers l'essentiel mène à une introspection qui voisine l'ésotérisme. Ces nouveaux campagnards retourneront toutefois pour la plupart à la ville et inspireront les personnages de freaks urbains. En fait, on en revient presque toujours à la notion de liberté, qu'elle soit spirituelle, sexuelle ou politique.

Robert Charlebois: *Un showman extraordinaire.*

De Beau Dommage à Gilles Vigneault: un panorama des années 70

Aut'chose (1973-1977)

Une expérience réussie de poésie rock dont l'intensité peut expliquer le caractère éphémère (trois microsillons en trois années d'existence). De 1974 à 1977, le leader Lucien Francœur trouvera dans ce groupe le véhicule idéal à ses fantasmes "morrisoniens". Pourtant, ce serait mentir que d'affirmer qu'Aut'chose n'était que la copie québécoise des Doors. D'abord parce que le personnage de Francœur, avec sa calvitie, ses favoris, ses lunettes fumées et sa voix aux modulations limitées, est aux antipodes du sex-symbol qu'était Jim Morrison. Et aussi parce que la démarche d'Aut'chose est unique et se renouvelle constamment d'un microsillon à l'autre.

Le premier, *Prends une chance avec moé*, demeure leur plus grande réussite, tant par la force d'évocation d'un univers marginal («pushers de brasserie, bums de ruelle, voleurs de chars», comme le disent les chercheurs Christian Côté et Richard Baillargeon) que par l'accompagnement musical dont la variété exprime autant de facettes de ce qu'est, dans sa vitalité même, le rock. Il y a de tout sur ce microsillon: du hard rock («Chanson d'épouvante»), des ballades avec des arrangements classiques («Pousse pas ta luck, OK bébé»), de la *surf music* (une pièce instrumentale, le «Thème du Godfather») et même du western («La vie weston»), avec, pour faire prendre la sauce, la tendresse et la violence de la voix de Francœur, à l'accent résolument joual.

Le deuxième microsillon, *Une nuit comme une autre*, met l'accent sur l'exploration musicale: il en résulte de longues pièces comme «Vancouver, une nuit comme une autre», «Une saison en enfer» et la bouleversante «Comme à radio» (avec son "riff" emprunté à... Richard Wagner!), chansons où Francœur se distance de son affiliation à la contre-culture et fait le point sur sa vie, bilan annonçant une rupture qui adviendra en 1977.

En attendant, Aut'chose publie un dernier microsillon en 1976, *Le cauchemar américain*, où l'on peut percevoir entre les lignes un appel à la révolte (les chansons «Beau bummage» et «Le p'tit gros») qui culmine dans le magnifique «Hollywood en plywood», véritable chant du cygne du groupe: «Les plumes dans l'coffre arrière / Le tomahawk dans l'coffre à gants / On prend le sentier d'guerre / On veut le scalp du Président». Francœur n'a jamais fait mieux, ni avant et surtout pas après.

Notons finalement que les deux premiers albums d'Aut'chose comportent d'intéressantes versions de pièces connues: outre «Thème du Godfather», on peut mentionner «Sexe-fiction», version française de «Good Vibrations» des Beach Boys (inspirée de l'interprétation des Troggs), «Blue jeans sur la plage», un classique du groupe yé-yé québécois Les Hou-Lops, «Comme à la radio» de Brigitte Fontaine et Areski Belkacem et surtout «Hey You Woman» de Michel Polnareff qui demeure la chanson la plus connue d'Aut'chose et dont Francœur a si bien adapté le texte à la réalité québécoise que d'aucuns croient qu'il s'agit d'une composition originale du groupe.

Beau Dommage: Des enfants des Beatles et de Félix Leclerc.

BEAU DOMMAGE (1972)

D'abord formé de Michel Rivard, Pierre Huet (parolier) et Robert Léger, noyau auquel se grefferont Pierre Bertrand, Marie-Michèle Desrosiers, Réal Desrosiers et, un peu plus tard, Michel Hinton, Beau Dommage voit le jour en 1972. Le premier microsillon, qui paraît en 1974, déjoue les prédictions les plus optimistes: on en vend plus de 300 000 copies! Toutes les chansons de l'album deviendront des classiques: «La complainte du phoque en Alaska», «Ginette», «Le picbois», «Harmonie du soir à Châteauguay», «Tous les palmiers», «Montréal», «Chinatown», «À toutes les fois», «Le géant Beaupré», «Un ange gardien» et «23 décembre».

Beau Dommage séduit l'oreille avec un son particulier, caractérisé par de riches harmonies vocales à la Crosby, Stills and Nash. Sur des musiques aux accents folk et country, les paroliers Huet, Rivard et Léger inventent une réelle poésie urbaine en nommant les rues et quartiers de Montréal. Enfants des Beatles et de Félix Leclerc, les membres du groupe intègrent bien le double héritage des cultures française et américaine. Situé au carrefour des deux grandes traditions, le Québec permet le singulier mariage de la sensibilité de la première à l'énergie de la seconde.

Aucun des trois autres albums de Beau Dommage n'atteindra les sommets de vente du premier. *Où est passée la noce?*, malgré l'audace d'une chanson de plus de 20 minutes («Un incident à Bois-des-Filion»), fait tout de même bonne figure (les radios adoptent «Le blues de la métropole», «Amène pas ta gang» et «J'ai oublié le jour») mais le public boude *Un autre jour arrive en ville,* aux sonorités un peu plus électriques («C'est samedi soir»). Enfin, le très beau *Passagers,* qui déjà annonce la séparation du groupe (le style de chacun des auteurs-compositeurs-interprètes s'y dessine plus distinctement, Marie-Michèle Desrosiers y signe même sa première chanson, «Le cœur endormi»), passe malheureusement presque inaperçu. Ces "échecs" relatifs se mesurent, bien sûr, au succès exceptionnel du premier disque. Précisons que le groupe demeurera toujours très populaire, au Québec mais aussi en France où il participera à une tournée de Julien Clerc.

Il est tentant d'établir une corrélation entre la diminution de l'intérêt du public et l'évolution du propos vers une plus grande gravité. En effet, autant les premières chansons brillaient par leur humour, leur tendre regard sur l'adolescence, leur amour de la ville, autant les dernières tracent des portraits plutôt sombres de cette même ville («Le vent d'la ville»), de l'aliénation du neuf à cinq («Le passager de l'heure de pointe»), de la solitude («Le voyageur») et de la vie de tournée («Rouler la nuit»).

Un certain public aurait sans doute encore suivi n'eût été de l'insatisfaction grandissante chez les membres mêmes de Beau Dommage, du sentiment d'être allé au bout de cette aventure. C'est Michel Rivard qui, en 1977, sonne le glas, préférant tenter l'expérience solo. S'ensuit alors l'inévitable dislocation du groupe. L'importance et l'influence de Beau Dommage sont difficilement quantifiables, d'autant plus que tous les membres, d'une façon ou d'une autre, ont continué d'œuvrer dans le domaine. Ils auront inspiré de nombreux jeunes, tant par leur langage, populaire mais non joualisant, que par leur approche du métier (Beau Dommage, qui était une coopérative, cherchait à ne pas être prisonnier du star-système). Ils se réuniront exceptionnellement en 1984, à l'occasion de deux mémorables spectacles au Forum de Montréal, ainsi qu'en 1992, pour les Fêtes du 350e anniversaire de la ville de Montréal. Et ces deux expériences s'avéreront assez concluantes pour leur redonner la piqûre... (À suivre)

Capitaine Nô (1949)

Né Pierre Leith, Capitaine Nô est de la famille de Plume: voix nonchalante, attitude déguingandée et textes chantant les petites misères.

La chanson «Personne ne m'aime» connaît un certain succès, puis le chanteur, après une expérience plus rock and roll (le Big Bang Band), se tournera vers la production.

On le retrouvera sur disque en 1992 avec *Cocoman*, duquel sera tiré l'extrait «Sauver la terre».

France Castel (1944)

Sa belle voix grave en fait une choriste recherchée (notamment pour le spectacle *Mon premier show* de Diane Dufresne), mais France Castel fait également belle figure comme chanteuse populaire, entre autres avec le succès «Du fil, des aiguilles et du coton».

Son dernier album solo, *En corps à cœur*, sur lequel elle fait ses débuts comme auteure-compositrice, paraît en 1976. Puis elle jouera le rôle de Stella Spotlight dans la première version québécoise de *Starmania* (1980), pour finalement se consacrer presque exclusivement à sa carrière de comédienne.

Ses rôles remarqués dans le film *Une histoire inventée* et la télésérie *Scoop* en feront une des actrices les plus sollicitées et les plus appréciées au cours des années 90.

ROBERT CHARLEBOIS (suite)

Transformé par ses voyages en Californie qui l'ont ouvert sur le monde et imprégné d'une culture nouvelle, Charlebois révolutionne la chanson québécoise (et francophone en général) en collant des textes en joual sur des musiques rock. En 1968, il fomente un événement qui marquera définitivement la rupture avec la tradition chansonnière: *L'Osstidcho*. Sorte de happening culturel, ce spectacle, qui met également en vedette des gens comme Yvon Deschamps, Louise Forestier, Mouffe et Le Jazz libre du Québec, transgresse les règles du genre et impose une conception totalement différente de la scène. Charlebois y développe un style où se mêlent humour, provocation et improvisation.

L'impact de *L'Osstidcho* propulse Robert Charlebois jusqu'au Festival de Spa, où il remporte le premier prix d'interprétation avec «California», et à Sopot, en Pologne, où le même prix lui est attribué pour «Ordinaire». Surtout compositeur, il signe tout de même quelques textes («Qué-Can blues», «Entre Dorval et Mirabel»), mais ses plus grands succès de l'époque, tels «Lindberg», «Le mur du son», «Joe Finger Ledoux» et «Conception» portent la griffe de Claude Péloquin, Marcel Sabourin ou Mouffe. Ces auteurs inventent un langage musical, ils rythment le français en jouant sur les sonorités des mots, en incorporant des expressions anglaises et en se rapprochant de la langue parlée québécoise. Il en résulte des textes parfois éclatés, souvent drôles et sûrement plus près du quotidien des gens. Robert Charlebois étonne quant à lui par sa grande facilité à intégrer différents styles musicaux, tantôt en les parodiant (les rythmes latins de «Conception» et «Punch créole»), tantôt en les fondant à la musique rock pour créer un réjouissant métissage («Cartier», «Je rêve à Rio»).

Jusqu'au milieu des années 70, Robert Charlebois récolte triomphe par-dessus triomphe, autant au Québec qu'en France. Ses chansons alimentent largement les programmations radiophoniques. Il plaît à la fois au grand public et à l'intelligentsia, effaçant ainsi la frontière qui distinguait les chansonniers des yé-yés.

En 1976, le départ de Mouffe, son alter ego, se fait durement sentir et ce n'est certes pas un hasard si l'on remarque une nouvelle orientation dans le style et le propos. Le rebelle fait place à un showman à l'image soignée et les nouvelles chansons, majoritairement écrites par le romancier Réjean Ducharme, sont moins bien reçues. Le public se sent trahi, il en veut à Charlebois de s'être assagi. Après en avoir fait, à son corps défendant, un véritable gourou, après avoir lu dans ses chansons leurs espoirs politiques et sociaux, les fans du chanteur se disent floués. Charlebois les a-t-il trahis ou n'a-t-il pas tout simplement renoué avec ses vraies racines, celles de la petite-bourgeoisie? Le retour en force de notre Garou national ne suffira malheureusement pas à effacer le malentendu. (À suivre)

Renée Claude (suite)

À l'instar de plusieurs interprètes de la génération des chansonniers, Renée Claude négocie le virage "Osstidcho" et s'intègre parfaitement dans la nouvelle pop, grâce notamment aux textes modernes de Luc Plamondon («Un gars comme toi», «Le monde est fou», «Ce soir je fais l'amour avec toi») et Stéphane Venne («C'est le début d'un temps nouveau»). Avec ses longs cheveux noirs de bohémienne et son allure désinvolte, elle incarne l'esprit libertaire, féministe et hédoniste des années 70.

Au cours de la décennie suivante, elle retournera aux salles intimes pour rendre hommage à Clémence DesRochers (*Moi c'est Clémence que j'aime le mieux*) et Georges Brassens. En 1987, elle deviendra la *Partenaire dans le crime* de Claude Léveillée, dans un spectacle assez mal reçu par la critique. Après une brève apparition dans l'opéra *Nelligan* (1990), où elle interprète avec sensibilité l'air de «L'indifférence», et quelques rôles au théâtre (*Marcel poursuivi par les chiens*, de Michel Tremblay), Renée Claude marquera un doublé en 1993 en gravant sur disque son spectacle-hommage à Brassens (*J'ai rendez-vous avec vous*) et en saluant Léo Ferré dans un récital très réussi: *On a marché sur l'amour*, dont le disque recevra un prix de l'Académie Charles-Cros en 1996.

Frank Dervieux

Ferland le découvre à Paris en 1966 alors qu'il est à la recherche d'un pianiste pour l'accompagner lors d'une série de spectacles en France. Par la suite, Dervieux vient s'établir au Québec et travaille avec Ferland pendant trois ans (en plus des arrangements et de la direction d'orchestre, il a écrit les musiques de «Le Klondike», «Tu n'as pas changé» et «Le tango du départ») mais aussi avec d'autres artistes, dont le folkloriste Raoul Roy. En 1971, il enregistre l'album *Dimension M* dont la réussite artistique est saluée par la critique et que l'on peut considérer, parallèlement aux disques de L'Infonie, comme une œuvre porteuse des germes de la musique pop dite "progressive" au Québec et ce, tant par les compositions qu'on y retrouve que par les musiciens qui y participent: ceux-ci, en effet, formeront le noyau du groupe Contraction, qui engendrera lui-même le Ville Émard Blues Band et Toubabou, et dont les membres contribueront, dans ces groupes ou en tant que musiciens accompagnateurs en studio, à forger ce que l'on appellera à la fin de la décennie le "son québécois".

Yvon Deschamps (1935)

On pourrait consacrer un chapitre entier à Yvon Deschamps tant est fort son ascendant sur la population québécoise. Son apport à la chanson demeure toutefois assez restreint puisque c'est avant tout comme monologuiste qu'il fait rire et réfléchir.

C'est dans le cadre de *L'Osstidcho* qu'il ose présenter ses premiers monologues et qu'il touche (ou choque) le public avec des textes à caractère éminemment social, du jamais vu au Québec. On sent chez Deschamps l'influence de Clémence DesRochers et il adoptera à son tour la formule du spectacle où se succèdent monologues et chansons. Moins prolifique chansonnier que Clémence, il écrit tout de même la touchante «Aimons-nous» (qui sera d'ailleurs reprise par Dan Bigras) et l'amusante «Les fesses», qu'interpréteront Les Frères Jacques.

Georges Dor (1931)

Curieuse carrière que celle de cet auteur-compositeur-interprète. Il vient à la chanson sur le tard et se fait surprendre par un énorme succès, «La complainte de la Manic». Il met alors momentanément de côté son travail de réalisateur à Radio-Canada pour enregistrer quelques disques et se produire sur scène. Malgré un enthousiasme chaleureux du public pour ses textes poétiques, sa voix incertaine et le climat feutré de ses récitals, il craint le vedettariat et choisit de poursuivre ses activités musicales en dilettante.

L'auteur de «La boîte à chansons» et des «Ancêtres», qui considère la chanson comme un amuse-gueule, se consacre par la suite à l'animation d'une galerie d'art à Longueuil et à l'écriture de téléromans (*Les Moineau et les Pinson*), de romans et de pièces de théâtre qui ne brillent pas toujours d'un humour très subtil (*Un concombre dans les patates*, *Les cochons meurent comme des mouches*).

Claude Dubois (1947)

Au milieu des années 60, Claude Dubois n'est qu'un chansonnier parmi les autres: deux microsillons assez conventionnels et un petit succès, la très belle «J'ai souvenir encore». Comme Charlebois, il se laisse profondément influencer par la musique et l'effervescence américaines et vers la fin de la décennie, Claude Dubois devient l'enfant terrible de la chanson québécoise. Réfractaire à la gloire institutionnalisée, il entreprend une longue série d'escapades dès les premiers signes de succès. Aussi se retrouve-t-il dans le Yorktown hippie torontois, à Londres, à Los Angeles puis sur un voilier, en route pour le tour du monde! Est-il nécessaire d'ajouter qu'il se fait inscrire du même coup sur toutes les listes noires de l'industrie...

Ce grand voyageur devant l'Éternel s'inspire des cultures qu'il côtoie et, malgré les aléas d'une vie assez mouvementée, arrive à produire une œuvre signifiante et originale, nourrie de l'underground mais qui se taille néanmoins une place de choix dans le courant pop. Parmi les moments forts de cette période, mentionnons la sortie des microsillons *Le monde de Claude Dubois* (1973), qui contient «Comme un million de gens», *Touchez Dubois* (1973), avec les succès «Femmes de rêve», «La vie à la semaine» et «Bébé Jajou Latoune» ainsi que *Claude Dubois* (1974), enregistré à Woodstock et sur lequel figurent «En voyage» et «L'infidèle».

Suivront quelques années de flottement pendant lesquelles Claude Dubois multipliera les expériences de sonorités nouvelles. La consécration populaire ne viendra qu'au début des années 80, dans des circonstances pas vraiment heureuses...

(À suivre)

DIANE DUFRESNE (1944)

En 1972, la rencontre Diane Dufresne-Luc Plamondon-François Cousineau déclenche une si violente tornade que peu de gens se souviennent de la Diane Dufresne pré-«Tiens-toé ben, j'arrive». En effet, nombre de chanteuses se seraient contentées d'interpréter le répertoire rive gauche et les chansons-thèmes de films à scandale («Un jour, il viendra mon amour», du film *L'initiation*) pour se bâtir une carrière confortable. Malgré un brillant succès dans la comédie musicale *Les girls*, il fallait bien mal connaître Madame Dufresne pour s'imaginer qu'elle en resterait là.

Diane Dufresne: Une immolation sur l'autel du rock'n'roll.

Rarement la collaboration entre une interprète, un auteur et un compositeur donne-t-elle lieu à pareille osmose. Dès les premières notes de «Tiens-toé ben, j'arrive», Diane Dufresne s'impose comme la figure marquante des deux prochaines décennies sur la scène musicale québécoise. La "Charlebois en jupons", avec ses excentricités scéniques, ses cris et ses extravagances vestimentaires, choque, fait sourire et emballe. Le public est immédiatement polarisé: certains aiment inconditionnellement, d'autres détestent.

Les premières années sont ponctuées de hauts et de bas. Après l'énorme succès de «J'ai rencontré l'homme de ma vie», le trio se risque à présenter *Opéra cirque*, disque et spectacle-concept apocalyptique dans lequel la chanteuse se donne corps et âme; la critique salue l'audace mais le public est déconcerté. Il faut dire que ses performances sur scène ne ressemblent en rien aux refrains amusants que fait tourner la radio. Assister à un spectacle de Diane Dufresne, c'est accepter de recevoir une énergie brute, parfois vulgaire (l'a-t-on reproché à Charlebois?), c'est participer à une "immolation sur l'autel du rock'n'roll". Il faudra attendre 1975 pour en arriver à une reconnaissance unanime de la critique, du show-business et du public.

Cette année-là, Diane Dufresne présente *Mon premier show* au théâtre Maisonneuve de la Place des Arts. L'interprétation des chansons «Actualités», «Rock pour un gars de bicycle», «Les hauts et les bas d'une hôtesse de l'air» et «Partir pour Acapulco» lui vaut un triomphe, même Gilles Vigneault vient applaudir la chanteuse. Elle retourne à la Place des Arts en 1977 avec *Sans entracte*, pour la durée duquel elle s'installe dans une roulotte garée dans le stationnement du théâtre! Elle s'y casse toutefois les dents, sa thématique féministe ne tenant pas la route. Elle en sort, encore une fois, complètement épuisée.

Plus les années 80 approchent, plus ses relations avec l'industrie locale tournent au vinaigre. On lui reproche sa force de caractère, on envie ses succès parisiens, on se plaît à dévoiler ses cachets. Sa relation avec son public prend pourtant une dimension quasi mystique, empreinte d'un grand respect mutuel et d'une indéfectible fidélité. La légende commence à prendre forme; une Diva est née. (À suivre)

Raoul Duguay (1939)

Raoul Duguay (lisez plutôt Luoar Yaugud) est un cas. Grand prêtre ésotérique ou philosophe? Gourou ou prophète? Illuminé ou poète? L'homme intrigue, dérange.

Dès la parution de son premier recueil de poèmes, ce docteur en philosophie suscite des réactions mitigées.

Les uns apprécient le rythme syncopé de son écriture, les jeux de sonorités, le langage parfois cru et violent; les autres dénoncent une certaine incohérence dans le propos et une redondance dans la forme. Chose certaine, la poésie de Raoul Duguay contient déjà sa propre musicalité. Son passage à la chanson est donc perçu comme une évolution naturelle.

L'inévitable mariage de sa poésie avec la musique se produit au sein de L'Infonie. On peut toutefois difficilement parler de chanson puisque les spectacles multidimensionnels de L'Infonie ne répondent à aucun critère établi. Raoul Duguay y développe sa philosophie du "au boutte de toute". La pensée humaine ne se manifestant pas d'une façon linéaire, il reprend les mêmes détours, les mêmes hésitations, se perd dans les mêmes méandres pour mieux représenter nos réflexions. Il en résulte un langage pour d'aucuns un peu trop hermétique, bien que son auteur l'ait voulu d'une évidente facilité.

Parallèlement à une carrière littéraire prolifique, Raoul Duguay poursuit ses expériences scéniques et musicales. Délaissant peu à peu L'Infonie, il assure seul la transmission du message d'amour et de communication totale. Conscient des difficultés de rejoindre le grand public, il «fait le ménage dans ses idées» et épure ses spectacles des éléments trop didactiques. Les disques permettent une plus large diffusion de son œuvre et il ira même jusqu'à se payer un énorme succès populaire: «La bittt à tibi».

Victime (consentante?) de son avant-gardisme, Raoul Duguay ne fera pas davantage l'unanimité en se mettant au diapason des stations radiophoniques (*Le chanteur de pomme*), concession qui lui vaudra quelques reproches (l'album contient toutefois une superbe et touchante chanson d'amour: «Reste»). Fidèle à lui-même, il retournera vite à la marginalité en poussant de savantes études vocales et en se recyclant dans la musique nouvel âge (*Nova*).

Emmanuelle (1942)

On se souvient d'elle pour son interprétation des succès de Stéphane Venne («Le monde à l'envers», «Et c'est pas fini», «Chanter pour vivre»). Malgré une voix puissante, de formation classique, et une bonne présence en scène, sa carrière sera d'assez courte durée. Avec l'arrivée du disque compact et la redécouverte d'anciens talents qu'il favorise, Emmanuelle tentera un timide retour au début des années 90.

Raoul Duguay

108

JEAN-PIERRE FERLAND (suite)

On raconte qu'il est sorti de *L'Osstidcho* en pleurant, convaincu d'avoir assisté à la mise à mort de la chanson telle que lui et ses camarades chansonniers la pratiquaient. Pour ne pas rater le virage, il tâte à son tour des paradis artificiels, se laisse pousser les cheveux et repense son orientation musicale. De cette période naissent deux albums majeurs dans la carrière de Jean-Pierre Ferland: *Jaune* et *Soleil*. En accord avec la mode hippie, la musique se veut plus aérienne – avec des arrangements néanmoins audacieux («Le chat du Café des artistes») – et le propos plus éthéré («Si on s'y mettait»), ce qui n'enlève rien à la pertinence et à la qualité de ses textes car Ferland ne profite pas de cette vague pour verser dans la facilité («Le petit roi», «Sing Sing», «Quand on aime on a toujours vingt ans»). Une partie de son public, attachée à «Je reviens chez nous», n'accepte pas ce changement de cap, tandis qu'une nouvelle génération adhère avec enthousiasme. Il a joué quitte ou double et le pari est gagné.

En plus de ses succès sur disque, Jean-Pierre Ferland est élu au panthéon de la chanson québécoise en participant aux importantes fêtes populaires telle la Fête nationale de 1976 (le spectacle *Une fois cinq*, où il partage la scène avec Vigneault, Charlebois, Deschamps et Léveillée). Il abordera ensuite avec bonheur l'animation télévisuelle d'émissions de variétés, proposera entre autres albums le remarquable *Androgyne* en 1984, puis montera la même année un spectacle-rétrospective très réussi de l'histoire de la chanson québécoise, *Du gramophone au laser*, entouré de Marie-Claire Séguin, Louise Portal, Nanette Workman et Véronique Béliveau.

En 1989, Ferland présentera une comédie musicale inspirée de la vie de la compagne de Salvador Dali, *Gala*. Cette œuvre majeure essuiera un échec à la mesure des attentes créées, c'est-à-dire énorme. (À suivre)

Steve Fiset (1946)

Il est l'interprète du premier grand succès de Luc Plamondon (musique d'André Gagnon): «Les chemins d'été» («Dans ma camaro»). Voiture sport, villes nord-américaines, cinérama, le décor plamondien y est déjà bien planté. Plamondon deviendra le "maître ès chansons" que nous savons, Steve Fiset se retrouvera dans un téléroman (*Les Berger*) puis sombrera dans l'oubli.

Louise Forestier (suite)

On la connaît d'abord pour sa participation à *L'Osstidcho*, on la reconnaît ensuite sur les enregistrements de «Lindberg» et de «California» de Charlebois. L'ombre du célèbre rocker lui pèsera d'ailleurs un peu lourd. En effet, si *L'Osstidcho* se révèle un formidable tremplin pour Charlebois et Deschamps, Forestier ne semble pas bénéficier d'aussi généreuses retombées.

On parle d'un manque d'opportunisme, de problèmes contractuels; bref, les raisons paraissent aussi nombreuses qu'obscures. Elle affirme pour sa part qu'on ne permettait pas encore aux femmes de "faire les folles" et de crier sur scène (c'est Diane Dufresne qui, quelques années plus tard, défoncera la porte).

Il est dommage que sa popularité n'atteigne pas la hauteur de son talent, car en plus d'être une interprète magistrale (sa formation de comédienne la sert bien), elle écrit des chansons qui devraient s'inscrire aisément parmi les grands classiques: «Le cantique du Titanic», «La saisie», «Ballade en sac d'école». Pendant cette même période, elle n'oublie pas sa vocation première et élargit son champ d'activités en participant aux films *IXE-13* (en 1971), *Les ordres* (en 1974) et *L'accroche-cœur* (en 1977), ainsi qu'à la comédie musicale de Michel Tremblay et François Dompierre, *Demain matin, Montréal m'attend* (en 1970).

Au milieu des années 70, elle fait danser le Québec en dépoussiérant le folklore. Les foules giguent et s'amusent sur des airs comme «Dans la prison de Londres» et «Les Montréalais». Louise Forestier voit ainsi son image réduite à celle d'une «animatrice de party» pas très sérieuse, étiquette dont elle tentera de se débarrasser en prenant un recul de cinq ans. Elle ne sortira provisoirement de sa retraite qu'en 1981, pour participer à la création québécoise de *Starmania*.

(À suivre)

Marc Hamilton (1944)

Marc Hamilton, c'est l'histoire d'un (et d'un seul) méga-hit qui fait un malheur des deux côtés de l'Atlantique: «Comme j'ai toujours envie d'aimer». Quelque vingt ans plus tard, Mitsou en offrira une version qui se veut érotico-scandaleuse.

Harmonium: Des projets musicaux d'envergure.

HARMONIUM (1972-1978)

Les bombes Beau Dommage et Harmonium explosent à peu près en même temps. Bien que les deux groupes enregistrent des ventes phénoménales avec leur premier album, ils ne touchent pas tout à fait le même public. En effet, Harmonium se situe davantage dans la filiation des groupes progressifs aux accents classiques tel Genesis quant aux thèmes abordés et aux expérimentations musicales. Cette orientation, moins évidente au départ, se précisera avec les années.

La formation d'origine repose essentiellement sur le trio Serge Fiori-Michel Normandeau-Louis Valois. Les premières chansons du groupe («Pour un instant», «Un musicien parmi tant d'autres»), construites sur trois accords de guitare Norman douze cordes, ne laissent aucunement présager l'ampleur des créations futures. Au fil des microsillons, Harmonium accueille de nouveaux musiciens, approfondit son écriture, étoffe donc considérablement sa production. *Si on avait besoin d'une cinquième saison*, avec notamment la magnifique pièce instrumentale «Histoire sans paroles», annonce déjà la future œuvre maîtresse du groupe.

L'Heptade marque l'aboutissement des recherches musicales et spirituelles d'Harmonium (et de son leader, Serge Fiori). Enregistré avec des musiciens de l'Orchestre symphonique de Montréal, sous la direction de Neil Chotem, cet album double ne tolère aucune suite. Devant une œuvre d'une telle richesse, il apparaît évident qu'Harmonium pourra difficilement faire mieux, qu'il a atteint son apogée. *L'Heptade* est joué jusqu'en Californie et ce périple fait l'objet d'un documentaire de l'Office national du film, *Harmonium in California*.

Suite à la séparation du groupe, en 1978, les membres d'Harmonium se joindront à divers projets musicaux. Serge Fiori travaillera avec Richard Séguin au très beau microsillon *Deux cents nuits à l'heure*, s'éclipsera pendant huit longues années, refera surface avec un disque solo éponyme au son beaucoup plus synthétique, puis sera le maître d'œuvre de l'album de Nanette Workman *Changement d'adresse*, en 1990.

Harmonium a souffert d'être trop intimement associé à l'époque un peu ésotérique des fumeurs d'herbe et des longues jupes indiennes. Le Québec a malheureusement balayé le groupe sous le tapis en même temps qu'il a remisé son artisanat au placard (pendant les années 80, quiconque avouait aimer Harmonium subissait les pires railleries), de telle sorte que les gens recommencent tout juste à l'apprécier à sa juste valeur.

L'Infonie (1967-1974)

Ce groupe formé d'une vingtaine de musiciens présente des spectacles éclatés, où se côtoient improvisation, musique classique et jazz, dessin, poésie, jeux et blagues.

L'Infonie, c'est le fruit de la rencontre d'un compositeur, Walter Boudreau, et d'un poète, Raoul Duguay. «Que rien ne se perde, que tout se crée», telle est la philosophie qui sous-tend leur démarche. Le groupe cherche à atteindre l'absolu de tout, tente d'embrasser l'ensemble des choses en mouvement.

Sous une apparente anarchie dans le déroulement du spectacle se dessine une rigueur musicale certaine, assurée par les excellents musiciens du Jazz libre du Québec. Ils concoctent un audacieux métissage des genres musicaux et se permettent une interprétation très libre des grands classiques, frôlant parfois la cacophonie.

Les résultats de ces créations collectives se révèlent plus ou moins heureux, selon l'inspiration du moment et l'humeur du public. Le groupe survivra quelque temps au départ de Raoul Duguay en tendant vers une musique un peu plus structurée et accessible.

Le Jazz libre du Québec

Ces musiciens participent à *L'Os-stidcho* pour ensuite se joindre à l'excentrique Infonie. Bien que leur succès soit toujours resté marginal, ils auront marqué la chanson québécoise par leur grande créativité et leur refus des cloisons traditionnelles.

Jim et Bertrand (1972-1979)

Le mariage des sensibilités anglaise et française, deux très jolies voix qui s'entrecroisent, des musiques acoustiques faisant souvent appel à des instruments méconnus comme la mandoline et le banjo, une écriture d'une fine intelligence, tous ces ingrédients font du duo Jim (Corcoran) et Bertrand (Gosselin) le digne représentant d'une race de troubadours soucieux de l'authenticité et de la qualité de leur œuvre.

Ces huit années de production commune comptent la réalisation de quatre albums dont l'un, *La tête en gigue*, leur vaut le prix du meilleur disque folk à Montreux. En 1979, un besoin de changement motive leur décision de se séparer. Ils laissent derrière eux les doux souvenirs de «La fille du capitaine», «Welcome soleil» et «Ça fait plaisir de t'voir».

Pauline Julien (suite)

Bien qu'elle refuse l'étiquette de "chanteuse engagée" — «Je n'ai pas une cause, j'ai la vie», dira-t-elle —, Pauline Julien se révèle une importante locomotive pour l'avancement de l'idée d'auto-détermination politique puis, après l'élection du Parti québécois, pour le discours féministe. Exclue des spectacles-événements (*Une fois cinq*, *J'ai vu le loup, le renard, le lion*) qui rendent hommage aux *grands*, et non aux *grandes*, de la chanson québécoise (l'œuvre de Vigneault aurait-elle joui d'un tel rayonnement sans l'interprétation des Julien, Leyrac et autres Thibeault?...), Pauline Julien n'en garde pas moins le verbe haut et fort, avec les mots de Gilbert Langevin («L'étoile du Nord», «Le temps des vivants»), Gilles Richer (la magnifique «Mommy»), Michel Tremblay («La croqueuse de 222»), Luc Plamondon («Le voyage à Miami»), Anne Sylvestre («Non tu n'as pas de nom», «Une sorcière comme les autres») et surtout, bien que plusieurs l'ignorent encore, Pauline Julien elle-même («L'âme à la tendresse», «L'étranger»). St-Cloud, Jacques Perron, François Dompierre, Marc Gélinas et Claude Gauthier comptent parmi les compositeurs qui habillent de musique cette poésie.

Avec les années 70, Pauline Julien délaisse le tour de chant un peu rive gauche pour des spectacles plus thématiques. Après avoir présenté un récital Brecht en 1976, elle consacre quelques années à une description sensible et souvent humoristique de l'univers féminin, comme en témoignent les albums *Femmes de paroles*, *Mes amies d'filles* et *Fleur de peau*. Il devenait donc inévitable que son parcours croise un jour celui d'Anne Sylvestre, sa sœur spirituelle d'outre-Atlantique, et la rencontre des deux complices se produira en 1987, avec le spectacle *Gémeaux croisés*. Le succès de ce mariage fera heureusement surseoir à cette retraite prématurée qu'annonçait Pauline Julien après qu'elle eut remporté le prix Charles-Cros pour l'album *Où peut-on vous toucher?*.

Son public la retrouvera à l'automne 1990, en compagnie de la comédienne Hélène Loiselle, dans un très beau spectacle de chansons et de poésie intitulé *Voix parallèles*.

En 1993, une étude de sa carrière (*Les voies parallèles de Pauline Julien*) doublée de *Trente-deux chansons* paraîtra chez VLB sous la plume de Michel Rhéault.

Les Karrik (1968-1972)

Originaires du Lac-Saint-Jean, ils contribuent au retour en force du folklore avec un énorme succès, «Au chant de l'alouette». À noter qu'ils reprennent également une chanson de Robert Charlebois et Philippe Gagnon, «Yes a pichou».

Guy Latraverse (suite)

Sa sœur Louise l'emmène aux répétitions de ce qui deviendra *L'Osstidcho*; Guy Latraverse produit le spectacle à la Comédie-Canadienne et à la Place des Arts, puis prend les rênes de la carrière de Robert Charlebois. Ce dernier renfloue passablement son compte de banque et finance la fondation de l'empire Kébec Spec. La chanson québécoise entre dès lors dans une période de faste et de clinquant: Latraverse ménage un traitement de star aux Diane Dufresne, Claude Dubois, Yvon Deschamps, Louise Forestier et autres vedettes de la scène. Le champagne coule à flots, on ne compte plus les folles nuits chez Castel. Cette conception du show-business ne fait toutefois pas l'unanimité et des gens comme Beau Dommage ou Paul Piché refusent de joindre les rangs de l'écurie Latraverse.

Le célèbre imprésario essuie pourtant sa part d'échecs pendant ces années dorées: une troisième faillite en 1975, consécutive à l'annulation d'un événement important à la Place des Nations, et le départ de son associé Gilles Talbot, qui fonde Kébec-Disc, le placent dans une situation financière précaire. Cette fois, c'est Yvon Deschamps qui le sort du gouffre. À la fin des années 70, il fonde l'ADISQ, association vouée à la diffusion du produit culturel québécois (disque et spectacle) et à la défense de ses créateurs.

Le dernier coup d'éclat de Guy Latraverse remonte à 1984, alors qu'il convainc Diane Dufresne de se produire au Stade olympique. Bien que 55 000 fans s'y soient pointés, l'événement attire les foudres de la critique et marque la fin d'une certaine folie des grandeurs, déjà passablement minée par la crise économique. Après la mort de Kébec Spec, Guy Latraverse se consacrera à la production télévisuelle (*Samedi de rire*) et à la gérance de la carrière du compositeur André Gagnon, en plus de participer à la naissance des FrancoFolies et d'organiser les deux méga-spectacles au Parc des îles, à l'été 1992, dans le cadre des festivités entourant le 350e anniversaire de la ville de Montréal.

Plume Latraverse (1946)

S'il est aujourd'hui relativement bien intégré au paysage de la chanson québécoise, Plume (né Michel) Latraverse fut certainement pendant les années 70 l'auteur-compositeur-interprète le plus controversé du Québec. De ses débuts (1964-1973), on sait très peu de choses, le principal intéressé préférant esquiver cette période qui lui fut pénible à bien des égards. La légende veut qu'il se soit mis à la chanson

pour échapper à la police. Il reste de ces années folles et obscures deux documents sonores: un 45 tours de 1967 devenu introuvable (a-t-il déjà existé?), «Docteur Robert», version française d'une chanson des Beatles, endisquée sous le nom d'Horace et les Difficiles (on aurait voulu faire d'Horace, alias Plume, l'Antoine canadien), et un microsillon intitulé *Triniterre* alors que Plume jouait le rôle de «Dieu le vice» au sein du groupe la Sainte-Trinité («Un monde fou, fou, fou suivi d'un disque nul, nul, nul», commentera-t-il plusieurs années plus tard).

Sa carrière débute pour de bon en 1974 avec l'album *Plume pou digne*, titre qui révèle le penchant de Plume pour les jeux de mots, lequel demeurera sa marque de commerce pendant toute sa carrière. L'album suivant, *Le vieux show son sale* (1975), comprend sa chanson-fétiche, composée en dix minutes et qui ne rend pas justice à son répertoire: «Bobépine». Cette chanson contribuera à créer au sein du public une image dont Plume mettra des années à se débarrasser, celle d'un rocker iconoclaste et vulgaire, qui, bien que correspondant à une certaine réalité (il n'y a pas de fumée sans feu), est trop limitative. Car Plume Latraverse est aussi capable d'exprimer une sensibilité, voire une tendresse écorchées («Sapolin #148», «Pleine lune», «Alcohol») et il n'a pas fait que du rock (les albums *En noir et blanc* et *À deux faces* se rattachent davantage au style chansonnier qu'au rock); en effet, on est frappé, à l'écoute de ses microsillons, par l'incroyable faculté (comparable, sinon supérieure à celle de Charlebois) dont le musicien fait preuve d'intégrer différents styles musicaux dans ses chansons: la chanson traditionnelle argentine («Calvaire»), la musique de club («Les brassières»), le *jingle* publicitaire (fin de «Métropole B.B.Q.»), le jazz à la Django Reinhardt («Lit vert»), le tango («Le tango des concaves»), Chuck Berry («Rat qui roule»), Charles Aznavour («Bienséance»), Gilles Valiquette («Jonquière»), les rythmes latins («Samba sabbatiquement fausse») et le western («Le retour à la terre»), pour ne nommer que ceux-là, s'y retrouvent pêle-mêle. De plus, on n'a peut-être pas assez souligné, à l'époque, que l'iconoclastie et la vulgarité de Plume sont rarement gratuites et servent de support à une observation impitoyablement lucide et souvent très drôle de la société québécoise dans ses moindres détails comme dans sa globalité («Bonne soirée», «Strip-tease», «Moutonoir», «Le retour à la terre»...).

Mais il est vrai qu'en ces années 1974-1978, Latraverse semble prendre plaisir à susciter la controverse: ses pochettes de disques, laides à souhait, y ont largement contribué, de même qu'un jeu scénique plus outrancier que ne le demandait la clientèle. Les bien-pensants s'entendent alors pour dire que le phénomène Plume n'est qu'un feu de paille. C'est oublier que cet artiste a beaucoup de provisions (sept albums entre 1974 et 1978, sans compter une compilation) et son inspiration et sa popularité, loin de s'affaiblir, prennent de l'ampleur.

1978 marquera toutefois une année-charnière dans cette carrière joyeusement anarchique: c'est cette année-là, en effet, que paraissent la compilation *Les plus pires succès de Plume* et l'album double *Plume all dressed*, constitué, en fait, de vieilles chansons jamais enregistrées jusque-là; une liquidation du vieux stock, en somme (au départ, *All dressed* devait même être un album triple!). Sur cet album-bilan, on retrouve la chanson «Les pauvres» qui touchera beaucoup le public français et *All dressed* ouvrira les portes de l'Europe à Plume, un tournant important.

(À suivre)

Donald Lautrec (suite)

«Éloïse» annonce en effet les nouvelles couleurs de Donald Lautrec: monsieur ne danse plus le ska, il prend plutôt l'habit du rocker, avec les pantalons de cuir ajustés là où il faut, les lunettes noires, la moustache et les cheveux longs. À cette même époque, il anime le *Donald Lautrec Chaud* et tient le rôle principal dans les films *Le diable aime les bijoux* et *Les chats-bottés*.

Sa carrière de chanteur connaît un deuxième souffle grâce à l'inspiration de Luc Plamondon et Michel Robidoux («La marmotte», «Minuit et demi»). En 1972, les chansons «Le mur derrière la grange» (malgré sa banalité) et «Le soleil est parti» s'installent aux premières loges des palmarès.

Puis, Donald Lautrec s'orientera de plus en plus vers l'animation et la production d'émissions de variétés et de quiz. Le Québec lui doit d'ailleurs ses premiers vidéoclips (en excluant les "scopitones"), puisque l'émission *Lautrec 81, 82, 83* et *85* favorisera une certaine mise en images des chansons, prélude aux indispensables clips actuels.

Félix Leclerc (suite)

La Crise d'octobre 1970 inspire une radicalisation de l'engagement de Félix Leclerc. Lui qui chantait le Québec sans vraiment le nommer, lui qui parlait de liberté, de pays et de terre sans porter de drapeau, voilà qu'une gigantesque gifle l'amène à prendre clairement position pour ses compatriotes. Dans «L'alouette en colère», il exprime la rage de l'humilié, la honte de ne pas encore régner chez soi. Tout en devenant plus explicite dans ses textes, Félix Leclerc n'hésite pas à étendre son action politique et appuie les mouvements indépendantistes, notamment le Parti québécois.

C'est ainsi que ses dernières œuvres porteront les espoirs d'une nation en devenir («La nuit du 15 novembre», «Le tour de l'île», «Mon fils»). Il vivra le déclin de ces mêmes espoirs dans le silence et la solitude, à sa résidence de l'île d'Orléans, où la mort viendra le ravir le 8 août 1988.

Tex Lecor (suite)

Après avoir mangé ses croûtes, Tex Lecor peut enfin «mettre du beurre sur son pain» grâce à l'énorme popularité de la chanson «Le frigidaire», écrite par Georges Langford. Ce succès ne vient que confirmer l'amour qu'a toujours voué le public à ce personnage un peu rustre, authentique et attachant. D'ailleurs, «Le frigidaire», «Ti-bicycle» et «Tout l'monde est d'bonne humeur» plaisent par leur simplicité qui n'est pas niaise: «Tant qu'y me restera quelque chose dans le frigidaire / Je prendrai le métro, je fermerai ma gueule pis je laisserai faire / Mais y'a quelque chose qui me dit qu'un beau matin / Ma Rosalie, on mettra du beurre sur notre pain». Le Québécois moyen s'y reconnaît facilement et s'accroche à l'optimisme de Tex.

La carrière chansonnière de Tex Lecor ne survivra toutefois guère longtemps à ces glorieuses années. En effet, l'humoriste (*Les insolences d'un téléphone*, *Le Festival de l'humour*) partagera l'avant-scène avec le peintre, sa première passion (il a fait les Beaux-Arts) refaisant surface au cours des années 80.

Sylvain Lelièvre (1943)

Auteur-compositeur-interprète discret, il n'en bâtit pas moins une œuvre majeure et est même considéré par nul autre que le grand Gilles Vigneault comme un fils spirituel. Digne héritier des chansonniers, Sylvain Lelièvre publie quelques recueils de poèmes (*Les trottoirs discontinus*, *Les sept portes*) avant la parution de son premier disque, en 1971.

Observateur sensible du quotidien, Sylvain Lelièvre le fait poésie en peignant avec une touchante justesse des moments de vie captés à la volée («Petit matin», «Le blues du courrier», «Marie-Hélène», «Moman est là», «Old Orchard», «La partie de hockey», «Toi, l'ami», «Le chanteur indigène»).

Sur des musiques imprégnées de jazz et de blues, aux accents parfois rétro, Lelièvre n'élève jamais la voix. Sans coups d'éclat, sa longévité sera assurée par une belle maturation de son œuvre. (À suivre)

Sylvain Lelièvre

Jacqueline Lemay (suite)

Au début des années 70, Jacqueline Lemay fonde avec Lise Aubut, Angèle Arsenault et Édith Butler la compagnie de disques SPPS (Société de production et de programmation de spectacles). C'est sur cette étiquette qu'elle lancera en 1975 le disque *La moitié du monde est une femme*. (Rappelons que 1975 est l'Année internationale de la femme.) La chanson-titre de cet album connaîtra beaucoup de succès, non seulement au Québec, où elle sera reprise par Pauline Julien, mais aussi en Europe grâce à la version qu'en donnera Isabelle Aubret. Par la suite,

Jacqueline Lemay se consacrera surtout à la chanson pour enfants.

Laurence (ou Lawrence) Lepage

Auteur-compositeur-interprète originaire de la Gaspésie, qui mène depuis trente ans une carrière discrète et sporadique; en effet, Lepage semble préférer l'environnement forestier à celui de la scène. Il n'en a pas moins composé plusieurs chansons fort belles; les plus connues de ces pièces, qui font l'éloge de la campagne et de la nature face à la ville aliénante, ont été reprises par d'autres artistes dont Jacques Labrecque («Kino le trappeur») et Claude Lafrance, tant au sein des Karrik («Mon vieux François») qu'en solo («Marcoux Labonté»). Lepage a lui-même enregistré quelques microsillons dont le plus récent (*Enfin*) remonte à... 1976!

Pierre Létourneau (suite)

Avec l'aide des compositeurs Germain Gauthier, Stéphane Venne et Michel Robidoux, qui s'adaptent bien au son du jour, Pierre Létourneau franchit sans peine les décennies. On s'étonne de constater sa présence à travers toutes les modes, sans qu'il ne leur concède quoi que ce soit pour autant. Sur plus de vingt ans, des chansons comme «Tous les jours de la semaine», «La vie de ville», «Les secrétaires de bureau», «Elle fait semblant d'être heureuse» et «Plein d'amour» tracent une ligne de carrière d'une remarquable régularité.

En participant à une tournée intimiste avec Claude Gauthier et Claude Léveillée en 1984, en montant seul sur

117

scène en 1986, puis en présentant, au début des années 90, le spectacle *Les années guitare* avec Priscilla, Louise Poirier et Michel Robidoux, Pierre Létourneau bouclera la boucle et prouvera qu'il est possible de durer sans nécessairement jouer dans les ligues majeures. Pour une rare fois, le talent aura suffi. Un nouvel album (*On a tous un rêve fou*), au début des années 90, réjouira la critique mais fera peu de bruit.

Pierre Létourneau

Claude Léveillée (suite)

Au tournant de la décennie, la fin de la collaboration entre André Gagnon et Claude Léveillée insuffle à ce dernier une nouvelle énergie. Léveillée le musicien s'offre désormais des projets qui le contentent pleinement, il se fait plaisir en poursuivant un cheminement de carrière peu orthodoxe. Ainsi, son piano figure au générique des films *Quelques arpents de neige* et *Les beaux dimanches*, des téléthéâtres *Florence*, *Des souris et des hommes* et *Le pélican*, ainsi que des comédies musicales *Pour cinq sous d'amour* et *L'été s'appelle Julie*.

Toutes ces activités ne portent nullement ombrage à l'auteur-compositeur-interprète, dont les nombreuses prestations à l'étranger (tournées en URSS et en Asie centrale, récitals à Paris et Washington) viennent encore une fois confirmer l'importance. De retour au pays, il s'unit à Félix Leclerc dans un spectacle estival (*Le temps d'une saison*) présenté à l'île d'Orléans en 1976. On le retrouve également avec les quatre grands (Charlebois, Deschamps, Vigneault, Ferland) pour *Une fois cinq*. Côté disques, on retient surtout *Les amoureux de l'an 2000* (Gérard Manset y signe deux titres), profession de foi en un monde libre et uni. Tirée de cet album, la chanson «La froide Afrique» devient l'un des premiers manifestes contre le viol du Grand Nord canadien («J'ai entendu dire / Que des pétroliers seraient en vue / J'ai entendu dire / Que le nord du Nord serait perdu / C'est fini les grands espaces / L'homme a bien dit faut qu'j'passe»).

Les années 80 seront ponctuées de projets musicaux d'envergure (*Cinq saisons pour un pays*, avec l'Orchestre symphonique de Montréal; création de deux poèmes symphoniques et d'un concerto avec la troupe de ballet d'Eddy Toussaint) et d'un retour aux sources chansonnières, à travers les spectacles *Trois fois passera*, avec Claude Gauthier et Pierre Létourneau, *Partenaires dans le crime*, avec Renée Claude, et *Tu te rappelles Frédéric?*, avec le complice de la première heure, André Gagnon. En 1989, Claude Léveillée présentera un nouvel album saturé de synthétiseurs, *Enfin revivre*, puis, porté par la popularité de son rôle dans la série télévisée *Scoop*, il fera l'objet d'un spectacle-hommage aux Franco-Folies de Montréal de 1994. Enfin, la parution de deux disques compacts-compilations, *Mes années 60* et *Mes années 70*, sera le prétexte à un retour sur scène en solo.

Renée Martel (1947)

Initiée au métier de chanteuse par son père Marcel Martel, elle connaît le succès (énorme) avec deux titres qui ne sonnent pourtant pas western: «Liverpool» et «Je vais à Londres». Sorte de pendant angélique de Michèle Richard, sa popularité va croissant pendant les années 70, atteignant son apogée avec «J'ai un amour qui ne veut pas mourir».

Elle renouera ensuite avec ses sources musicales («Cow-girl dorée»), animant avec Patrick Norman l'émission *Patrick et Renée*, puis remportant en 1983 et 1985 le Félix de l'album country de l'année. Au milieu des années 90, Radio-Canada lui confiera l'animation de *Country centre-ville*, série hebdomadaire fort appréciée des amateurs du genre.

Jacques Michel (suite)

Au tournant des années 70, il devient un auteur-compositeur-interprète nettement engagé, peut-être le plus radical de l'époque. Il chante ses préoccupations politiques et sociales sans détour («Un nouveau jour va se lever», «S.O.S.»), dénonce l'injustice mais donne espoir («Amène-toi chez nous», Grand Prix du Festival de Spa en Belgique, «Pas besoin de frapper») en tendant vers un idéal de fraternité universelle. Issu de la génération des chansonniers, il en conserve une écriture de forme plutôt classique. Quant aux musiques, elles s'inscrivent dans le courant folk nord-américain.

Victime de son image un peu arrogante, Jacques Michel n'a peut-être pas reçu toute la reconnaissance qui lui revenait. Auteur-compositeur brillant et prolifique (un album par année en moyenne), il a peu à peu abandonné son métier de chanteur (son dernier disque, *Maudit que j'm'aime*, remonte à 1982) pour se consacrer à l'écriture. Ainsi, à la fin des années 80, il formera avec son épouse Ève Déziel un tandem au service de l'interprète Martine Chevrier et de l'émission de télévision *Le village de Nathalie* (Simard).

Soulignons que les années (et, peut-être, les besoins alimentaires) auront eu raison de ses convictions politiques: deux de ses chansons deviendront, en 1990, les hymnes officiels de la compagnie pétrolière Pétro-Canada...

Octobre (1971-1982)

Ce groupe formé de Pierre Flynn (auteur-compositeur), Mario Légaré, Jean Dorais, Pierre Hébert, et plus tard Gérard Leduc et Richard Pelletier, occupe un créneau particulier dans la chanson québécoise des années 70.

En effet, Octobre est un des rares groupes à composer du rock progressif. Il se produira d'ailleurs à quelques reprises avec le groupe britannique King Crimson. Il se distingue également par ses textes, marqués d'une révolte incisive, d'une lutte qui ne se veut pas étroitement politique mais plutôt ouverte sur les inégalités sociales et sur la déshumanisation du Système («La maudite machine», «Violence», «Insurrection»). À contre-courant des hymnes rassembleurs et musiques acoustiques, Octobre chante la solitude sur fond de guitare électrique et de batterie martelante.

Avec ses thématiques un peu noires et ses musiques parfois lourdes, Octobre n'obtient toutefois pas la faveur d'un très large public, bien que les critiques et un bon noyau de fans lui réservent de chaleureux accueils au théâtre Outremont, à L'Évêché et au Saint-Denis. En 1980, l'échec commercial de l'album *Clandestins* signera la rupture du groupe.

Suite à une prestation au Festival de Jazz de Montréal (en 1989) et à la sortie d'un CD-compilation (en 1995), Octobre succombera toutefois à la tentation de se réunir à nouveau pour les FrancoFolies de Montréal de 1996 et qui sait, peut-être une tournée...

Offenbach (1969-1985)

Après s'être appelé successivement les Double Tones, les Twistin' Vampires et les Fabulous Kernels («les granules fabuleuses»), le groupe yé-yé Les Gants blancs, composé de Gérald et Denis Boulet, Mario Brodeur et Rick Horner (ces deux derniers seront rem-

placés à la fin des années 60 par Michel Lamothe, fils du chanteur western Willie Lamothe, et Jean Gravel) s'adonne surtout aux adaptations françaises de succès américains. En 1969, entre en scène un musicien du nom de Pierre Harel qui va transformer radicalement l'orientation du groupe. Celui-ci prend le nom d'Offenbach et deviendra au cours des années 70 le plus grand groupe rock québécois.

Offenbach, c'est avant tout une voix, la voix de Gerry Boulet. Les blues d'Offenbach n'auraient pas la même couleur s'ils n'étaient pas crachés par cette voix rauque, brisée par l'alcool et les folles nuits («La voix que j'ai»). Offenbach, c'est aussi une musique carrée, aux rythmes binaires, une musique solide comme le roc, fidèle aux racines du rock'n'roll, quoique parfois répétitive. C'est l'énergie et la détresse à l'état brut. Offenbach, c'est enfin la surprise d'un texte intelligent, poétique, c'est une collaboration avec de grands auteurs: Pierre Huet, Michel Rivard, André Saint-Denis, Gilbert Langevin. Sous l'apparente violence se dissimulent un mal d'aimer et une douleur de vivre criants. On peut maintenant parler de répertoire classique: «Câline de blues», «Faut que j'me pousse», «Ayoye», «Le blues me guette», «Mes blues passent pus dans porte», «Promenade sur Mars».

Des événements marquants jalonnent la carrière du groupe: messe rock à l'oratoire Saint-Joseph (!), quelques spectacles au Forum de Montréal (dont le mémorable spectacle d'adieu, en 1985), tournées essoufflantes des arénas de la province. En 1974, le cinéaste français Claude Faraldo leur consacre même un film, *Tabarnac!*.

L'aventure d'Offenbach se résume à un mot: FIDÉLITÉ. Fidélité à l'essence même du rock et du blues, à tel point qu'on pourrait leur reprocher un manque d'évolution; fidélité au public, lequel le lui rend bien puisque le groupe jouira d'une longue carrière; fidélité à sa langue, malgré une ou deux expériences sans conséquence en anglais, puisqu'Offenbach a honoré le français (sans le revendiquer) en soignant le choix de ses textes et en pliant les mots pour les adapter à des musiques américaines.

Michel Pagliaro (1948)

Il fait ses débuts dans le groupe yé-yé Les Chanceliers avant d'opter pour une carrière solo. C'est un rocker, un pur et dur, le premier (le seul?) qu'ait connu le Québec. À partir de 1970, il accumule les succès, d'abord du côté francophone: «J'entends frapper», «Le temps presse», «J'ai marché pour une nation», «Émeute dans la prison». Et puis, bravant le courant nationaliste de l'époque, il n'hésite pas à chanter en anglais pour toucher un plus vaste auditoire: «Give Us One More Chance», «Some Sing, Some Dance», «What the Hell I Got». Ses tentatives d'exportation trouvent preneur surtout au Canada anglais, où il se produit notamment en compagnie de Peter Frampton.

Après une éclipse de quatre ans au début des années 80, il participera à la vague des anciens qui apporteront un nouveau souffle à la chanson d'ici. (À suivre)

Chantal Pary (1950)

Chanteuse déjà populaire au tournant des années 70 («L'amour est passé»), Chantal Pary réussit un bon coup publicitaire au début de la décennie, se mariant avec l'animateur de radio André Sylvain devant les caméras de télévision de *Jeunesse d'aujourd'hui*. Exploitant à fond le filon familial, elle nous présente ensuite sa petite fille via une berceuse larmoyante («Mélanie»). Dans les années 80, elle se recyclera dans la chanson d'inspiration religieuse et partira en croisade contre l'avortement.

Isabelle Pierre (1944)

On se souvient de cette voix chaude qui chantait le bonheur des «Enfants de l'avenir», ainsi que «Cent mille chansons» et «Le temps est bon». Après un premier album discret composé de chansons de la romancière Louise Maheux-Forcier (en 1965), cette interprète dans la veine des Renée Claude et Emmanuelle profitera elle aussi du talent de Stéphane Venne. En 1974, elle présente son dernier microsillon, sous son vrai nom, Nicole Lapointe, puis abandonnera le métier, sans appel, préférant «garder les moutons et faire de la moto»!

Luc Plamondon (1942)

Bien sûr, on associe d'abord ce parolier aux premiers cris de Diane Dufresne. Luc Plamondon a toutefois été chanté par de célèbres (et beaucoup plus sages) interprètes, telles Monique Leyrac («Le temps d'aimer») et Renée Claude («Ce soir je fais l'amour avec toi»), avant de nourrir la rockeuse.

Le premier album de Diane Dufresne le met au monde: «J'ai rencontré l'homme de ma vie», «En écoutant Elton John», «Tiens-toé ben, j'arrive» et «La chanteuse straight» définissent son langage, très proche de la langue parlée, parfois joual, jamais littéraire et surtout, éminemment musical.

Pendant plus d'une décennie, l'orageuse association Plamondon-Dufresne tissera un univers carnavalesque et apocalyptique (*Opéra cirque*), tout en se permettant des apartés plus commerciaux (lire radiophoniques): «Pars pas sans me dire bye-bye», «Chanson pour Elvis», «J'ai besoin d'un chum», «Sur la même longueur d'ondes».

Bien qu'il se distingue par un style personnel facilement identifiable, Luc Plamondon démontre une étonnante souplesse à se mouler aux interprètes et c'est pourquoi on le sollicite de toutes parts. Ses histoires, puisqu'il s'agit presque toujours d'histoires écrites à la première personne, s'incarnent en Steve Fiset («Les chemins d'été», son premier grand succès), Pauline Julien («Le voyage à Miami»), Ginette Reno («J'ai besoin de parler») ou Donald Lautrec («Minuit et demi»).

Vers la fin des années 70, un certain opéra-rock lui vaudra une renommée internationale et le statut de parolier le plus couru du Paris branché. (À suivre)

La Révolution française
(1968-1970)

Les Sinners adoptent ce nouveau nom en 1968 pour se libérer de certains contrats jugés trop contraignants. C'est ainsi rebaptisés qu'ils se payent leur plus grand succès, la chanson «Québécois». Opportunisme ou nationalisme? Toujours est-il que cette chanson tombe à point nommé en pleine période de redéfinition du "Canadien français".

À en juger par certains gestes irréfléchis, comme cette version anglaise de «Québécois», «Americas», qui devient un hymne à l'impérialisme américain, La Révolution française n'a de révolutionnaire que le nom. Le groupe assure la première partie des Doors en 1969 au Forum de Montréal mais perd toute crédibilité en accumulant les contradictions et en modifiant sans cesse son personnel. Il ira même jusqu'à reprendre son identité de Sinners (encore une histoire de contrat!) mais l'étoile a déjà pâli et s'éteindra définitivement vers 1976.

François Guy, leader du groupe, poursuivra une carrière intéressante, risquant l'écriture de "revues" ou comédies musicales (*Tout chaud, Paquet-voleur* et *Circociel*, théâtre des premiers pas d'une certaine Marjolène Morin...) puis s'oriente vers la composition pour le 7e art («Cinéma, cinéma»).

LES SÉGUIN (1972-1976)

On dit d'eux qu'ils sont «des enfants pourris de talent». En effet, c'est dès l'âge de quinze ans que Marie-Claire et Richard Séguin forment leur premier groupe, Les Nochers. Un an plus tard, c'est en duo que les jumeaux poursuivent leur carrière. Richard et Marie (c'est ainsi qu'ils se nomment) se font remarquer au Patriote et dans plusieurs boîtes et collèges en interprétant les chansonniers québécois.

C'est toutefois au sein de La Nouvelle Frontière que les deux jeunes méritent une reconnaissance significative. C'est également à cette époque que commencent à se dessiner les préoccupations qui marqueront leurs futures créations. Des conflits de personnalité et d'orientation musicale entre les six membres du groupe et des difficultés financières mettent fin à l'aventure avant que La Nouvelle Frontière n'ait atteint une certaine maturité.

Richard et Marie-Claire se retrouvent donc en duo pour une seconde fois; ils deviennent Les Séguin en 1972. «C'est beau, c'est doux, c'est simple»; ces mots résument l'accueil que leur réservent le public et la critique. Plutôt que de contester bruyamment le système, ils lui tournent simplement le dos (comme sur leur première pochette) et vont chercher dans la nature l'harmonie, la sérénité et la beauté. Les Séguin deviennent ainsi l'un des plus beaux fleurons de la culture hippie québécoise.

Leurs chansons témoignent d'une naïveté rafraîchissante. Un extrait de la pièce «Le quotidien» illustre bien cette simplicité désarmante:

«Parler de l'arbre et du ruisseau / De la maison vaste et tranquille / Et de la table et de la chaise / Et du rosier qu'il faut tailler».

Ce désir de semer partout la paix et la joie se laisse parfois assombrir par une réalité un peu moins rose («Les enfants d'un siècle fou»), ou encore plus grave («Le roi d'Alenvers»).

Les Séguin écrivent leurs propres chansons mais ils interprètent également de grands auteurs comme Gilles Vigneault («Chanson démodée», «Alison»), Félix Leclerc («Le train du Nord») et Raoul Duguay («Les saisons»). Leur amie Francine Hamelin collabore aussi à plusieurs textes («Global refus», «Hé Noé!»). Aux musiques d'inspiration folklorique et même médiévale se fondent deux voix magnifiques, d'une surprenante profondeur compte tenu de leur jeune âge.

Ils se séparent au bout de quatre albums, après nous avoir conviés à leur *Festin d'amour*. Les jumeaux ont sans doute besoin de retrouver leur identité, ils décident d'entreprendre des carrières solos. (À suivre)

René Simard (1961)

L'exemple parfait du produit américain. Découvert à l'âge de neuf ans, ce Joselito made in Québec jouit d'une gloire instantanée grâce à «L'oiseau». On l'envoie chanter à Tokyo (il y remporte le premier prix du Festival international de la chanson) et à Las Vegas (pour une série de spectacles avec Liberace, on l'inscrit à des cours de danse à Los Angeles. Son secret? Ce jeune garçon propre et poli plaît à toutes les générations. Il faut croire que le grand public ne partage pas l'opinion de la critique officielle sur la pauvreté de son répertoire («Comment ça va?», «Chante la la la»).

Une mue de voix plus tard, soit en 1977, son gérant Guy Cloutier le pousse vers la carrière d'animateur de variétés, d'abord au réseau anglophone CBC (*The René Simard Show*) puis à l'antenne de Télé-Métropole (*RSVP*) et Radio-Canada (*Laser 33-45*). Les chorégraphies à paillettes sont à l'honneur, ça suinte l'Hollywood à bon marché (l'«Hollywood en plywood», dirait Lucien Francœur). René Simard s'y révèle toutefois un excellent danseur et *entertainer*, on reconnaît la formation à l'école américaine.

Après quelques années de carrière en duo avec sa jeune sœur Nathalie, ponctuées de succès non négligeables («Tourne la page»), et une tentative de retour en solo peu concluante («Catherine»), René Simard abordera la décennie 90 avec bonheur, se voyant enfin reconnu par les gens de l'industrie qui lui confieront l'animation de deux Galas de l'ADISQ ainsi que des participations à la revue humoristique annuelle *Bye Bye*. Il verra également se concrétiser son rêve de comédie musicale, puisqu'il tiendra un rôle important dans la mégaproduction *Jeanne la pucelle*.

Avec vingt-cinq ans de métier (soulignés par la réédition sur compacts de sa discographie), René Simard a le mérite de durer, grâce à son pro-

fessionnalisme et sa gentillesse bon enfant qui ne semble pas contrefaite.

Guy Trépanier (1949)

On fredonne ses chansons («C'était au temps», «Aimons-nous d'abord», «Dis-moi donc») sans toutefois leur accoler un nom. Guy Trépanier s'accommode fort bien de cet anonymat, préférant la marginalité au statut de vedette. Il n'est donc pas étonnant de le voir évoluer vers une carrière d'auteur-compositeur et de producteur. Après une timide réapparition sur disque en 1985 («On court, on court»), il œuvrera surtout dans le secteur publicitaire, en plus de rythmer des projets télévisés comme *Le Club des 100 watts* et la mini-série *Lance et compte*.

Gilles Valiquette (1952)

En pleine vogue du "retour à la terre", ce Montréalais choisit de chanter le quotidien urbain. Ses textes, jugés parfois un peu trop simples, lui ressemblent: «Je suis cool», «La vie en rose» et «Quelle belle journée» n'ont certes pas la prétention de régler le sort du monde ou de révolutionner le genre poétique. Gilles Valiquette raconte plutôt sur un ton mineur les hauts et les bas d'une vie sans grande envergure. Voilà sans doute pourquoi nombre de Québécois s'y reconnaissent et se surprennent à chantonner ces mêmes airs vingt ans plus tard.

Après de nombreuses tournées au Québec, en Ontario et en France, notamment en compagnie de Véronique Sanson, Gilles Valiquette mettra sa carrière de chanteur en veilleuse au début des années 80. Guitariste remarquable, il multipliera alors les participations aux disques de nombreux chanteurs (Richard Séguin, Daniel Lavoie, Gilles Rivard), en tant que musicien mais surtout en tant que réalisateur et producteur. Il se spécialisera ensuite dans les technologies musicales de pointe, tout en proposant de nouvelles créations qui récolteront de jolis succès radiophoniques («Mets un peu de soleil dans ta vie»).

Stéphane Venne (suite)

Comme nous le mentionnions dans le chapitre précédent, c'est la chanson-thème de l'Expo 1967, «Un jour, un jour», qui enterre définitivement l'interprète mais qui lance la vraie carrière de Stéphane Venne.

À partir de ce moment, cet homme à tout faire de la chanson québécoise peut exercer sa grande polyvalence: il produit des disques pour Barclay, signe des succès pour Pierre Lalonde («Attention, la vie est courte»), Emmanuelle («Le monde à l'envers») et Isabelle Pierre («Le temps est bon»), fonde sa propre maison de production, travaille comme arrangeur pour Michel Conte et Sylvain Lelièvre, compose la musique des films *Les mâles, Où êtes-vous donc?, Pile ou face*, et, au début des années 80, *Les Plouffe*, touche aux *jingles*, produit le coffret de musique instrumentale *Musique du Québec*, fait partie des organisations de la Superfrancofête et de la Chant'Août, en plus d'ouvrir une station de radio et de s'occuper activement de la défense des droits d'auteur.

Stéphane Venne se situe donc au cœur même du bouillonnement culturel des années 70. Il n'est ainsi pas étonnant qu'il ait écrit ces quelques lignes extraites de la chanson de Renée Claude, «Le début d'un temps nouveau», et qui résument à elles seules l'esprit de toute une époque: «C'est le début d'un temps nouveau / La Terre est à l'année zéro / La moitié des gens n'ont pas trente ans / Les femmes font l'amour librement / Les hommes ne travaillent presque plus / Le bonheur est la seule vertu».

En 1996, il sera nommé Délégué culturel québécois à Paris.

Stéphane Venne

GILLES VIGNEAULT (suite)

Avec les années, il devient la plus éloquente incarnation des racines et des espoirs du Québec français. En cette période fiévreuse, les chansons de Vigneault deviennent vite des hymnes nationaux («Gens du pays», interprétée pour la première fois au spectacle de la Saint-Jean de 1975) car nul ne décrit avec autant de justesse et de sensibilité l'âme et le cœur québécois («Les gens de mon pays»). En participant à tous les rassemblements populaires, Vigneault est élu porte-voix de la lutte indépendantiste. Même dans les moments de démobilisation générale, son engagement ne se démentira jamais.

Le public européen sait également apprécier l'univers poétique du chanteur, ses personnages et paysages pittoresques (ce qui prouve bien que pour être international, il faut d'abord avoir les pieds solidement plantés quelque part...). Ses passages à Bobino et à l'Olympia le consacrent chantre de la culture québécoise. On ne compte plus les prix de l'Académie Charles-Cros qui lui ont été décernés, de même que les distinctions diverses qu'il a reçues: Chevalier des Arts et des Lettres, Chevalier de l'Ordre de la Pléiade en France, Prix du Gouverneur général, doctorats honorifiques de différentes universités, etc.

En 1990, Gilles Vigneault occupera en toute légitimité l'avant-scène des mémorables célébrations de la Saint-Jean, marquées par l'extraordinaire renaissance (quoique éphémère) du sentiment nationaliste. De plus, la sortie d'un coffret de 101 chansons (clin d'œil à la célèbre loi...) coïncidera avec une reconnaissance officielle par la mère patrie de son apport à la qualité de la langue française.

Bien qu'il compose lui-même la plupart de ses musiques, Gilles Vigneault collabore étroitement avec des directeurs musicaux qui ont pour tâche de coucher ces mélodies sur papier et de les orchestrer. Gaston Rochon (il signe les musiques des chansons «J'ai planté un chêne», «Il me reste un pays» et «Gens du pays») et Robert Bibeau comptent parmi ses plus fidèles complices. Il s'associe également avec de nombreux interprètes pour lesquels il signe quelques textes: Gilbert Bécaud, Pierre Calvé, Claude Léveillée, Robert Charlebois, Sylvie Tremblay, Fabienne Thibeault, Les Séguin, etc.

Inspiré par sa propre progéniture, Gilles Vigneault s'adonne depuis quelques années à la littérature pour enfants, que ce soit sous forme de contes, comptines ou chansons. Parallèlement, il continue toujours de proposer de nouvelles compositions, tant sur disque que sur scène.

Ville Émard Blues Band
(1973-1976)

Noyau de musiciens venus de divers horizons: accompagnateurs de Robert Charlebois, de Renée Claude et de Claude Dubois, ainsi que les membres du groupe Contraction.

Tout en poursuivant leurs activités respectives, ils forment une coopérative en 1973 et se réunissent sporadiquement pour quelques concerts en plein air. Le succès les amène à consacrer deux ans de leurs carrières au groupe; ils présentent alors des concerts en salle et enregistrent trois albums, dont un double en concert au théâtre Saint-Denis.

Malgré une dispersion rapide de sa vingtaine de membres (Denis Farmer et Robert Stanley se joindront à Harmonium), le Ville Émard Blues Band est perçu encore aujourd'hui, par ses audaces musicales improvisées et ses compositions d'influences variées, comme un creuset de création annonciateur de la future musique pop québécoise.

Patrick Zabé (1943)

L'équivalent québécois de Carlos. Ce chanteur rigolo n'a d'autre ambition que de divertir un public de radios AM avec des refrains légers très populaires («Agadou», «Je bois de l'eau au lit», «C'est bon pour le moral», «Señor météo»).

Offenbach: *Des textes poétiques et du gros rock binaire.*

Louise Forestier: *Elle répond à la question «Pourquoi chanter?»...*

5

1978-1985: *La crise économique et l'identité culturelle*

La période transitoire entre les deux décennies conjugue différents essoufflements: politique, idéologique et, par conséquent, musical. Sur le plan politique, l'élection des Thatcher et Reagan marque un retour à la droite et à ses valeurs conservatrices. Le patriotisme aveugle du nouveau président états-unien alimente la guerre froide Washington-Moscou et convainc autant ses concitoyens que les pays alliés (dont le Canada) de l'absolue nécessité de consacrer des sommes faramineuses à l'armement. Profondément blessés dans leur orgueil par le lamentable épisode du Viêtnam, les Américains s'accrochent volontiers à la gloriole des missions spatiales et autres déploiements militaires.

L'idéologie fraternelle hippie cède pour sa part le pas à une valorisation du style de vie petit-bourgeois: exit la vie de commune, chacun rêve de posséder son "loft" dans le centre-ville, sa BMW et son chalet à Magog. L'appât du gain et le rejet des responsabilités familiales définissent cette nouvelle génération des "yuppies". Confortablement assis sur leur sécurité d'emploi, les baby-boomers s'empressent de réenterrer Marx et de renier les principes idéalistes qui firent les beaux jours du *flower power*.

Par ailleurs, la crise du pétrole engendre une situation économique précaire dont les jeunes deviennent les premières victimes. Le chômage les frappe durement, ce qui les incite à clamer leur *no future* à la face du monde entier. Il ne leur reste que le langage de la violence, à moins qu'ils ne se réfugient dans la quiétude artificielle des drogues dures comme l'héroïne. La planète frémit à la lecture de l'histoire de l'Allemande *Christiane F., droguée, prostituée* et s'inquiète du néo-nazisme prôné par certaines factions extrémistes du mouvement punk.

Cette période de retour à l'individualisme et de célébration du matérialisme produit une musique somme toute assez peu inventive. Le rock se dilue dans des hybrides peu inspirés, sous-produits qui relèvent davantage d'une stratégie de marketing (trouvons une nouvelle appellation, les gens croiront que c'est une nouvelle musique) que d'une réelle innovation. Billy Joel leur répondra, cynique, que le «*new wave, dance wave, any wave, it's still rock'n'roll to me*». Certes, le punk, popularisé par les Sex Pistols, propose une version beaucoup plus agressive du bon vieux rock'n'roll. Il gagne des adeptes qui arborent fièrement la coupe de cheveux iroquoise et qui se retrouvent dans des lieux plutôt sordides pour des séances de défoulement collectif. Cette mode, comme toutes les autres, ne durera que quelques années et mourra peut-être d'elle-même quand elle aura atteint son paroxysme de violence.

Tout à fait à l'opposé du mouvement punk, la vague disco qui déferle sur l'Occident vers la fin des années 70 n'épargne pas le Québec. Les discothèques deviennent ainsi les nouveaux lieux de rencontre et de drague. Tourné en 1976, le film *Saturday Night Fever*, avec la musique des Bee Gees, consacre le chic des "boules faites en miroirs" et des "pantalons serrés, chemise ouverte sur un torse velu" pour messieurs. Comme il survient en pleine période de revalorisation du folklore, le phénomène disco a des répercussions somme toute assez limitées sur la création québécoise. Ils sont tout de même quelques-uns à profiter de cet engouement pour savourer une gloire éphémère.

La percée significative des francophones hors Québec vers la fin des années 70 influence beaucoup plus profondément la chanson d'ici. Bastion du français en Amérique, le Québec représente un marché intéressant (voire essentiel) pour ceux qui désirent faire carrière sur le continent. De même que Paris exerce une forte attraction sur ceux qui ont le sentiment d'avoir fait le tour du jardin au Québec, ainsi Montréal demeure le point de convergence des francophones hors Québec. Sans oublier leurs racines et sans même, dans certains cas, élire domicile ici, ces chanteuses et chanteurs enrichissent la culture québécoise de leur sensibilité particulière, de cette ferveur qu'allume leur situation précaire de minoritaires. Ils viennent principalement des trois provinces canadiennes où survivent les plus fortes concentrations de francophones, soit l'Ontario, le Nouveau-Brunswick (l'Acadie) et le Manitoba. Certains d'entre eux ont parcouru le chemin inverse et quitté la mère patrie pour s'installer ici, alors que quelques Cajuns ont apporté dans leurs bagages la musique des bayous états-uniens.

Au plus fort de la vague nationaliste et de la mode de revalorisation du folklore, leur sentiment d'appartenance inspire le peuple et les artistes québécois. Les chants patriotiques acadiens d'une Édith Butler font vibrer des cordes sensibles et ses musiques folklorisantes, comme celles de Zachary Richard ou de Beausoleil-Broussard, démontrent bien que l'on peut être actuel tout en ne reniant pas le passé.

Un certain rendez-vous avec l'histoire

Le Québec vit le calme après la tempête. Avec le Parti québécois aux commandes de la province, la population n'estime plus nécessaire le militantisme des dernières années et se repose de sa révolution, la croyant menée à terme. Pourtant, le Québec s'apprête à livrer l'une de ses plus importantes et plus coûteuses batailles. Le Parti québécois s'était en effet engagé à consulter la population avant de modifier de quelque façon que ce soit le statut constitutionnel du Québec. Le présumé rendez-vous avec l'histoire est donc fixé pour le 20 mai 1980. La fameuse question, qui ne fait même pas l'unanimité au sein du caucus ministériel, ne sollicite qu'un mandat de négocier avec le gouvernement fédéral une nouvelle entente constitutionnelle. Bien que les indépendantistes purs et durs n'y voient qu'une nouvelle humiliation devant Ottawa (négocier la permission de devenir adulte!), ils n'en militent pas moins énergiquement dans le camp du OUI. La province vit une polarisation idéologique sans précédent, un déchirement qui divise nombre de familles et dont elle ne se remettra que quelque dix ans plus tard.

Les belles promesses d'un Pierre Trudeau engagé dans le combat de sa vie ont raison des derniers indécis: 60 % des Québécois refusent de franchir le pas de l'autonomie politique et préfèrent laisser une nouvelle chance à un vague "fédéralisme renouvelé". Trudeau en profite pour rapatrier la Constitution canadienne (qui s'empoussiérait quelque part à Buckingham) et en vient à une entente nocturne avec les neuf provinces anglaises, sans consulter les représentants québécois qui dorment à Hull. René Lévesque vivra cette trahison comme la pire défaite de sa carrière.

Pour faire face à la récession économique brutale de ce début de décennie, le Parti québécois n'hésite pas à couper les salaires de ceux-là mêmes qui l'ont élu, soit les professeurs et autres employés de la fonction publique. Ces mesures draconiennes soulèvent, bien sûr, l'ire des principales centrales syndicales, qui organisent des manifestations monstres sur la colline parlementaire. Les fonctionnaires n'obtiennent pas gain de cause mais jurent vengeance aux prochaines élections.

Récessions en tous genres

Avec la disparition des nombreux festivals et rassemblements populaires s'envole aussi l'unique occasion pour de nombreux artistes de se produire sur une scène. Le producteur Gilbert Rozon tente de ranimer la flamme mais rien n'y fait, les Québécois n'ont plus le cœur à la fête et *La Grande Virée* se transforme en un véritable gouffre financier. Seuls les gros noms peuvent se permettre les grandes salles: le Forum ouvre ses portes à Offenbach, Diane Dufresne, Claude Dubois et aux retrouvailles de Beau Dommage; la Place des Arts élargit ses horizons (elle accueille Yvon Deschamps, Fabienne Thibeault et Jean Lapointe, mais aussi Patsy Gallant, René Simard et "Les trois L": Louvain, Lalonde et Lautrec...); tandis que les valeurs sûres comme Gilles Vigneault et Pauline Julien voyagent de l'Arlequin au TNM (l'ancienne Comédie-Canadienne). Une nouvelle salle multifonctionnelle est inaugurée en 1982 et deviendra le lieu de spectacle le plus important de la décennie (nous en reparlerons): le Spectrum de Montréal.

La crise économique et politique en réduit plusieurs au silence et en invite d'autres (sur la lancée de *Starmania*) à consolider leurs assises en Europe. Certains encore, comme Richard Séguin et Pierre Flynn, ne se laissent pas abattre et vont se ressourcer dans le circuit de plus en plus démembré des boîtes à chansons. L'industrie du disque vit des heures catastrophiques: les grandes compagnies comme Capitol, CBS, Warner et A & M, qui avaient massivement investi dans le produit québécois après les miracles des Beau Dommage et Harmonium, plient bagage et retournent à Toronto aux premiers signes de ralentissement. De fait, les ventes de disques chutent dramatiquement: en 1983, les meilleurs vendeurs oscillent autour des 50 000 copies. Même le grand manitou Guy Latraverse se voit contraint de mettre la clef dans la porte de l'empire Kébec Spec.

Pendant ce temps, les programmateurs de radio accroissent leur pouvoir et invoquent la faible production locale pour réclamer (et obtenir) une baisse des quotas de chanson francophone. L'omnipotence des CKOI, CKMF et autres dictateurs du goût du public contrôle jusqu'à la création même des chansons: on impose un "son", sans lequel le produit ne passe tout simplement pas. La télévision continue quant à elle d'offrir un support visuel important, notamment par le biais de l'émission *Lautrec 81, 82*, etc. (qui produit les balbutiements du vidéoclip local), des *Beaux dimanches* et des talk-shows comme *Michel Jasmin*. Enfin, l'arrivée du vidéoclip, devenu pratiquement indispensable au succès d'une chanson, inquiète l'industrie, dont les maigres budgets ne rivalisent évidemment pas avec ceux d'un

Michael Jackson. On est loin de se douter que cet outil promotionnel favorisera à long terme l'éclosion d'une nouvelle créativité et contribuera par le fait même à la "résurrection" de la chanson québécoise...

Un syndrome du rejet

Le syndrome post-référendaire affecte à peu près toutes les disciplines artistiques. Le public, victime d'une indigestion de fleurs de lys, rejette l'identité québécoise, qu'elle se manifeste sous forme de littérature, de cinéma ou de théâtre. Des réalisateurs comme Jean-Claude Lord ou Denys Arcand, à qui l'on doit notamment *La maudite galette*, *On est au coton* et *Le confort et l'indifférence*, cette analyse troublante du référendum, s'expatrient pour quelques années à Toronto, tandis que Gilles Carle triomphe avec un des rares succès québécois de l'époque: *Les Plouffe*, d'après le célèbre roman de Roger Lemelin. Notons aussi l'émergence des femmes cinéastes comme Paule Baillargeon (*La cuisine rouge*) et Anne-Claire Poirier (*Mourir à tue-tête*).

Luc Plamondon: *Le Parrain de la chanson québécoise.*

Michel Tremblay continue de dominer la scène théâtrale, que ce soit par la création de nouvelles pièces (*L'impromptu d'Outremont*, *Les anciennes odeurs*) ou par la reprise de ses classiques. Très prolifique, il entreprend l'écriture romanesque des *Chroniques du Plateau Mont-Royal* et signe l'adaptation de pièces de Tennessee Williams, Dario Fo, Tchekhov et Gogol. Un courant parallèle se dessine dans le monde du théâtre, porté par une nouvelle génération formée à l'école multidisciplinaire: les jeunes auteurs, metteurs en scène et comédiens (ils cumulent ou s'échangent souvent ces fonctions) comme René-Daniel Dubois, Robert Lepage, René Richard Cyr et Gilles Maheu proposent un art qui privilégie la forme. Cette scène alternative intègre chorégraphies (Carbone 14) et arts visuels ou, dans un créneau beaucoup plus populaire, chansons et danse (*Pied-de-poule*, *Starmania*). Par ailleurs, l'imaginaire s'invente un lieu d'éclatement qui fera des émules partout au Québec mais aussi en Europe et jusqu'aux Antilles: la Ligue nationale d'improvisation. La palme de l'événement théâtral le plus médiatisé revient toutefois à la pièce féministe *Les fées ont soif*, de Denise Boucher. Créé au TNM en 1978, ce portrait de la femme en mère, Vierge et putain provoque un véritable scandale et va même jusqu'à ébranler les murs de la très sainte Église catholique, qui lance un appel au boycott, ce qui ne nuit évidemment pas au succès de la pièce...

Une insignifiance généralisée

Cette période creuse est caractérisée par une insignifiance très répandue. Les grandes idées cèdent le pas à des discours aussi édifiants que «As-tu du feu? Non, j'ai du beurre de peanuts!» ou le très éloquent «Danse, danse, danse, danse, pense pus» de *Pied-de-poule*. Les banalités d'une Pauline Lapointe, d'une Belgazou ou du groupe Bill ne provoquent pas une surchauffe des cerveaux et rivalisent de légèreté avec les propos des plus célèbres animateurs de radio...

Certains auteurs-compositeurs-interprètes plus "sérieux" tentent toutefois de tenir un discours moins vide. Les textes des Piché, Séguin, Lelièvre ou Pauline Julien se détachent quelque peu du collectif – ou alors privilégient l'approche sociale plutôt que politique –, et marquent une réflexion personnelle, une redéfinition du rapport amoureux et un questionnement face aux nouvelles valeurs qui régissent la société.

Mais pendant ce temps-là...

Angèle Arsenault (1943)

Cette Acadienne se dit féministe mais non militante. Ses chansons s'inscrivent en effet dans la réalité quotidienne, bien loin des grandes idéologies, mais elles affichent une nouvelle détermination partagée par nombre de femmes de cette époque («Je veux toute toute toute la vivre ma vie», «Moi j'mange», «De temps en temps moi j'ai les bleus», «J'aime mieux rester dans ma cuisine»). Les textes et musiques un peu simplistes ont toutefois le mérite d'apporter un peu de soleil dans une vie parfois morose («Y'a une étoile pour vous»).

Celle qui a conquis le public de la Place des Arts seule au piano reviendra en 1985 à ses premières amours, l'animation radiophonique (*Le Radio-Café Provigo*), puis renouera avec la scène en 1993 dans un spectacle-hommage à La Bolduc, en plus de proposer un nouvel album fidèle à son style à l'automne 1994.

Véronique Béliveau (1956)

Victime de son image de mannequin, Véronique Béliveau doit se débattre doublement pour se faire accepter comme une interprète crédible. Après deux succès notables à la fin des années 70, «Prends-moi comme je suis» et «Aimer», elle parvient à briser le mythe de la jolie idiote par une prestation remarquée au Gala de l'ADISQ de 1981. S'ensuivent quelques tubes, dont

«Je suis fidèle» (version française d'une chanson de Sheena Easton, dont elle adopte le look) et «Jérusalem», en duo avec Marc Gabriel, quelques contrats du côté canadien et, à la fin des années 80, une tentative de percer le marché américain avec deux albums en anglais, *Borderline* et *Véronique*.

Pierre Bertrand (1948)

C'est la belle voix légèrement voilée de Beau Dommage et le compositeur de quelques-uns de leurs succès: «Le picbois», «C'est samedi soir», «Marie-Chantale». Inévitablement comparé à Michel Rivard, l'âme dirigeante du groupe, Pierre Bertrand tente de se débarrasser de cette ombre gênante en créant, avec l'aide de Pierre Huet et de Robert Léger, des chansons parfois fines comme de la dentelle («Paris», «Une infinie tendresse»), parfois troubles («J'ai la fièvre»), parfois anecdotiques — certains diraient banales — («Ma blonde m'aime», «Un air d'été»). Avec sa tête de beau-frère sympathique et ses thématiques un peu boy-scout («Espérance», «Vivre et laisser vivre»), il héritera du surnom de "curé", ce qui ne rend pas justice à un répertoire qui ne recèle pas que des gentilles mélodies.

Pierre Bertrand s'est fait discret ces dernières années, consacrant ses énergies entre autres à la défense des droits des auteurs-compositeurs-interprètes. On le retrouvera à l'automne 94 lors du retour de Beau Dommage.

La Bottine souriante (1976)

Ils s'investissent d'une noble mission: perpétuer la tradition folklorique, à une époque où à peu près plus personne ne veut en entendre parler! Qu'à cela ne tienne, le groupe saura traverser les modes et les années, grâce à une interprétation vivante du patrimoine sonore et de quelques compositions originales, avec des arrangements cuivrés qui empruntent parfois au jazz. Reconnus aux États-Unis et au Canada, ils gagneront même le trophée Juno du meilleur album canadien *roots and traditional* en 1989, avec *Je voudrais changer de chapeau*. Au Québec, La Bottine souriante (André Marchand, Michel Bordeleau, Denis Fréchette, Martin Racine, Réjean Archambault et Yves Lambert) connaîtra un regain de vie sans doute lié au réveil nationaliste du printemps 1990, mais qui se poursuivra toutefois, comme en témoigne la réaction dithyrambique de la critique et du public à leurs prestations de la Saint-Jean-Baptiste et du temps des Fêtes. Les enregistrements *Jusqu'aux p'tites heures* (1991) et *La Mistrine* (1994) n'ont pas fini d'animer les longues soirées d'hiver!

Boule Noire (1951)

De son vrai nom George Thurston, il est le premier Noir québécois à percer le marché avec des airs funky comme «Aimes-tu la vie», «J'aime la musique» et «Loin, loin de la ville». D'arrangeur qu'il a déjà été, Boule Noire devient également producteur (*Face à la musique* de Claude Dubois) et compositeur pour le groupe Toulouse.

Fait assez incroyable, quelque douze ans après sa création, sa chanson «Aimer d'amour» trônera au sommet des palmarès franco-européens de 1990 et s'écoulera à près d'un million d'exemplaires!

Normand Brathwaite (1958)

Le public le découvre dans la série télévisée *Chez Denise*, où il interprète Patrice, un jeune Haïtien à l'accent coloré. Avec la comédie musicale *Pied-de-poule*, plusieurs sont surpris de constater que Normand Brathwaite, alias François Perdu, s'exprime dans le plus pur des québécois! C'est d'ailleurs dans ce spectacle signé Marc Drouin et Robert Léger que Brathwaite révèle la diversité de son talent: le jeune homme chante, danse, joue de la guitare, du piano et des percussions, en plus de dérider le public grâce à ses dons de comique et d'improvisateur.

Vers le milieu des années 80, ses activités musicales prennent pendant un court moment (le temps d'un Soupir, trio à l'allure assez ridicule qu'il forme avec Marie Bernard et Paul Pagé) une place plus importante dans sa carrière. Les succès «Métal» et «Game over» n'assureront toutefois pas la survie du groupe. À partir de 1988, Normand Brathwaite sera sans aucun doute l'animateur le plus en demande au Québec: il réveillera les Montréalais avec son émission radiophonique matinale, *Y'é trop de bonne heure*; deviendra le maître de cérémonie de plusieurs galas; animera divers quiz et, surtout, une émission de variétés estivale au concept totalement éclaté, *Beau et chaud*, qui pendant plusieurs étés mettra à profit sa grande polyvalence et servira de tremplin important aux artistes de la relève.

Manuel Brault (1951)

Ce Gaspésien au cœur tendre et à l'optimisme serein connaît ses heures de gloire au sein du duo Brault et Fréchette (avec Jean-Pierre Fréchette). «Les p'tits cœurs», «Retenir le temps» et «Mets du jaune dans ton soleil» comptent parmi ses plus célèbres compositions. Prix du public à Spa en 1982, il tentera l'aventure solo («Les musiciens de la rue») avec un succès inégal.

Édith Butler (1942)

Ambassadrice par excellence de son Acadie natale, Édith Butler colporte les histoires de son peuple non seulement au Québec, mais dans toute une francophonie tombée sous le charme de sa fraîcheur et de son authenticité. Cette ancienne élève de la non moins célèbre Antonine Maillet tient de son professeur la fierté de sa race et le désir de la clamer bien haut.

De ses premières compositions («Je vous aime, ma vie recommence», «Hymne à l'espoir») aux chansons plus récentes («Drôle d'hiver», «La complainte de Marie-Madeleine», «Un million de fois je t'aime»), Édith Butler reste fidèle aux mêmes préoccupations, malgré une évolution du propos vers une vision plus universelle, ouverte sur le monde. Qu'ils parlent d'amour («Laissez-moi dérouler le soleil»), d'Acadie («Paquetville»), d'écologie (avant que ce ne soit à la mode) ou de Gorbatchev, les mots de Lise Aubut, sa prin-cipale parolière, traduisent un besoin de liberté et de relations harmonieuses avec l'environnement. De même, tout en ne changeant pas radicalement son style musical, Édith Butler intègre bien les nouvelles technologies et adopte petit à petit un son plus actuel.

C'est d'abord et avant tout sur scène qu'éclate le talent d'Édith Butler. Conteuse incomparable et musicienne touche-à-tout, elle s'accompagne des instruments les plus inusités pour faire revivre le magnifique folklore acadien. Ses passages fréquents à la Place des Arts ou à l'Olympia de Paris déclenchent de véritables concours de qualificatifs pour décrire le phénomène: on parle d'ouragan, de tornade ou encore de «feu de forêt du Grand Nord»!

Elle consacrera la seconde moitié des années 80 aux *Partys d'Édith*, albums annuels du temps des Fêtes dont la recette maintes fois éprouvée s'est probablement avérée très lucrative. Deux disques plus personnels et plus "sérieux", et musicalement plus ambitieux, *Édith Butler* (1990) et *À l'année longue* (1995), auraient mérité une plus grande attention.

CANO (1975-1986)

Avec Robert Paquette et Garolou, CANO (Coopérative des artistes du Nouvel Ontario) représente la branche ontarienne des francophones hors Québec qui savoureront leurs heures de gloire au Québec. Formé autour d'André Paiement, auteur et figure dominante de la scène théâtrale ontaroise, CANO produit ses deux premiers microsillons en 1976 (*Tous dans le même bateau*) et 1977 (*Au nord de notre vie*), et s'impose dès lors avec des chansons de type progressif qui traitent de l'identité comme «Baie Sainte-Marie» et «Mon pays». On peut mesurer l'influence d'André Paiement au changement de ton et de propos qui suivra son décès: exit les préoccupations quant à l'appartenance, les thèmes deviennent plus universels et l'on chante désormais en anglais. Les provinces de l'Ouest s'en réjouissent, bien sûr, mais le Québec apprécie un peu moins le virage, et l'album du retour à la langue de Molière (*Visible*, en 1984) sera boudé par le public.

Corbeau (1977-1984)

Trois des membres fondateurs de Corbeau, soit Pierre Harel, Michel "Willie" Lamothe et Roger "Wezo" Belval, proviennent d'Offenbach. Harel, auteur de la plupart des chansons du premier album, quittera cependant la barque avant même que ce dernier ne paraisse.

Après une période de réaménagement, le groupe renaît de ses cendres. En plus des deux musiciens des débuts, Corbeau rassemble sous son aile Donald Hince, l'excellent guitariste et compositeur Jean Millaire et surtout, Marjolène Morin. Sans Marjo, le rock pas très inventif mais néanmoins efficace de Corbeau n'aurait certes pas joui d'un tel succès (ils reçoivent un Félix en 1981 et deux en 1982). Élue parolière du groupe, la chanteuse se défonce sur scène à crier des émotions brutes, vraies, dans un langage direct qui colle au vécu de ses fans.

«J'lâche pas», «Illégal», et «Ailleurs» annoncent déjà la Marjo post-Corbeau (le groupe pousse son *Dernier cri* en 1984), une fille sexy (et qui le revendique!), frondeuse, franche, qui saura en plus exprimer sa vulnérabilité dans la plus totale générosité. (À suivre)

Jim Corcoran (1949)

Tandis que de nombreux francophones choisissent de faire carrière en anglais, cet anglophone d'origine adopte la langue française et la traite avec un soin qui ferait rougir plus d'un Québécois. Anciennement de Jim et Bertrand, il en charme plusieurs par sa façon particulière de raconter des histoires, de triturer les mots, de leur redonner un sens insoupçonné. Il pousse même l'audace jusqu'à inventer plusieurs néologismes («Je me tutoie»).

Son premier album solo, *Têtu*, se situe, comme son nom l'indique, dans la lignée de ce que faisait le duo, c'est-à-dire une musique essentiellement acoustique, folk. Il faudra attendre 1983 et la sortie de *Plaisirs*, enregistré à Memphis avec de nouveaux musiciens, pour goûter des musiques plus diversifiées (il touche au soul avec «Ça tire à sa fin», aux atmosphères planantes avec «J'ai fait mon chemin seul») et plus enrobées.

Miss Kalabash, son troisième album solo, remporte le succès d'estime des deux précédents sans toutefois défoncer des records de vente. Extraite de ce microsillon, la chanson «Chair de poule» servira de prétexte à un mémorable (et surprenant!) numéro de danse au Gala de l'ADISQ de 1987, avec une partenaire de taille, la magnifique Louise Lecavalier de La La La Human Steps.

Les années 90, bien amorcées avec les succès populaires «Ton amour est trop lourd» et «C'est pour ça que je t'aime», une tournée acoustique en compagnie du guitariste Bob Cohen, une émission radiophonique hebdomadaire sur les ondes de CBC, où il fait découvrir la chanson québécoise à un auditoire anglophone, et les albums *Zola à vélo* et *Portraits*, une rétrospective revampée, confirmeront la place unique qu'occupe Jim Corcoran dans le paysage musical québécois.

Marie-Michèle Desrosiers (1950)

L'étiquette "la fille de Beau Dommage" lui collera probablement au dos toute sa vie. En fait, on oublierait sans doute plus facilement le passé si Marie-Michèle Desrosiers arrivait à se distinguer des autres jolies voix féminines québécoises. Cette difficulté à se tailler une place peut s'expliquer par son désir de poursuivre à la fois des carrières de chanteuse et de comédienne.

Réticente à sacrifier l'une des deux activités, elle semble satisfaite des succès, non négligeables, remportés autant sur vinyle, avec des airs *middle-of-the-road* («Les graffitis en fleurs», «Un taxi fou», «Aimer pour aimer», «Plus fort»), qu'au théâtre (*Du poil aux pattes comme les C.W.A.C.S.*). À la fin des années 80, elle se recyclera dans l'animation télévisuelle (*Star d'un soir*, *Charivari*). Enfin, elle reviendra à l'avant-scène à l'aube de 1995, avec la réunion de Beau Dommage.

François Dompierre (1943)

Musicien, compositeur, arrangeur, François Dompierre croit au métissage des genres et c'est pourquoi il touche volontiers à la fois à la musique symphonique, aux *jingles*, à la comédie musicale (*Demain matin, Montréal m'attend*), à la musique de film (*IXE-13*, *Le déclin de l'empire américain*, *Jésus de Montréal*, *Le Matou*) et aux chansons («L'âme à la tendresse» et «Insomnie blues», pour Pauline Julien). En 1979, il signe les arrangements de trois disques de Félix Leclerc: *Le bal*, *Mouillures* et *Prière bohémienne*.

Claude Dubois (suite)

Ironiquement, son plus gros succès ne porte pas sa griffe. En effet, «Le blues du businessman», extrait de *Starmania*, le propulse au sommet de tous les palmarès de 1979 et lui vaut le Félix de l'interprète masculin de l'année (trophée qu'il recevra plusieurs fois au cours de sa carrière). Plus ironiquement encore — et surtout, plus tristement —, une malheureuse histoire de drogue lui attire la sympathie condescendante d'une majorité bien-pensante et provoque, bien malgré lui, des retombées plus qu'intéressantes sur sa carrière. Dubois, auquel on tente désormais d'accoler l'image du voyou repenti (grave erreur!), se permet donc, en 1982, de remplir le Forum de Montréal, grâce notamment à la popularité de l'album *Sortie Dubois*, beaucoup plus accessible que son précédent, *Manitou*, dont la fascinante complexité avait rebuté le grand public. Accompagné du groupe jazz-rock UZEB, il convie ses fans à un rendez-vous de tendresse et d'émotions à fleur de peau. Arpentant une scène centrale triangulaire, comme un boxeur le ring, Dubois interprète avec force sensibilité ses nouvelles chansons («Plein de tendresse», «L'oiseau s'en va», «Femmes ou filles») et ses anciens succès.

Depuis ce temps, Claude Dubois n'est pas parvenu à atteindre ce même niveau de qualité dans son écriture, qui souffre souvent d'un manque d'inspiration («Qu'est-ce que tu veux qu'un chanteur chante?», demande-t-il...).

Ainsi, s'il réussit à se maintenir parmi les ténors de la chanson québécoise (nombreux Félix, prestations remarquées lors des festivals populaires, des FrancoFolies de La Rochelle), il le doit davantage à sa voix exceptionnelle et à ses vieux classiques qu'à sa production plus récente, très décevante (les albums *À suivre* et *Mémoire d'adolescent*).

Claude Dubois: *L'enfant terrible...*

DIANE DUFRESNE (suite)

Il est difficile d'expliquer comment naissent les mythes, à quel moment un personnage entre dans la légende. Bien que son arrivée sur la scène musicale ait soulevé beaucoup de poussière, qu'elle se soit démarquée par son allure originale, son célèbre vibrato, ses cris et ses spectacles généreux, Diane Dufresne n'atteint que quelque part au début des années 80 le statut de star, de diva.

Elle décide d'abord de prendre ses distances face à une industrie et des médias qui ne voient dans son perfectionnisme et ses très hautes exigences que des caprices de vedette. Cet exil marque du coup sa rupture avec le compositeur François Cousineau. La France lui ouvre justement tout grand les bras et lui réserve un triomphe à l'Olympia, en 1978. Un an plus tard, Diane Dufresne épouse le personnage de Stella Spotlight, la star déchue de *Starmania*, et inspire les plus fous dithyrambes dans la presse parisienne. Puis, le chef-d'œuvre *Strip-tease*, avec ses bouleversantes «Le Parc Belmont», «J'ai douze ans», «Cinq à sept» et «Hymne à la beauté du monde», annonce déjà le caractère sacré, la démesure qui coloreront les rendez-vous entre une artiste unique et un public envoûté.

Pour que cette démesure s'exprime librement, Diane Dufresne convie ses fans au Forum de Montréal pour une première fois en décembre 1980. Le cérémonial du déguisement, introduit lors du spectacle *Comme un film de Fellini*, devient une tradition et ravit un public qui ne demande qu'à exprimer sa propre folie. Un double rendez-vous est ensuite fixé au Forum à l'automne 1982: la Diva y présente deux spectacles différents, un chaque soir. Elle exploite son côté "glamour" dans *Hollywood*, puis réveille les démons du 31 octobre dans *Halloween*. On peut sans doute parler de véritable apothéose, d'un summum d'extravagance et de folie (la démence du «Parc Belmont», la course essoufflante d'«Oxygène» et l'immense toile d'araignée de «Suicide»), mais il s'agit surtout de l'affirmation d'un talent exceptionnel, car sous cet apparent délire, la mécanique est réglée au quart de tour et l'artiste, tenue à garder le contrôle total de sa performance.

Il ne reste plus qu'à attaquer le Stade olympique (60 000 sièges). Le public répond à l'appel de *Magie rose*, mais si la foule revêt le rose, la magie, elle, n'opère malheureusement pas. Problèmes de son et de visibilité, mauvaise construction du spectacle (les apparitions de la star sont entrecoupées de prestations des invités Jacques Higelin et Manhattan Transfer), bref, la trop grosse machine ne lève pas et c'est, bien sûr, l'artiste qui en fera les frais. Le temps de panser les blessures et Diane Dufresne revient au Québec, cette fois-ci dans une salle aux dimensions humaines, le T.N.M. Elle renoue avec le succès grâce à *Top Secret*, spectacle-concept dans lequel le public est invité à jouer au détective et à la geisha. Cet événement marque un tournant important dans sa carrière puisque les nouvelles chansons ne portent plus la griffe de Luc Plamondon. En effet, l'échec retentissant de l'album et du spectacle *Dioxine de carbone et son rayon rose* a mis un terme à l'association vieille d'une douzaine d'années. C'est le Français Pierre Grosz qui prend courageusement la relève («Kabuki», «Désir», «Les assassins»).

La routine disque-promotion-spectacle finira par lasser Diane Dufresne (ses albums ont d'ailleurs rarement figuré parmi les meilleurs vendeurs). Elle trouvera encore le moyen d'étonner en diversifiant ses activités: elle triomphera à Québec dans un concert symphonique (formule qu'elle reprendra en France), présentera *Top Secret* au Japon (devant un public médusé, est-il besoin de préciser...) et réalisera des documentaires sur les villes de Tokyo, Paris et Rio. Il faudra toutefois attendre 1993 pour assister au *Détournement majeur*... de sa carrière. (À suivre)

Steve Faulkner (1954)

Alias Cassonade, cet ancien compagnon de route de Plume Latraverse se distingue par son country-rock aux textes intelligents, denrée rarissime au Québec. «Si j'avais un char», sa chanson-fétiche, ne représente pas vraiment l'ensemble de son œuvre, parfois plus grave («Doris») ou d'un humour grinçant («Le rap du pape»).

En 1987, il participe à l'exercice du *Café Rimbaud* (cinq musiciens sont invités à composer une musique sur le même texte, en l'occurrence celui de Lucien Francœur) puis il écrit «Les Cajuns de l'an 2000» pour Édith Butler, magnifique chanson qu'il reprendra en 1992 sur son troisième album solo, *Caboose*, lequel, contraintes financières obligent, aura mis douze ans à naître... Celui que l'on serait porté à qualifier de "martyr de la chanson québécoise" ne s'est pourtant jamais laissé abattre, récoltant aux quatre coins de la province un succès d'estime très mérité.

Il lancera en 1995 une anthologie (1975-1992) très attendue, *Si j'avais un char*, coffret de disques compacts, luxueusement présentés, regroupant près de 2 h 30 de chansons.

Lucien Francœur (1948)

Récitant (terme plus approprié ici que "chanteur") et parolier du groupe Aut'chose, Francœur saborde cette formation en 1977, après trois microsillons remarquables, pour se consacrer davantage à ses premières amours, l'écriture. Mais cette "retraite" est de courte durée et dès 1978 est lancé l'album *Aut'chose/Épreuve-machine*; malgré ce titre, il s'agit d'un disque non pas d'Aut'chose, mais bien de Lucien Francœur. Malheureusement, ce retour marque le début d'un déclin progressif de la qualité de ses chansons.

D'abord, l'approche est radicalement différente, tant dans les textes que dans les musiques: Francœur se détourne de la mythologie morrisonienne qui avait marqué les albums d'Aut'chose et tente un compromis entre l'*American way of life* et l'espace parisien («Marlène», «Paris rock'n'roll») et ce, dans des chansons plus concises, aux rythmes pop et aux textes plus transparents, d'où le joual est pratiquement disparu («Pin-up», «Tattoo New York», «L'orgueil des barbares»), mais auxquels manque la force poétique des œuvres précédentes.

Cette approche produira bien quelques pièces intéressantes («Les élucubrations de Johnny», calquées sur celles d'Antoine, «Nowhere Beach» et «Nelligan» qui, avec son extrait de *Soir d'hiver* sur un rythme de pop-rock des années 50, est probablement la meilleure chanson que Francœur ait enregistrée depuis la fin d'Aut'chose... même s'il n'en est pas l'auteur — c'est le poète Claude Beausoleil qui en a écrit le texte), mais de façon générale, le "rockeur sanctifié" tend de plus en plus à se parodier dans des textes insipides sur fond de new-wave sans âme, et son dernier grand succès, «Le rap à Billy» (1983), n'est rien de plus qu'un pâle divertissement.

Après plusieurs adieux et retours à la scène, entre lesquels il se consacre à des activités aussi diverses que l'enseignement et la publication de poésie, il fait appel à la collaboration de Gerry Boulet en 1987 pour l'enregistrement de l'album *Les gitans reviennent toujours*, qui aurait pu marquer un retour en force: Francœur a su, en effet, redonner un peu de vigueur à des textes («Les gitans reviennent toujours», «M. Reagan») soutenus par un rock énergique qui devait certainement beaucoup à la présence de l'ex-leader d'Offenbach («Le bar d'la dernière chance»). Il suffit malheureusement d'entendre les efforts pitoyables de Francœur en tant que chanteur («Le soleil sur la ville») pour comprendre que désormais, il devra se contenter d'écrire des textes de chansons. Ce qu'il a fait avec beaucoup de succès à la même époque avec «Café Rimbaud», un texte sur lequel cinq compositeurs (Steve "Cas-sonade" Faulkner, Gerry Boulet, François Cousineau, Marie Bernard et Michel Rivard) ont mis chacun leur musique.

Aujourd'hui, il consacre ses heures à l'animation radiophonique à CKOI.

Lewis Furey (1949) et Carole Laure (1949)

Comédienne de formation, Carole Laure s'initie à la chanson en rencontrant Lewis Furey. Ce musicien-compositeur exceptionnel lui crée des œuvres sur mesure, il tisse un univers nocturne onirique, présent dans des films comme *Fantastica* ou *Night Magic*. Les spectacles du duo à Paris et Montréal (de 1978 à 1982) remportent des succès considérables auprès d'un public "branché".

On peut toutefois se demander si la chanteuse (et parfois parolière) aurait existé sans l'envoûtement de ces airs de tango («Joue-moi un tango»), sans cette musique qui évoque à la fois Kurt Weill, Gabriel Fauré et Leonard Bernstein. Et si les reprises des classiques «Danse avant de tomber» et «Stand By Your Man», superbement mises en images, tirées de l'album *Western Shadows* (1989), auraient eu le même impact sans la touche remarquable de son alter ego.

Furey, pour sa part, diversifiera ses collaborations: il composera pour Diane Dufresne («Désir», «Les assassins»), et mettra en scène la version 1994 (d'un avis général, la meilleure) de *Starmania*.

143

Patsy Gallant (1948)

Grande reine (maintes fois primée) du disco d'un bout à l'autre du Canada, et dans les deux langues officielles, elle a le mérite d'avoir scandaleusement dénaturé le classique de Gilles Vigneault, «Mon pays», qui deviendra le dansant et très populaire «From New York to L.A».

Elle réhabilitera son image aux yeux de plusieurs au début des années 90, reprenant avec brio le rôle de Stella Spotlight dans la version 94 de *Starmania*.

Garolou (1975-1983)

Ce groupe ontarois se fait connaître en reprenant et en rafraîchissant de vieux airs du folklore («Ah toi, belle hirondelle», «Victoria»). Malgré un virage vers la composition originale avec l'album *Centre-ville*, en 1982, ils seront victimes de la déprime post-référendaire et du rejet de l'identité nationale qui l'accompagne. Son chanteur Michel Lalonde présentera discrètement le disque solo *Délit de suite* en 1988.

Suzanne Jacob (1943)

Ses idées prennent la forme de romans (*Flore Cocon*, *Laura Laur*), de nouvelles ou de chansons, selon le véhicule que lui dictent ses mots. Après quelques années de carrière dans le circuit "officiel" («Je tiens à vous», «Une humaine ambulante», «Il dit»), Suzanne Jacob, de retour d'un séjour à Paris, casse les phrases et les rythmes, elle participe de l'avant-garde, d'une culture marginale qui ose faire les choses autrement. Ainsi, elle présente des

spectacles au propos jamais banal, parfois déroutants (*Autre*), faisant appel à la musique électroacoustique et à la symbolique gestuelle.

Diane Juster (1946)

Bien qu'il lui arrive parfois de chanter elle-même ses compositions («Ce matin», «Vive les roses»), c'est avant tout par la voix de célèbres interprètes que Diane Juster livre ses histoires d'amours malheureuses. Elle signe pour Ginette Reno les méga-succès «Je ne suis qu'une chanson» et «À ma manière», à la suite desquels elle s'engage dans la lutte pour l'amélioration de la loi sur les droits d'auteur (elle a subi l'arnaque!). On la connaît en France pour son association avec Charles Dumont.

Alain Lamontagne (1952)

Combien d'artistes arrivent à charmer un public québécois, africain ou européen avec seulement un harmonica, une chaise, une planche de bois et des semelles de métal? Alain Lamontagne réussit ce tour de force, mais il faut préciser qu'il met ces quelques instruments au service d'un imaginaire où évoluent des personnages fabuleux. Conteur remarquable, harmoniciste au long souffle et tapeur de pieds infatigable, il perpétue la tradition légendaire aux quatre coins du globe, et participe à des projets théâtraux (*Margot la folle* ou cinématographiques (*Le lys cassé*).

Jean-François (J-F) Lamothe

Il fait fi des modes et courants musicaux pour écrire des chansons intemporelles, quasi anachroniques, accrochées aux influences folk des années 60 et 70. On retient le charme d'une voix incertaine et d'une écriture tout en finesse et en sensibilité («Tiguidou packsac» et «Délire en fièvre»), mais un trac insurmontable confine le chanteur dans l'ombre de quelques interprètes, dont Fabienne Thibeault, pour laquelle il compose «Contrecœur», «L'écureuil et le rouge-gorge» et «L'air perdu».

Un album-surprise fidèle à son style paraîtra en 1994, pour le ravissement de tous.

Jean Lapointe (1935)

Aguerri par une formation à la dure école des cabarets, l'ex-Jérolas Jean Lapointe décide d'affronter seul – et *Démaquillé* – le public québécois (et, plus tard, le public français) avec des spectacles qui épousent la formule de l'*entertainment* à l'américaine. Il exploite ainsi au maximum ses dons de comique, de chanteur et d'imitateur. L'Europe francophone salue en Lapointe l'esprit tragi-comique de Bourvil et la bouffonnerie de Jerry Lewis. D'ailleurs, qui de mieux qu'un Québécois pour marier avec bonheur les sensibilités des deux continents!

L'œuvre chansonnière de Jean Lapointe n'apporte toutefois rien de nouveau mais plaît à un très large public, tant par son caractère humoristique («Mon oncle Edmond») que par son côté sérieux, voire moralisateur («Rire aux larmes», «C'est dans les chansons»).

Jean Lapointe annoncera sa retraite de la scène en 1993, avec le spectacle *Un dernier coup de balai*, qui boucle la boucle puisque Jérôme Lemay y fera une brève apparition, histoire de partager quelques bons souvenirs.

PLUME LATRAVERSE (suite)

Ce pilier de tavernes, ce barbu barbare aurait-il du cœur? Les téléspectateurs québécois étaient en droit de se poser la question en entendant Plume chanter «Salut Trenet» dans le cadre d'une émission qui se voulait un hommage au "fou chantant". Cet amour de la chanson française, que bien peu de gens lui soupçonnaient, se manifeste en 1979, à l'époque des premières tournées en France qui, contrairement à ce à quoi l'on aurait pu s'attendre, suscitent, une fois estompé l'effet de surprise, l'enthousiasme des critiques et du public. Plume remportera même le Prix international de la jeune chanson de 1980. À partir de là, bien des critiques québécois, qui jusqu'alors considéraient ce «bum alcoolique» au mieux avec une certaine condescendance et au pire avec un franc dégoût, lui découvrent des talents de poète.

Pour Plume, c'est l'occasion rêvée de se refaire une image, ce qu'il avait déjà fait littéralement pour la pochette de *Chirurgie plastique*, en 79. C'est l'amorce d'une période de changements qui culmineront dans la trilogie des *Métamorphoses* (*Métamorphose 1* en 1982, *Les mauvais compagnons* en 1984 et *Insomnifère* l'année suivante) où Plume explore différentes facettes de la chanson européenne. En ce sens, c'est le deuxième volet du triptyque, *Les mauvais compagnons*, qui offre les résultats les plus étonnants et les plus réussis, avec «Fait d'hiver», «Gisèlle avec 2 L», «Le cadeau» et son clin d'œil à Brel, et surtout ce véritable manifeste pour l'authenticité culturelle que constituent les chansons «Auguste Gustave» et «Francoricain et quart». Comme le capitaine Haddock, Plume est alors tiraillé entre son ange gardien et son petit démon, le chansonnier et le rocker, la sagesse de la vieillesse et l'énergie de la jeunesse, ses racines européennes et nord-américaines, etc.

Il en résulte une schizophrénie qui avait déjà commencé à se manifester sur *Livraison par en arrière* en 1981 (cf. «Le moins beau merle» ou le contraste entre «Chien fou» et «Élégie») et qui est le moteur des *Métamorphoses*. (De cette époque, il faut voir le documentaire de Carl Brubacher, *Ô rage électrique!*, tourné à la fin de l'été 1984.) Mais cette tension créatrice qui avait permis aux deux "personnalités" de Plume d'atteindre leurs sommets respectifs, soit 1983 pour le rocker (l'album *Autopsie canalisée* et la tournée «À fond d'train» avec Offenbach) et 1984 pour le chansonnier (*Les mauvais compagnons*), perd de sa force sur *Insomnifère* où une thématique liée au fantastique («Chasse gardée», «Les sangsues», «Les coucoudris») semble servir de métaphore aux angoisses du chanteur.

L'année 1985 marque une rupture, alors que Plume organise une *Tournée d'adiâble*. C'est la fin des tournées... mais pas des spectacles: ceux-ci sont désormais très discrets, ont lieu dans de petites salles, avec une instrumentation dépouillée (deux guitares et une basse) et une communication efficace entre l'artiste et le public. Pendant cette semi-retraite de cinq années, Plume écrit un récit aux formes éclatées, *Contes-gouttes*, et bâcle, en 1987, un album double, *D'un début à l'autre*, comprenant une compilation qui n'apporte rien de neuf et une douzaine de chansons peu inspirées (sauf «L'enchevêtré», «Sur une chaise» et «La piste cyclable»), enregistrées, selon le principal intéressé, pour en finir avec son contrat chez CBS. Enfin, en 1990 paraît *Chansons pour toutes sortes de monde* où Plume semble avoir retrouvé un certain équilibre, et qui marque son véritable retour sur disque.

Plume récidivera en 1994 avec *Chansons nouvelles*, publiant au passage un deuxième récit. Il participera à un hommage à Brassens dans le cadre des FrancoFolies de 1992, signera une adaptation québécoise de la

«Chanson des jurons», du même Brassens, pour Renée Claude, et retrouvera Cassonade, le temps d'un spectacle, en 1995. Il renouera avec ses racines rock'n'roll en 1996, se joignant aux Parfaits Salauds pour une grande tournée baptisée *Les Saloplumeries*.

Daniel Lavoie (1949)

Enfant des grandes plaines du Manitoba, ce beau taciturne aux ambitions humanistes – il voulait devenir médecin ou missionnaire – vient s'initier aux tournées des hôtels miteux québécois avec son groupe Dieu de l'Amour vous aime. Un premier prix au concours de chanson de l'émission *Jeunesse oblige* l'encourage à poursuivre la composition, et la rencontre de Gilles Valiquette, alors au sommet de sa gloire, débouche sur la production d'un premier microsillon, de son propre aveu pas très réussi («Marie Connue» et «J'ai quitté mon île» remportent toutefois un certain succès).

Après quelques années de galère dans les pianos-bars, période tout de même égayée par les réactions favorables aux titres «Dans l'temps des animaux», «La vérité sur la vérité» et «Berceuse pour un lion», Daniel Lavoie s'impose beaucoup plus sérieusement avec l'album *Nirvana bleu* (1979). Le succès, auquel l'artiste n'a jamais rien sacrifié, frappe à sa porte et est accueilli avec fatalisme et lucidité. Heureusement que Lavoie réussit à garder la tête froide car l'écriture particulière d'un Canadien bilingue, où se mêlent cynisme et humour, et les musiques très pianistiques, blues ou boogie, de «La danse du smatte», «Angéline» ou «Boule qui roule» ne suffisent pas à lui assurer un avenir doré.

Daniel Lavoie subit donc à son tour les avatars de la crise du disque québécois. L'accueil indifférent au pourtant très bel album anglais *Cravings* et l'échec d'*Aigre-doux, how are you?* le replongent dans une situation précaire dont il tentera de se sortir en jouant le tout pour le tout. (À suivre)

Sylvain Lelièvre (suite)

Il parvient à concilier ses activités de chanteur avec celles de poète et de professeur, mettant ainsi délibérément une croix sur les tournées étourdissantes et les triomphes instantanés. Il prend plutôt l'allure du coureur de fond et ne concède rien aux modes (sauf peut-être pour l'album plus techno *Lignes de cœur*, d'ailleurs moins bien accueilli).

Récipiendaire de la Médaille Jacques-Blanchet, qui souligne la qualité de l'ensemble de son œuvre, Sylvain Lelièvre continue de faire honneur à la langue française avec un propos de plus en plus ouvert sur le monde et sur les grandes préoccupations sociales («Venir au monde», «Place T'ien an Men», «Tôt ou tard»). En 1994, l'ADISQ reconnaîtra son apport à la chanson d'ici en lui remettant le Félix de l'auteur-compositeur de l'année. Le journal *Le Devoir*, sous la plume de Sylvain Cormier, parlera même de lui comme de «l'écrivain de la chanson québécoise».

Robert Leroux (1950)

La chanson «Flash» lui ouvre de nombreuses portes et lui vaut le rôle de Johnny Rockfort dans la première version québécoise de *Starmania*. Sa voix rocailleuse et une présence en scène fougueuse le distinguent des chanteurs populaires interchangeables, et il se voit reconnu par les plus grands (il écrira, entre autres, avec Jean-Pierre Ferland).

Au milieu des années 80, Robert Leroux fait les beaux soirs des discothèques de la province et de l'Europe avec les chansons «1254, New York» et «Illusion», puis se montre plus discret, autant sur scène que sur disque (sauf pour l'album *Salut les chums* en 1990), composant à l'occasion pour Pierre Létourneau et Martine Chevrier.

Kate et Anna McGarrigle
(1946 et 1944)

On ne peut trouver meilleure illustration du proverbe «Nul n'est prophète dans son pays». Québécoises de naissance, Irlandaises de sang, elles sont acclamées à Londres et à New York, elles sont interprétées par des noms aussi célèbres que Linda Rondstadt («Heart Like a Wheel»), et pourtant, leur patrie ne leur réserve qu'un succès bien marginal. Il faut dire que l'obsession de la gloire ne trouble pas vraiment le sommeil des deux sœurs. En effet, ces chanteuses folk, au répertoire principalement anglophone, refusent toute concession qui compromettrait leur vie familiale et leurs ambitions musicales.

C'est un ami et auteur suisse, Philippe Tatartcheff, qui leur écrit une série de chansons en français: «Complainte pour Sainte-Catherine», puis «Entre Lajeunesse et la sagesse» les révèlent au public francophone en 1978.

Kate et Anna McGarrigle signeront en 1988 la trame sonore du film pour enfants *Les aventuriers du timbre perdu* et présenteront un nouveau disque en anglais – fort bien reçu – en 1990, *Heartbeat Accelerating*.

Matapedia – paru en septembre 1996 –, avec ses belles ambiances automnales, n'a rien à envier aux productions folk internationales (on pense parfois à Daniel Lanois).

Gaston Mandeville (1956)

D'abord associé à la "nouvelle génération" des chansonniers (les Richard Séguin, Serge Fiori et Daniel Lavoie) avec la chanson «Le vieux du bas du fleuve», Gaston Mandeville refuse rapidement cette étiquette de "granola" qui commence à sentir le patchouli et le vieux macramé. Il explore plutôt différents styles musicaux, du rock au blues, en passant par le reggae: «Le bonheur est tranquille», «Gagner sa vie», «Teenager en amour», «Pauline», «Où sont passés les vrais rebelles». Il en résulte une carrière en dents de scie, bien que nous soyons en présence d'un auteur-compositeur-interprète articulé, aux textes intelligents et mordants («L'homme de la maison», «16 ans»).

Après un silence de quelques années, il reviendra sur disque en 1994 avec *En route vers l'an 2000*.

Nicole Martin (1949)

On la découvre grâce aux duos qu'elle chante avec Jimmy Bond («On est fait pour vivre ensemble»). Elle se spécialise ensuite, en solo, dans le répertoire d'amoureuse éplorée («Laisse-moi partir», «Tu n'peux pas te figurer», «Bonsoir tristesse»), récoltant faveur populaire et distinctions en France et au Japon.

Sa voix enfumée, d'une étonnante puissance toutefois, est choisie en 1981 pour interpréter la très jolie chanson-thème du film *Les Plouffe*, «Il était une fois des gens heureux». Depuis, Nicole Martin a touché à l'écriture (*L'amour avec toi*), pour finalement se consacrer à la production des albums de Fernand Gignac, Michel Louvain et Michèle Richard.

Robert Paquette (1949)

Originaire de l'Ontario, il fraye dans le milieu théâtral de Sudbury avec quelques-uns des futurs membres de CANO. Après un premier album qui fait peu de bruit au Québec (*Robert Paquette et amis*), il envahit les ondes radiophoniques à la fin des années 70 avec les chansons aux rythmes antillais «Bleu et blanc» et «Jamaïca». Il s'installe alors à Montréal, refusant le drapeau de la cause ontaroise.

Paraît un quatrième disque en 1981 («L'hôtel des cœurs brisés», «Aujourd'hui»), puis la crise dans l'industrie du disque le frappe durement et reporte la sortie de *Gare à vous* en 1984 («Question de chance», «Coup de cœur»), dans un contexte particulièrement difficile. Il choisira alors le circuit plus stable des universités et collèges canadiens-anglais et américains pour se produire en concert.

Robert Paquette abordera les années 90 en trio, formant avec les Franco-Ontariens Marcel Aymar et Paul Demers le groupe PAD.

Geneviève Paris (1956)

Parisienne de naissance, Québécoise d'adoption, elle est, pour citer Pierre Barouh, «nègre, bien nègre dans son cœur» et dans sa voix! Il n'est pas étonnant qu'en sortant du Conservatoire, premier prix de guitare en poche, elle choisisse d'abord d'interpréter le blues et le folk américains dans les bars locaux. Nourrie des Joni Mitchell et des Crosby, Stills, Nash and Young, davantage que des Trenet ou Chevalier, elle retrouve des racines familiales en terre d'Amérique en 1976, lors d'une tournée avec Julien Clerc, qu'elle accompagne à la guitare. Les premiers contacts avec des Québécois s'établissent alors et on peut lire le nom de l'incontournable Luc Plamondon sur la pochette du deuxième album («Requiem pour un chanteur de métro», «Tu fais ta valise»).

Le coup de foudre se révèle réciproque car le Québec s'entiche à son tour de cette chanteuse à la voix profonde et grave, et aux histoires d'amours blessées. Pendant les années 80, Geneviève Paris sera même une des rares artistes à vivre de son métier sans véritable support promotionnel (huit ans s'écoulent entre la sortie du quatrième et du cinquième microsillon). Il faut dire qu'elle se prête volontiers — avec humilité, pourrions-nous ajouter — aux tournées des petites boîtes de la province, s'accompagnant à la guitare ou au piano. Le public apprécie cette ténacité et réserve partout le même accueil chaleureux aux chansons «Elle est belle», «Le bateau dans la bouteille», «Je perds la mémoire, je crois!» et «Achevez-moi». En 1990, avec la sortie du microsillon *Miroirs* et le succès radiophonique des pièces «Passages à vide» et «Je brûle», Geneviève Paris pourra satisfaire ses ambitions musicales dans un spectacle à la mesure de son talent.

Elle participera également, en 1992 à La Rochelle, à la version concert de *Sand et les romantiques*, de Luc Plamondon et Catherine Lara. Un sixième album, *Sixième sens*, entièrement conçu sous la baguette de la chanteuse, paraîtra en 1995 et sera suivi par une rentrée sur la scène du Lion d'or à l'automne 1996.

PAUL PICHÉ (1953)

On peut dire qu'il rame à contre-courant, ce Paul Piché; en pleine période de démobilisation générale, ce "troubadour des cégeps" tient un discours plutôt marxisant et devient le défenseur des autochtones («La gigue à Mitchounano») et des travailleurs («Réjean Pesant»), en plus de chanter sa nécessaire harmonie avec la nature («Le renard, le loup»). En soulevant la question *À qui appartient le beau temps?* («pour le fils du patron, c'est les vacances / pour la fille du restaurant, c'est les sueurs pis les clients»), Paul Piché pose déjà les balises d'une œuvre empreinte d'un réel souci des conditions sociales et des causes politiques (l'indépendance du Québec dans «Chu pas mal mal parti»).

Il se distingue ainsi des autres chanteurs avec lesquels il a l'occasion de frayer – les membres de Beau Dommage, entre autres –, par son allure de coureur des bois et son propos nettement plus engagé. On reconnaît l'héritage des Vigneault et Leclerc, notamment dans l'emprunt aux racines folkloriques (il reprend même la turlute de La Bolduc!); on sent également une parenté certaine avec les chanteurs folk américains.

Paul Piché gagne rapidement les faveurs d'un public majoritairement jeune, contestataire, en manque de porte-voix (Charlebois est déjà relégué au rang des dinosaures...). De 1977 à 1982, il propose trois albums, qui forment une sorte de trilogie. En effet, les thèmes demeurent les mêmes, bien que l'on puisse remarquer le passage du "nous" au "je", d'une revendication collective à une approche plus intimiste des grandes questions sociales et inter-personnelles («À côté de toi», «J'étais ben étonné», «J'aurai jamais 18 ans», «L'escalier»).

Paul Piché: *Un dosage de tendresse et de militantisme.*

Plume Latraverse: *Ce barbu barbare aurait-il du cœur?*

Ce dosage de tendresse et de militantisme semble plaire puisque l'auteur-compositeur-interprète traverse contre vents et marées une crise qui en écorche plus d'un. Il fait exception en remplissant toutes ses salles à pleine capacité et en vendant un nombre impressionnant de disques. Il faut dire que la chanson du début des années 80 ne présente pas un contenu des plus étoffés. En cette ère où l'on privilégie le prêt-à-jeter, le succès d'un Paul Piché peut s'expliquer par un trop-plein de crétinisme (vivement des textes signifiants!). Et le plus beau dans tout ça, c'est la constance de qualité et d'intégrité dont il fera preuve dans les années ultérieures. (À suivre)

LUC PLAMONDON (suite)

Insatisfait de l'écriture sur commande qui gruge la majeure partie de son temps, Luc Plamondon décide un jour de s'attaquer à un projet inusité de très grande envergure, un opéra-rock francophone. Il s'associe au compositeur français Michel Berger pour créer l'événement des années 80 dans le monde de la musique francophone: l'opéra-rock *Starmania*. Extraits de ce sombre portrait de la jeunesse contemporaine sur fond de terrorisme, les airs «Les uns contre les autres», «La complainte de la serveuse automate», «Le blues du businessman», «Le monde est stone» et «Les adieux d'un sex-symbol» deviennent des classiques des deux côtés de l'Atlantique.

Présenté pour une première fois à Paris au printemps 1979, *Starmania* voit les Québécoises Diane Dufresne, Fabienne Thibeault et Nanette Workman voler littéralement la vedette à leurs cousins français. Grâce à cet opéra-rock, Luc Plamondon devient en quelque sorte le Parrain de la chanson québécoise, chacune des versions lançant la carrière de quelques nouveaux noms. Ainsi, les différentes productions de *Starmania* mettent au monde des gens comme Martine Saint-Clair, Marie Carmen, Marie-Denise Pelletier, Richard et Normand Groulx, en plus de confirmer l'immense talent des Louise Forestier et France Castel.

Luc Plamondon ne néglige pas ses interprètes pour autant; il écrit le meilleur album de Diane Dufresne, *Strip-tease* (avec les mémorables chansons «J'ai douze ans», «Le parc Belmont» et «Alys en cinémascope»), et il profite de ses succès parisiens pour mettre des mots sur les notes de musique de Catherine Lara («Autonome», «Nuit magique»), Julien Clerc («Cœur de rocker», «La fille aux bas nylon») et Barbara («L'île aux mimosas», extraite du spectacle *Lily Passion*).

Bien que plusieurs lui reprochent de tomber parfois dans la facilité et de faire preuve d'une certaine redondance dans ses textes, tous reconnaissent l'énorme boulot qu'accomplit Luc Plamondon pour l'amélioration des lois qui régissent les droits d'auteur au pays. D'ailleurs, un célèbre esclandre au Gala de l'ADISQ de 1983 aura sûrement fait avancer le dossier beaucoup plus rapidement que des mois et des mois de lobbying chez les haut fonctionnaires... (À suivre)

GINETTE RENO (suite)

Au cours des années 70, Ginette Reno devient LA chanteuse populaire par excellence, dans tout ce que l'expression peut représenter d'amour du public et de respect de la critique – malgré certaines réticences face à un répertoire quelque peu mélo («La vie», «J'ai besoin d'un ami», «Ça va mieux», «Quand on se donne», «J'ai besoin de parler»). Elle réussit l'exploit rare de rallier tous les auditoires, de créer autour d'elle une unanimité, tant sur sa valeur d'interprète, sa voix puissante, que sur ses qualités humaines.

Ginette Reno profite donc de la confusion des genres provoquée par Charlebois et son *Osstidcho* pour s'installer aux frontières du yé-yé et du mouvement chansonnier. On la voit ainsi chanter en duo avec Jean-Pierre Ferland («T'es mon amour, t'es ma maîtresse») et, après un exil en Californie, elle reçoit un accueil triomphal à la Fête nationale de 1975. L'histoire d'amour entre les Québécois et une grande chanteuse naît d'un moment d'une rare intensité: l'interprétation de la chanson de Ferland «Un peu plus loin». Peu importe la dimension que peuvent prendre ces paroles (d'aucuns décèlent un message politique), l'émotion, palpable, reste aussi vibrante.

Son succès culmine en 1980, avec l'album *Je ne suis qu'une chanson*, qui défonce les records de vente avec ses 350 000 copies écoulées. C'est la consécration, la pluie de Félix et de distinctions diverses (Femme de l'année et officier de l'Ordre du Canada en 1981). Les disques d'or ne cesseront dès lors de s'accumuler: fidélité du public envers une chanteuse qui s'en tient aux chemins très fréquentés; la prudence porte ses fruits... Pour l'audace, il faudra se rabattre sur une performance unique avec Michel Legrand au Festival de Jazz de Montréal, en 1985 (qui sera d'ailleurs immortalisée sur disque), et sur sa prestation remarquable et courageuse dans le film *Léolo* du délinquant Jean-Claude Lauzon.

Luc Plamondon lui consacrera un album entier en 1995, *La chanteuse*, qui sera précédé du simple «Galaxie». Ginette Reno marchera alors dans les plates-bandes des chanteuses pop-rock, sans convaincre vraiment. La scène lui sera plus favorable, alors que médias et public salueront encore une fois son talent incroyable et son aisance sur les planches.

Zachary Richard (1950)

Digne représentant de sa lointaine Louisiane, il participe à l'événement folklorique *La veillée des veillées* en 1975, puis s'installe au Québec vers la fin des années 70, le temps de deux très gros succès: «L'arbre est dans ses feuilles» et «Travailler, c'est trop dur» (qui sera reprise en France par Julien Clerc). Il retournera ensuite animer les bayous avec son zydeco et – signe des temps? – produire des albums en anglais (*Women in the Room*). Notons que son accordéon se fera entendre sur les enregistrements de plusieurs artistes américains cotés, dont la chanteuse folk Michelle Shocked. Il reviendra au Québec pour chauffer les FrancoFolies de 1994 et celles de 1996, offrant du même coup un nouveau disque en français, *Cap Enragé*, qui sera couvert d'éloges.

Gilles Rivard (1949-1991)

Grand amoureux des rythmes brésiliens, Gilles Rivard compose des chansons qui respirent l'air des îles et le soleil («La tête en fête», «Quelle belle vie», «Chanter, danser», «Sous les mots»). Ses deuxième et troisième albums connaîtront une fructueuse carrière radiophonique, puis son succès ira décroissant.

Il s'adonnera également à la bande dessinée (*Les aventures de la planète Guenille*), au point de délaisser progressivement sa carrière d'auteur-compositeur-interprète. Il mourra d'un cancer au début de la quarantaine.

Michel Rivard (1951)

Il est le premier à ressentir une certaine insatisfaction au sein de Beau Dommage. Les contraintes que pose la composition pour un groupe l'incitent, en 1977, à quitter le bateau pour aller au bout de ses envies créatrices. Il pond son premier album solo en l'espace d'un seul mois, à Bruxelles. Cette fièvre d'écriture nous vaut neuf magnifiques chansons, dont «Méfiez-vous du grand amour», «La belle promeneuse», «L'inconnu du terminus», «Je suis un sacripant» et «Bruxelles», en plus d'un hommage à Félix Leclerc avec la reprise de «Ce matin-là».

Si les musiques du premier microsillon ont gardé des accents de Beau Dommage, il en va tout autrement pour le disque *De Longueuil à Berlin*, d'une facture résolument européenne. Le Flybin band, formé de Rivard aux guitares, Mario Légaré à la basse, Gérard Leduc aux claviers et au saxophone, ainsi que Paul Picard aux percussions, donne aux chansons une saveur de cabaret berlinois. L'auteur y traite de l'amour («Étrange comme l'amour», «La beauté du diable»), d'une jeunesse au goût amer («Le beau party»), de la régulation sociale («Le train») et de l'intolérance («Le retour de Don Quichotte») sur un ton très cynique qui plaît à une certaine élite mais qui ne rejoint pas vraiment le grand public.

Homme aux multiples talents, Michel Rivard ne se cantonne pas dans l'unique activité chansonnière: il devient as compteur dans la Ligue nationale d'improvisation, compose des musiques de films, renoue avec son passé de comédien, s'éclate dans des monologues absolument délirants, traduit la pièce de théâtre américaine *Kennedy's Children*, en plus de travailler comme instrumentiste sur plusieurs enregistrements (les disques de Paul Piché, Marie-Michèle Desrosiers, Richard Séguin, etc.).

La sortie de *Sauvage*, en 1983, confirme ce que plusieurs avançaient déjà: Michel Rivard incarne l'héritage des plus grands de la chanson d'ici. L'intelligence et l'accessibilité de sa poésie, la qualité de ses musiques et sa démarche artistique audacieuse le poussent au premier rang des auteurs-compositeurs-interprètes de sa génération. (À suivre)

Nathalie Simard (1969)

Les ressources de la famille Simard ne s'épuisent pas pour le gérant Guy Cloutier. Après les exploits de René et les plus relatifs et éphémères succès de Régis, voilà qu'on leur découvre une mignonne petite sœur, Nathalie. Il ne fallait qu'une coupe de cheveux pour créer une Chantal Goya québécoise, bâtir un village peuplé d'animaux en peluche (l'émission de télévision *Le village de Nathalie*), en-

registrer des ritournelles faciles («La danse des canards», «Mes amis les calinours») et surtout, créer autour du personnage une véritable petite entreprise, avec le fan club et tout et tout... Saluons tout de même le génie de Guy Cloutier d'avoir flairé ce créneau laissé vide par les départs du clown Patof et de la marionnette Monsieur Tranquille.

Le gérant accédera plus tard aux demandes de sa protégée de chanter des choses de son âge en la jumelant à son frère René, le temps de faire accepter la transition. Grâce aux succès «Tourne la page» et «Tout si tu m'aimes», René et Nathalie se refont une nouvelle image et sont désormais admis dans le club sélect des palmarès de CKOI et CKMF, les bonzes de la radio branchée qui les avaient toujours boudés. Forts de cet appui médiatique, René et Nathalie se sentent dorénavant prêts à faire chacun leur bout de chemin, le frère soupirant après «Catherine», la sœur s'extasiant devant «Lui».

À l'automne 1990, Nathalie Simard remisera définitivement ses robes à froufrous au placard: bustier, mini-jupe de cuir et chevelure un peu moins sage composeront désormais sa nouvelle image. Avec l'album *Au maximum*, lancé à grands renforts chorégraphiques, elle suivra les traces des Janet Jackson et Paula Abdul. La ballade «À ton départ» éclipsera toutefois cette tendance plus rythmée.

En 1993, une brumeuse histoire de vol déguisé la mettra sur la sellette; loin de se laisser abattre par ces accusations, son gérant jouera la carte du repentir pour la mise en marché d'une nouvelle production, *Parole de femme*, à l'automne 1994... Le véritable retour aura lieu toutefois sur les planches du Théâtre Saint-Denis, à la fin de 95, dans la reprise de la comédie musicale de Michel Tremblay et François Dompierre, *Demain matin, Montréal m'attend.*

DIANE TELL (1957)

Malgré le sang latin qui lui coule dans les veines, le Québec n'a curieusement jamais été très influencé par les rythmes sud-américains (en excluant, bien sûr, quelques succès d'Alys Robi). Des générations entières ont dansé la samba, la bossa-nova ou la rumba mais bien peu d'interprètes ou de compositeurs ont exploré les musiques percussives du Sud ou les avenues enfumées du jazz.

Forte d'une solide formation musicale, doublée d'un séjour à New York, Diane Tell présente, avant même d'avoir atteint ses vingt ans, un premier microsillon qui surprend un peu tout le monde par sa texture résolument jazzée. «Les cinémas-bars», «Je n'en peux plus» et «Rendez-vous» rafraîchissent le paysage sonore monolithique disco de 1977. Elle affirmera d'ailleurs, dans «Le mauvais numéro», sur son deuxième album, qu'elle préfère «chanter la bossa-nova» que de «soupirer sur un rythme de disco»!

Diane Tell*: Une originalité mélodique et une musicalité remarquables.*

Armée d'une guitare qu'elle manie d'une façon redoutable, elle séduit d'abord un public d'initiés pour finalement infiltrer les ondes des radios populaires avec un produit jugé de plus en plus dilué (lire commercial). «Entre nous», «Gilberto», «Si j'étais un homme» et «Je suis en amour» deviennent d'énormes succès, lui valent plusieurs Félix mais lui attirent aussi de sévères critiques (parfois injustifiées) sur la maladresse de certains textes.

Diane Tell s'installe en France en 1984 et adopte le "son Top 50" («Manhattan monotone», «Faire à nouveau connaissance», «On a besoin d'amour», «Dégriffe-moi»). Elle se conforme au goût du jour, pour le meilleur et pour le pire, mais ses compositions, bien que d'une facture très léchée, font encore preuve d'une originalité mélodique et d'une musicalité remarquables («Savoir»). Elle se distinguera en 1990 dans l'opus n° 2 du tandem Plamondon-Berger, *La légende de Jimmy*, dont elle interprétera le seul succès commercial, la très belle chanson-titre.

Elle composera la musique de l'opéra-rock *Marilyn Montreuil*, présenté sans bruit à Paris en 1991, puis se fera discrète jusqu'en 1996, année de son retour en force sur disque et sur les scènes québécoises. (À suivre)

FABIENNE THIBEAULT (1952)

On pourrait s'attarder longuement sur cette voix unique, cristalline, ce don remarqué pour une première fois au Festival de la chanson de Granby puis à la Chant'Août, véritable tremplin pour la chanteuse. Il est d'ailleurs presque dommage que cette voix ait pris tant de place, qu'elle ait porté ombrage au poète. Fabienne Thibeault aurait peut-être connu des moments plus heureux encore si elle avait eu davantage confiance dans sa propre écriture. Elle a préféré interpréter Gilles Vigneault («Les gens de mon pays») et Clémence DesRochers («La vie de factrie»), puis s'est fait offrir des textes originaux par J-F Lamothe («Délire en fièvre»), Luc Plamondon («Conversations téléphoniques») et Marc Drouin («Le dernier astrobus pour Vénus»), ce qui n'est pas mal en soi, les bonnes interprètes ne courant pas les rues. Par contre, qui sait qu'elle a écrit «Chez nous» et «Le stomp de l'accidenté»?

Le premier *Starmania* marquera pour elle aussi un tournant dans sa carrière. Jusqu'ici aimée d'un public québécois un peu granola, elle conquerra le cœur de l'Europe francophone grâce à son inoubliable interprétation de Marie-Jeanne, avec les airs «Le monde est stone», «Les uns contre les autres» et «La complainte de la serveuse automate». Changement d'image jumelé à un glissement vers des airs plus "radiophoniques", au début des années 80: les Français l'adoptent alors que la lune de miel avec le Québec semble prendre fin. Elle connaîtra tout de même un vif succès avec *Les chants aimés*, cette reprise des classiques de *La Bonne Chanson* de l'abbé Gadbois, ainsi qu'avec «Question de feeling», chantée en duo avec Richard Cocciante.

À la fin des années 80, Fabienne Thibeault élira, semble-t-il, définitivement domicile en Europe. Avec les années, ses visites au Québec se feront de plus en plus rares, seules quelques chansons («Chaleur humaine») nous la remettant dans l'oreille.

Fabienne Thibeault: *L'interprète inoubliable de Marie-Jeanne.*

Toulouse (1976-1986)

Trio féminin disco formé à l'origine de Heather Gauthier, Marie-Lou Gauthier et Judy Richards; les sœurs Gauthier seront remplacées par Liette Lomez et Laurie Zimmerman. Les chansons «Funky Station» et «C'est toujours à recommencer» séduisent par leurs harmonies vocales travaillées.

Judy Richards poursuivra une intéressante carrière de choriste, mettant sa voix chaude au service de différents artistes (en spectacle avec Diane Dufresne, sur disque avec Harmonium). Elle lancera même, à l'automne 1994, un premier album solo, *Touche pas*, accueilli avec enthousiasme, et dont le spectacle fera valoir sa belle sensibilité et son humour.

158

Nanette Workman (1945)

Certains artistes ne semblent jamais appréciés à leur juste valeur; mal dirigés ou eux-mêmes incapables de faire les bons choix, ils gaspillent souvent leur talent dans des productions de second ordre. Nanette fait partie de ce groupe.

Pendant les années 60, cette Américaine, amenée au Québec par le chanteur Tony Roman, profite de l'énorme prospérité qu'apporte la mode yé-yé («Guantanamera», «Mercy, mercy»), mais elle subit également les contrecoups d'une industrie désorganisée, qui vous fait vedette du jour au lendemain pour vous oublier aussi vite. Elle réapparaît en pleine vague disco, avec les hits «Lady Marmelade» et «Danser, danser», puis se voit offrir par Luc Plamondon un rôle dans *Starmania*. On ne sait trop pourquoi, elle sera malheureusement la seule interprète québécoise à ne pas bénéficier des retombées du succès de l'opéra-rock en France. En 1982, ce même Plamondon lui écrit la bombe de l'année: «Call-girl».

Nanette Workman est tenue en très haute estime par ses collègues et nombreux sont les artistes qui réclament sa voix puissante et chaude (les Rolling Stones, Joe Cocker, John Lennon, Catherine Lara, Claude Dubois, tournée en 1973 comme choriste avec Johnny Hallyday). Invitée en 1984 par Jean-Pierre Ferland à participer au spectacle-rétrospective *Du gramophone au laser*, elle livre une interprétation époustouflante de la chanson de Diane Juster popularisée par Ginette Reno, «Je ne suis qu'une chanson». S'ensuit le lamentable échec de la comédie musicale *1926* et finalement, après un silence de quelques années, 1990 marque la sortie d'un nouvel album, *Changement d'adresse* (dont l'artisan est nul autre que l'ex-gourou d'Harmonium, Serge Fiori), ainsi que la création parisienne du nouvel opéra-rock de Luc Plamondon et Michel Berger, *La légende de Jimmy*, qui lui vaut enfin une reconnaissance pleinement méritée.

Elle fera une rentrée remarquée en 1994 avec des versions revampées de ses vieux hits et un spectacle qui fera la place belle à la rockeuse. Puis elle proposera des chansons originales en 1996, dont «Le temps de m'y faire», très belle composition soft-rock, tournera beaucoup à la radio.

L'équipe de Starmania: ***Berger, Dubois, Dufresne, Plamondon, Thibeault.***

Ginette Reno: *LA chanteuse populaire au Québec.*

6

1986-1991: Un nouveau souffle

Les situations trop longtemps maintenues dans le silence complice des grandes puissances éclatent au grand jour. Ainsi, l'opinion mondiale s'élève enfin contre le régime de l'Apartheid et se sensibilise davantage aux ravages de la famine en Afrique (les États-Unis en profitent pour se poser, encore une fois, comme les sauveurs de l'humanité: «We are the world»...). Cette conscientisation trouve ses principaux haut-parleurs chez les chanteurs et chanteuses populaires, ce qui permet de rejoindre et de mobiliser une jeunesse que l'on disait apathique (la génération "bof!"). Elle prend au contraire les commandes des grands mouvements pacifistes et écologistes, joignant, à l'invitation de ses nouveaux maîtres à penser comme Sting, Peter Gabriel ou Tracy Chapman, les rangs d'Amnistie internationale et de Greenpeace. Les nombreux concerts-bénéfice entretiennent l'espoir d'une réelle fraternité et la retransmission, via satellite, du *Live Aid*, ou du concert pour Nelson Mandela, ou encore d'un concert de la Tournée d'Amnistie internationale aux quatre coins du globe efface, du moins pour quelques heures, les frontières, et les différends qu'elles engendrent. Dans cette foulée, l'Occident s'ouvre aux cultures étrangères et accueille les nouveaux apôtres du world beat: Youssou N'Dour, Mory Kante et Johnny Clegg s'associent aux Jacques Higelin, Peter Gabriel et Renaud pour répandre les rythmes de cet "autre monde", cette musique qui inspirera plusieurs vedettes rock.

La poussière n'a pas encore fini de tomber sur les ruines du Mur de Berlin que l'Allemagne forme à nouveau un seul pays. Cette ouverture à l'Est qui suit (ou qui provoque) l'effondrement du Bloc communiste surprend un peu tout le monde par son caractère soudain et par la vitesse folle à laquelle se produisent tous ces événements. Exécution de Ceausescu, nouvelle alliance USA-URSS, proclamation d'indépendance de la Lituanie; il est dommage que cette réconciliation Est-Ouest se déroule dans l'ombre menaçante d'un affrontement entre un intégrisme religieux moyen-oriental fanatique (rappelons-nous le triste épisode Rushdie) et une soif guerrière américaine.

Les changements les plus profonds s'opèrent toutefois sur le plan personnel et inter-personnel, motivés par la menace d'une terrible maladie dont on arrive difficilement à mesurer l'ampleur et dont le spectre vient bouleverser les relations amoureuses et les pratiques sexuelles: le sida. Heureuse opportunité pour certains de condamner une "conduite immorale" et d'invoquer un châtiment divin, le sida ramène les discours sur l'abstinence et la fidélité, en plus d'établir une nouvelle équation très lourde de conséquences: amour = mort. Ce retour forcé vers un régime de vie moins mouvementé s'accompagne d'une valorisation de la sobriété, d'une saine alimentation et du respect de l'environnement, et trouvera son véhicule privilégié dans le mouvement Nouvel Âge.

Tentative d'intégration dans le giron constitutionnel

En décembre 1985, les fonctionnaires provinciaux tournent massivement le dos à un Parti québécois en proie à de sérieuses dissensions internes, favorisant ainsi l'élection des troupes libérales de Robert Bourassa. Les Québécois, qui recherchent désormais la "gérance d'État" tranquille et dénuée de toute idéologie, font mentir la devise "Je me souviens" et réélisent celui-là même qu'ils avaient répudié sans ménagement en 1976.

Sur la scène fédérale, le conservateur Brian Mulroney devient premier ministre du Canada sur la promesse de réintégrer, "dans l'honneur et l'enthousiasme", le Québec dans le giron constitutionnel. Mulroney rallie en effet les dix premiers ministres provinciaux autour d'un accord constitutionnel qui répond aux cinq demandes minimales du Québec, dont celle d'être reconnu comme "société distincte". Ratifié en 1987, l'Accord du lac Meech prévoit un délai de trois ans avant son adoption définitive (et unanime), période au terme de laquelle il deviendra caduc. Pendant ces trois années, le Manitoba et le Nouveau-Brunswick portent au pouvoir d'irréductibles adversaires de l'entente, qui renient sans vergogne la signature de leurs prédécesseurs et qui exigent la renégociation quasi totale de l'accord. Le suspense durera jusqu'à la dernière heure, le 23 juin 1990 à minuit, veille d'une Fête nationale québécoise des plus mémorables...

Le rejet de l'Accord du lac Meech attisera le feu nationaliste et Robert Bourassa se verra contraint de donner une nouvelle orientation au programme constitutionnel de son parti... qu'il se gardera bien de respecter, entretenant sa réputation de girouette! Il terminera d'ailleurs sa carrière politique dans un total à-plat-ventrisme, négociant à rabais avec le gouvernement fédéral des broutilles de pouvoirs...

La double gouverne centrée sur les seuls intérêts économiques porte évidemment de durs coups aux mesures sociales et accroît l'appauvrissement de la classe défavorisée, composée principalement de femmes chefs de familles monoparentales. Le gouvernement Bourassa va même jusqu'à créer un service d'enquête sur les prestataires de la sécurité du revenu, et envoie ses "boubou macoutes" fouiller l'intimité de ces gens (considérés, a priori, comme de potentiels fraudeurs) et bafouer le peu de dignité qu'il leur reste. De même, la grève des infirmières lève le voile sur la situation de plus en plus intolérable qui perdure dans le milieu hospitalier et sur la qualité parfois douteuse des soins qui en découle.

À l'automne 1988, un projet de loi visant à affaiblir la loi 101 (qui ressemble déjà à un fromage suisse...) mécontente à la fois les francophones et les anglophones. Les premiers veulent protéger leurs fragiles acquis tandis que les seconds se disent trahis par un gouvernement qui leur promettait des concessions beaucoup plus importantes. Ainsi, en tentant de ménager la chèvre et le chou, la loi 178 devient le prétexte idéal à un nouveau regroupement des forces indépendantistes, qui manifestent bruyamment leur "renaissance" au Centre Paul-Sauvé et qui rassemblent près de 100 000 personnes lors d'une marche en faveur du français, le 17 mars 1989. Les anglophones répliquent de leur côté en désertant les rangs du Parti libéral et en élisant quatre représentants de leur nouvelle formation, le Parti Égalité /Equality Party.

Les lieux d'expression et les moyens de diffusion s'élargissent

Le Spectrum de Montréal se situe en plein cœur du nouvel essor de la chanson québécoise. Ses murs étoilés pourraient en dire long sur les triomphes d'un Michel Rivard au public élargi, d'une Marjo volant de ses propres ailes, d'une Louise Forestier au sommet de son art ou d'un Paul Piché de plus en plus solide. En fait, cette salle multifonctionnelle n'est qu'un maillon parmi d'autres de l'empire Spectel, qui s'impose sur tous les fronts: production vidéo (Spectel-Vidéo), production de disques (Audiogram) et gérance d'artistes (Rivard, Piché, Forestier, Leloup). Ses patrons, Alain Simard et André Ménard, tiennent aussi les rênes du Festival de Jazz de Montréal, l'un des plus importants (sinon le plus important) festivals de jazz au monde.

Bien qu'il ait connu ses heures de gloire au début des années 80 surtout grâce à l'humour (*Les lundis des Ha! Ha!*), le Club Soda continue d'accueillir des artistes qui ne peuvent pas se permettre de plus grandes salles, ou alors des noms prestigieux (Robert Charlebois) qui préfèrent y roder leur nouveau spectacle avant d'attaquer le grand circuit. Certains autres encore recherchent tout simplement cette atmosphère enfumée de cabaret et ce contact privilégié avec le public. Le réseau des Maisons de la culture de la Ville de Montréal offre quant à lui un tremplin important à la relève, tandis que la faune underground-alternative se donne rendez-vous aux Foufounes électriques, haut lieu de la création éclatée.

Différentes stations de radio organisent (dans leurs propres intérêts, avouons-le) des concours pour faire éclore de nouveaux talents et, par le fait même, augmenter le volume de produit francophone (CRTC oblige). Ainsi, CKOI parraine L'Empire des futures stars et Radio-Canada chapeaute Rock-Envol (alias Rock-Mitaine). Bien que les prix n'assurent pas la survie matérielle et artistique de leurs récipiendaires, les plus persistants d'entre eux en récolteront les fruits tôt ou tard, notamment par la production d'un premier album. Le vétéran Festival de la chanson de Granby s'associe pour sa part à des partenaires de plus en plus prestigieux, qui augmentent ainsi considérablement son impact (on diffuse désormais le gala sur les ondes de la populaire Télé-Métropole) tout en imposant une certaine "orientation" dans le choix des lauréats (Jean Leloup gagnerait-il encore aujourd'hui?)...

Il convient de souligner les efforts déployés par Radio-Canada AM pour la promotion de la chanson d'expression française. En plus de ne diffuser que du produit francophone, Radio-Canada participe à de nombreuses émissions spéciales qui relient divers pays de la francophonie (le vote en direct pour le prix Renonciat) et met sur pied d'heureux projets, tel celui de *Café Rimbaud*.

Du côté de la télévision, le grand patron de CIEL-FM, Jean-Pierre Coallier, continue de défendre la chanson québécoise en sévissant dans un talk-show totalement irrévérencieux, *Ad lib*, en plus de poursuivre ses activités radiophoniques et de créer le prix Raymond-Lévesque, destiné à donner un coup de pouce à des carrières déjà amorcées. La sérieuse Radio-Québec s'immisce à son tour dans les variétés avec les excellentes émissions estivales *Station-Soleil* et *Beau et chaud*, qui font connaître deux fois plus de nouvelles têtes en trois mois que les autres réseaux réunis pendant une année entière. En 1986, la nouvelle station Télévision Quatre-Saisons ouvre ses portes. Après une première année difficile mais prometteuse par l'audace et l'originalité de certaines émissions (le talk-show de Chantal Jolis, par exemple), la station a malheureusement vite fait de réajuster son tir et d'empiéter sur le terrain populiste de Télé-Métropole.

En fait, la seule fraîcheur télévisuelle souffle de MusiquePlus, le premier canal francophone de vidéoclips. Avec son équipe âgée d'à peine vingt ans et ses idées innovatrices, MusiquePlus rejoint le jeune public et l'initie à la chanson québécoise, puisqu'environ 25 % des clips présentés sont en français. La "télé-vidéo en stéréo" encourage les réalisations locales qui, malgré un écart évident de budget, rivalisent de créativité avec les clips étrangers et assurent ainsi la survie de nombreux cinéastes. Bien qu'il compte des détracteurs, le vidéoclip s'avère un instrument promotionnel si efficace qu'il en deviendra à toutes fins pratiques indispensable. Que l'on doute de sa longévité ou que l'on conteste son existence même, personne ne pourra nier sa qualité de "levain" pour la relance de la chanson d'ici.

Finalement, un second support, sonore cette fois, contribue également à ce nouveau souffle. En effet, le disque laser, à la fois par une habile opération de marketing et par le plaisir de la reproduction parfaite qu'il procure, ranime une industrie mondiale durement éprouvée par la crise économique. Le Québec jouit à son tour des vertus de cette nouvelle technologie, qui rend enfin justice aux efforts de production et à l'imposante quincaillerie dont se sont dotés des studios d'enregistrement mondialement reconnus comme celui d'André Perry à Morin-Heights ou le Studio P.S.M. à Québec. De plus, la très grande qualité sonore du laser crée une demande pour la réédition de plus vieux enregistrements, dont les copies en vinyle sont carrément introuvables ou alors très usées. Une nouvelle génération a alors accès, entre autres, aux albums *Jaune* et *Soleil* de Jean-Pierre Ferland, aux classiques de Beau Dommage et d'Harmonium, ainsi qu'aux intégrales de Félix Leclerc et de Gilles Valiquette.

Ailleurs, ça bouge également

Dans la seconde moitié de la décennie, le cinéma québécois se met à l'heure de la modernité. Denys Arcand, de retour d'un exil à Toronto, sonne le réveil avec une œuvre d'une rare et fine intelligence, *Le déclin de l'empire américain*. Ses personnages, issus de l'élite intellectuelle universitaire, se situent à des lunes de Maria Chapdelaine et ses champs de bleuets. Ils discutent de sexe, d'infidélité et de solitude, dressent un bilan assez peu reluisant d'une certaine émancipation... Par ailleurs, Léa Pool et Jean-Claude Lauzon situent la ville et la nuit au cœur de leurs œuvres, la première y lançant

165

des personnages en quête d'une identité (*La femme de l'hôtel*, *Anne Trister*), le second y faisant éclater une violence terrible (*Un zoo la nuit*). En 1989, Denys Arcand répète l'exploit du *Déclin* et signe un long métrage difficile, grave mais aussi d'une drôlerie ironique, *Jésus de Montréal*. Avec cette métaphore de la vie du Christ, il prouve hors de tout doute le calibre international de son talent, comme en font foi ses deux nominations aux Oscars (une première pour un Canadien) et son Prix du jury à Cannes.

Le théâtre connaît aussi ses heures de grâce, illuminé par le grand talent d'un Michel Tremblay en pleine possession de ses moyens. Les pièces *Albertine, en cinq temps* (son chef-d'œuvre) et *Le vrai monde* contiennent à elles seules toute la détresse et la rage de l'univers que peint l'auteur depuis plus de vingt ans. Mentionnons aussi que ses pièces voyagent à travers le monde et que l'on ne compte plus les traductions qui en ont été faites. Robert Lepage continue lui aussi d'impressionner avec des projets plus audacieux les uns que les autres: *Vinci*, *La trilogie des dragons* et *Les plaques tectoniques* confirment sa place parmi les grands. Enfin, deux femmes se distinguent par une qualité d'écriture remarquable et une pertinence qui ne se démentent pas au fil des années: Marie Laberge (*L'homme gris*) et Jovette Marchessault (*Anaïs dans la queue de la comète*).

L'humour gagne une popularité inégalée au pays: signe de santé et de maturité pour les uns, évacuation facile d'une pénible réalité pour les autres, le rire domine la scène artistique, via le succès des théâtres d'été ou par la prolifération d'humoristes, parmi lesquels la finesse d'esprit et la méchanceté intelligente (Ding et Dong, Daniel Lemire, Rock et Belles Oreilles, Pierre Légaré) côtoient le rire facile et creux (J.-C. Lauzon). Soulignons que le plus grand succès de l'histoire de notre théâtre, *Broue*, renvoie comme un miroir une image assez peu flatteuse des Québécois, portrait qui, à ce jour, a fait crouler de rire plus de deux millions d'entre eux...

Bien que très peu d'auteurs québécois parviennent à vivre de leur plume, le talent littéraire ne manque pas. Bien sûr, des Arlette Cousture (*Les filles de Caleb*) et Yves Beauchemin (*Le matou*, *Juliette Pomerleau*) frappent le gros lot, notamment en vendant les droits de leurs romans pour des adaptations cinématographiques ou télévisuelles; en réalité, écriture rime plutôt avec indigence, à moins qu'elle soit jumelée à d'autres activités professionnelles (l'enseignement, par exemple). Parmi les nouveaux talents, on peut nommer Christian Mistral (*Vamp*, *Vautour*), Sylvain Trudel (*Le souffle de l'harmattan*), Monique Proulx (*Le sexe des étoiles*), Louis Hamelin (*La rage*, *Ces spectres agités*), France Vézina (*Osther, ou le chat criblé d'étoiles*) et Pierre Gobeil (*La mort de Marlon Brando*).

L'amour, toujours...

La vogue est aux préoccupations planétaires. On se sent citoyen du "village global" de Marshall McLuhan. Les combats politiques locaux semblent bien ridicules devant les catastrophes écologiques et les conflits armés qui menacent la survie même de la Terre. Le Québécois assume son identité américaine et réveille le fantôme de Jack Kerouac par la voix des Pierre Flynn («Sur la route») et Richard Séguin («Journée d'Amérique», «L'ange vagabond»). Il s'ouvre par ailleurs aux problèmes d'environnement et de racisme («J'appelle» de Paul Piché et «C'est un mur» de Michel Rivard). L'amour est toujours célébré sur tous les tons mais on y sent la souffrance des ruptures («Car je t'aime» de Piché), les ajustements encore nécessaires du post-féminisme («Passez, messieurs» de Marie-Claire Séguin) et une certaine lassitude des frissons passagers. Bien qu'une tendance en faveur de la stabilité amoureuse semble se dégager, seuls Michel Lemieux et Luc Plamondon font directement allusion au sida, avec «Love Can Kill» et «Désir = Danger».

Marjo: *Une rockeuse assoiffée de liberté.*

Et maintenant, des noms...

Les B.B. (1986-1995)

Les Canadiens ont eu Platinum Blonde, les Québécois avaient bien droit à leurs B.B. (pour Beaux Blonds, vestige de l'époque *Vis ta vinaigrette* avec Marc Drouin). Dès leur premier album, en 1989, Patrick Bourgeois, Alain Lapointe et François Jean suscitent un engouement comparable à celui provoqué par Roch Voisine, avec fan club, affiches, t-shirts et macarons. Bien que leur produit (puisqu'il s'agit bien d'un produit) ne casse rien sur le plan de l'innovation musicale ou textuelle, il respecte un niveau de qualité appréciable et «Loulou», «Fais attention» ou «Parfums du passé» n'ont rien à envier aux productions pop étrangères.

Après avoir assuré la première partie du spectacle de Patrick Bruel au Zénith à Paris, ils reviendront avec un second album, *Snob*, qui fera de nouveau très bonne figure sur les palmarès, avec la chanson-titre et la pièce «Donne-moi ma chance».

Un troisième disque, à l'automne 1994, se voudra plus sérieux mais ne trouvera guère preneur (les jeunes filles se sont déjà tournées vers d'autres vedettes). L'échec d'un spectacle présenté au Forum de Montréal clouera pour ainsi dire le cercueil. Les B.B. feront leurs adieux officiels à l'émission de télévision de Sonia Benezra.

Belgazou (1948)

De son vrai nom Diane Guérin, cet oiseau bizarre aux allures new wave flirte d'abord avec le genre "dance music". Lancée en 1982 par la chanson assez insignifiante «Talk about it», elle s'adjoint à l'occasion les services d'auteurs-compositeurs chevronnés comme Daniel Lavoie ou Daniel DeShaime pour rehausser quelque peu la qualité de l'ensemble. Les ballades «Le temps s'allège», «Petite fille» et «Quitter ton île» tourneront beaucoup à la radio, puis nous perdrons la trace de la chanteuse, jusqu'à ce qu'elle réapparaisse sous son vrai nom, au début des années 90, avec un disque qui ne soulèvera pas l'enthousiasme.

Diane Guérin se produit maintenant surtout dans le réseau des bars gais et de travestis.

Jano Bergeron (1958)

Ses années d'expérience dans les clubs de nuit l'amènent à toucher à tous les styles de musique. Ses propres chansons se partagent également entre le rock («Recherché», «Honeymoon»), le blues et la ballade («La femme et la mer»), causant bien des maux de tête aux colleurs d'étiquettes. On pourrait effectivement parler d'égarement puisque sa carrière de chanteuse n'a jamais pris véritablement son envol, se conjuguant parfois avec celles de comédienne (*Épopée rock*) et d'animatrice de télévision (*Garden party*).

Sylvie Bernard (1959)

On la sent habitée par un feu brûlant, celui des passions pour la vie, l'amour et le chant, ce grand libérateur. Premier prix d'interprétation au Festival de Granby de 1986, Sylvie Bernard ne fonctionne que sur les coups de cœur, se permettant l'éclectisme d'un répertoire qui voyage de Jacques Brel à Janis Joplin, en passant par Cabrel et Barbara. Avec son trémolo particulier, son profil amérindien d'une singulière beauté et ses compositions originales («Fais-moi rire»), on la voyait aux premières loges d'une chanson personnelle, vibrante et inspirée.

Cependant, elle se fera très discrète à la suite de la parution, en 1990, de son album *Marcher sur du verre*, jusqu'à cet automne 1996, alors qu'elle tente un retour sur disque.

Johanne Blouin (1955)

Interprète numéro un des *jingles* et choriste attitrée de nombreux canons de la chanson québécoise, dont Lewis Furey et Carole Laure, elle quitte sa situation confortable pour foncer tête première dans une carrière solo.

L'album *Merci Félix* paraît quelques mois seulement avant le décès de celui auquel elle veut rendre hommage, Félix Leclerc, ce qui contribue, bien sûr, à mousser le disque déjà très populaire. Issue de l'école du jazz, Johanne Blouin livre une interprétation tout à fait personnelle de ces classiques («Le p'tit

bonheur» en blues, «Attends-moi tigars» en reggae, «Le train du Nord» saturé de guitares électriques): on aime ou on n'aime pas... En fait, Johanne Blouin compte autant d'admirateurs que de détracteurs. Certains apprécient ce registre étendu et cette étonnante facilité à chanter à peu près n'importe quoi, alors que d'autres voient en elle une interprète vide, sans âme, à la voix un peu trop criarde.

À la suite de l'énorme succès de son premier microsillon, elle se fait offrir des chansons originales par des noms aussi prestigieux que Charles Aznavour, Eddy Marnay, Michel Rivard («Bébé lune») et Pierre Flynn («Dors Caroline»), jetant ainsi en quelque sorte un pont entre une chanson à texte et un public de chanson plus populaire. Elle proposera un album de compositions de son propre cru qui ne connaîtra pas le succès escompté, puis sera à l'origine d'un disque-bénéfice collectif au profit des personnes atteintes du sida.

Joe Bocan (1957)

Une autre comédienne qui décide de passer à la chanson. Elle se classe deuxième au Festival de la chanson de Granby en 1983, puis présente des spectacles à l'Eskabel (*Vingt chansons branchées*), au Milieu (*Paradoxale*) et au Spectrum (*Vos plaisirs et le mal*), prestations encensées par une critique qui ne manque pas de lui trouver une parenté avec l'extravagante Diane Dufresne.

Joe Bocan prise en effet les spectacles-concepts aux mises en scène complètement "flyées" et aux costumes que seul Michel Robidas peut oser créer. Et les chansons dans (derrière) tout ça ? Certaines survivent à la dramatisation ou au vidéoclip («Repartir à zéro», «Les femmes voilées») alors que d'autres manquent carrément de corps pour se passer d'un support visuel («Beach 1984», «Déranger»). La chanteuse, qui a notamment fort bien assumé le premier rôle du film musical de Richard Boutet, *La guerre oubliée*, pourrait bouleverser encore davantage, pour peu qu'elle accepte d'écrire en puisant en elle-même.

Elle ira plutôt du côté d'une interprétation beaucoup plus sobre, se donnant, dans *Les cahiers secrets*, l'espace pour livrer ses propres versions de classiques tels «Quand on n'a que l'amour», «I'm Calling You» et «Avec le temps». Elle renouera également avec ses anciennes amours puisqu'on la verra dans la télésérie *La misère des riches*.

Gerry Boulet (1946-1990)

Triste destin que celui de ce rocker dont le public s'était sensiblement élargi grâce à l'album *Rendez-vous doux* (ce microsillon se maintiendra au palmarès des meilleures ventes pendant plus de deux ans). Avant la séparation d'Offenbach, Gerry Boulet avait déjà préparé le terrain en produisant un premier disque solo dans la même veine qu'Offenbach, *Presque 40 ans de blues*. On pouvait toutefois déjà percevoir une sensibilité nouvelle, notamment dans les textes de Michel (Plume) Latraverse («Le serre-volant»).

Les dernières chansons de Gerry Boulet, signées Denise Boucher, Michel Rivard, Plume ou André Saint-Denis, portent la marque de la maladie et de la fatalité («Deadline», «Pour une dernière fois») mais elles expriment aussi l'espoir et la combativité du rocker («Toujours vivant», «Les yeux du cœur»). Chose certaine, elles auront su toucher un nouveau public, plus sage et plus jeune que celui d'Offenbach. Il faut dire que les nouvelles musiques de Gerry, aux arrangements bien cuivrés, cognent beaucoup moins fort et correspondent mieux au "son" des différentes stations de radio.

Bénéficiant d'une mise en marché fort tapageuse, l'opéra gospel *Jezabel*, œuvre posthume de Boucher et Boulet, inspirée du *Cantique des cantiques*, menée à terme sous la houlette de Dan Bigras, fera l'objet d'un disque. On attend toujours le spectacle.

Bündock (1986-1991)

Originaire de la Mauricie, le groupe Bündock "laisse le vent (anglophile) gonfler ses voiles usées" et choisit la langue de Shakespeare pour lancer sa carrière («American Singer»).

L'équipage à l'allure pirate se ravise après s'être heurté à la fermeture du marché anglophone. Les frères Bündock, qui se distinguent par leur musique aux accents de folklore irlandais et par la belle voix grave de leur chanteur soliste, reviennent alors à leur langue maternelle («La radio», «Cinéma»).

En 1993, un album aux accents troubadours sera lancé sous le nom du duo Bundock-Lanoie, sans recevoir l'attention qu'il mérite.

Marie Carmen (1959)

Issue de l'école *Starmania*, elle se fait offrir par Luc Plamondon – le Parrain lui-même! – un premier hit, «Piaf chanterait du rock». Avec son tempérament rock, sa fébrilité et sa voix qui joue dans un registre assez grave (ça repose des sopranos!), Marie Carmen a su délimiter un espace bien à elle. Boulimique de la vie, elle veut l'exprimer le mieux possible et choisit pour ce faire de s'initier à l'écriture («T'oublier», «Dans la peau»), ce qui ne l'empêche toutefois pas d'offrir une interprétation *remarquée* de «L'aigle noir» de Barbara.

L'album *Miel et venin* (1992), plus pop, connaîtra une longue carrière sur les palmarès («Entre l'ombre et la lumière») et la consacrera chanteuse populaire par excellence. En 1996, elle reprendra «Déshabillez-moi», rendue célèbre par Juliette Gréco, et interprétera la chanson-thème du film *L'homme idéal* de Georges Mihalka.

Robert Charlebois (suite)

En 1983, Robert Charlebois se paye un retour en force avec l'aide de Luc Plamondon qui lui écrit «J't'aime comme un fou». Dans le sillon de ce succès, il effectue une grande tournée du Québec et prouve à ses détracteurs qu'il reste un des plus grands, sinon le plus grand showman québécois.

Les nouvelles chansons de Charlebois, qu'elles soient de Plamondon («Les talons hauts»), de Marc Drouin («J'ai d'la misère avec les femmes») ou de Claude Péloquin («C'est pas physique, c'est électrique»), ont toutefois perdu le mordant des premières an-nées. Il reste l'humour – qui a toujours été présent mais que l'on négligeait pour chercher un quelconque 4e degré – et une envie de faire des variétés pour le plaisir de la chose. On lui reprochera, bien sûr, cette recherche du bonheur tranquille.

Avec *Dense* (1988), il semble retrouver cet équilibre entre la légèreté et un produit textuellement signifiant et musicalement punché («Graziella», «J'veux pu qu'tu m'aimes»). En spectacle, le Tropical Rock Band apporte la saveur des îles si chère à Charlebois et injecte une nouvelle jeunesse à des airs qui ont déjà l'âge de son nouveau public.

Les choses se gâteront de nouveau quand son association avec une microbrasserie semblera prendre le dessus sur la création. Le chanteur servira l'homme d'affaires et, sous le prétexte de défendre un nouveau disque (*Immensément*... faible) ou une «Maudite» tournée, ce dernier profitera de toutes les tribunes pour mousser les ventes du liquide doré. Il ne nous offre plus désormais que des spectacles sans risques ni surprises. Dommage.

Martine Chevrier (1968)

Découverte à l'âge adolescent, elle aura du mal à trouver son identité musicale. Pour son premier album, des gens aussi crédibles que Pierre Létourneau, Ève Déziel et Jacques Michel lui écrivent des chansons taillées sur mesure («Star», «Doux comme tout», «Toi mon soleil»); mais il faut passer le cap du monde adulte et cette transition ne s'opère pas sans quelques égarements. Après une tentative du côté de la musique de danse («Danser pour danser»), on lui confie la coanimation d'une émission de variétés, 7e *ciel*, au cours de laquelle elle peut exercer son talent d'interprète. On ne l'a guère revue depuis.

Daniel DeShaime (1946)

Inutile de s'attarder à sa carrière de chanteur car mis à part le succès d'«Un peu d'innocence», qui remporte tout de même un Félix, elle passe pratiquement inaperçue. Créateur solitaire et anonyme, Daniel DeShaime est surtout reconnu et apprécié par les gens de l'industrie pour son travail d'auteur-compositeur et de réalisateur. Il a écrit entre autres pour Belgazou et Daniel Lavoie («Ils s'aiment», «Tension attention»), et a réalisé, à coups de synthétiseurs et de boîtes à rythmes, l'album *Minuit et quart* de Marie-Claire Séguin.

RICHARD DESJARDINS (1948)

Il sort de l'ombre en 1990 en signant la bande sonore du film de Pierre Falardeau, *Le party*. Richard Desjardins n'est pourtant pas le premier venu (il faisait partie du groupe Abbittibbi et avait composé la musique de nombreux films), mais ses chansons engagées – que ce soit pour défendre la cause des Amérindiens ou pour protester contre l'ingérence américaine en Amérique centrale – dérangent probablement trop la galerie pour trouver audience dans les médias de masse. Son humour cynique («Le bon gars») et sa tendresse écorchée («Tu m'aimes-tu?») se frayent toutefois un chemin sur les ondes radiophoniques et réchauffent La Licorne à l'automne 1990. Une première reconnaissance lui sera accordée par le Festival d'été de Québec de 1990, pour souligner l'intégrité de sa démarche et la qualité de ses textes percutants. Il cumulera ensuite une seconde place au prix Renonciat, plébiscite à travers les radios francophones, pour la chanson «Tu m'aimes-tu?»; les Félix de l'auteur-compositeur-interprète et de l'album populaire; la médaille Jacques-Blanchet; et finalement des critiques plus qu'élogieuses lors de ses passages en Europe. Signe de consécration, Francis Cabrel reprendra sa ballade country «Quand j'aime une fois, j'aime pour toujours» sur l'album collectif *Urgence*.

Les derniers humains, qui avait paru sous forme de cassette autoproduite en 1988, et qui était devenu quasi introuvable, sera lancé en disque compact, ainsi qu'un enregistrement live au Club Soda, regroupant monologues et chansons inédites. En 1994, il retournera à ses premières amours, le groupe Abbittibbi, composant avec lui un nouvel album, *Chaude était la nuit*, et présentant des spectacles un peu partout au Québec. Ils y interpréteront les chansons du groupe, mais également quelques compositions de Desjardins, dont la très bouleversante «Les Yankees».

Richard Desjardins: *Un humour cynique et une tendresse écorchée.*

Céline Dion: *Une feuille de route impressionnante...*

CÉLINE DION (1968)

Depuis ses débuts, le Québec entier a suivi l'évolution de la jeune chanteuse, les uns la voyant sur les scènes internationales aux côtés (ou à la place) de Whitney Houston, les autres la condamnant à un destin de pantin prisonnier des ficelles de son gérant, René Angélil. Or, Céline Dion a donné hors de tout doute raison au premier groupe.

De son premier succès, «Ce n'était qu'un rêve», chanson écrite par sa mère, à la sulfureuse «Lolita», Céline Dion évolue selon la trajectoire savamment tracée par son équipe. Ainsi, elle passe des bons sentiments («Mélanie», «D'amour et d'amitié») aux très chastes amours adolescentes («Un amour pour moi», «Trop jeune à dix-sept ans») et aux hymnes papaux («Une colombe») pour inévitablement se métamorphoser en vamp et laisser libre cours à ses désirs les plus intimes («Lolita», «Comme un cœur froid», «Jours de fièvre»).

Sa feuille de route a de quoi impressionner: collection de trophées Félix, premier prix au grand concours Eurovision de 1988, nombreux passages à l'émission *Champs-Élysées*, première partie de Patrick Sébastien à l'Olympia de Paris; bref, il faudrait faire preuve de mauvaise volonté pour balayer tout cela du revers de la main. Céline Dion est une interprète qui démontre beaucoup de chien, une volonté de fer et, surtout, une passion pour ce qu'elle fait. Que l'on apprécie ou non sa façon nasillarde et gutturale de chanter, son répertoire fleur bleue signé Eddy Marnay ou son approche très "marketing" du métier, reconnaissons-lui un professionnalisme impressionnant et un sens du spectacle (à l'américaine) étonnant pour son jeune âge.

Conformément à son désir de conquérir le monde, Céline Dion attaque ensuite le marché anglophone avec l'album *Unison*. «If There Was Any Other Way» et surtout «Where Does My Heart Beat Now?», qui gravira les plus hauts échelons du Billboard américain, lui ouvrent les portes des studios de Johnny Carson, Arsenio Hall et Joan Rivers. Bien que les plus fols espoirs semblent se concrétiser du côté américain, l'équipe Angélil répète à qui veut l'entendre qu'il ne sera jamais question d'abandonner le marché francophone. Le public québécois lui sera-t-il aussi fidèle?...

(À suivre)

Marc Drouin (1957)

Il insuffle sa jeune folie à une chanson quelque peu stéréotypée. Marc Drouin réinvente la comédie musicale, créant des spectacles à mi-chemin entre la bande dessinée et le vidéoclip. Cette énergie adolescente éclate entre autres dans *Muguette nucléaire* et *François Perdu, Hollywood P.Q.*, dont la version remaniée, rebaptisée *Pied-de-poule*, le mettra au monde en 1982. La chanson-titre de ce spectacle et la danse particulière qui l'accompagne animeront plus d'un party de famille!

Aux figures du comédien, metteur en scène et auteur (il écrit «Décaféine-moi» pour Catherine Lara) s'ajoute ensuite celle du chanteur, ou plutôt du diseur, Marc Drouin ne pouvant se targuer d'être un vrai chanteur. Soutenu par ses deux choristes, Les Échalotes, il scande des textes dont le propos est trop souvent noyé dans une mer de calembours («Testament d'un amant», «Vis ta vinaigrette», «Remixez-moi»). Le spectacle *Vis ta vinaigrette*, qui fait un malheur au Québec et en France, séduit par son dynamisme, son rythme effréné et son humour un peu grossier. On lui reproche toutefois (de plus en plus) un manque de substance derrière tous ces flashs. L'exercice semble relever du seul désir d'en mettre plein la vue et plein les oreilles. D'ailleurs, une émission de télévision dont il est le concepteur et animateur, *Images de Marc*, survivra à peine plus d'un mois aux critiques assassines de la presse et du public.

Serge Fiori (1952)

Ex-grand prêtre d'Harmonium, Fiori s'associe à Richard Séguin tout de suite après la séparation du groupe. Fruit de cette collaboration, l'album *Deux cents nuits à l'heure* soulève l'enthousiasme du public et de la critique, se voyant même primé au tout premier Gala de l'ADISQ, en 1979. On retient de cette époque les titres «Viens danser» et «Ça fait du bien».

Suit alors un très long silence, période pendant laquelle Serge Fiori se remet physiquement et psychologiquement des années essoufflantes d'Harmonium. Il refait le plein à Los Angeles, partageant son temps entre la méditation et l'apprentissage des nouvelles technologies musicales. Ce séjour lui est pleinement profitable puisqu'il revient au Québec avec une longueur d'avance sur les musiciens locaux. Il parvient, non seulement à utiliser les ordinateurs, mais à les intégrer, à les mettre au service de ses compositions. Ainsi, même si l'album *Fiori* (1986) recourt aux synthétiseurs et présente des rythmes un peu plus musclés que ceux auxquels nous avait habitués Harmonium, la griffe reste facilement identifiable et c'est là le but visé par son créateur. Malgré l'excellent accueil réservé à cette "résurrection" – pensons aux chansons «Chasseur» ou «Le temps court» –, Fiori retourne vite à sa solitude, refusant la scène et tout le tapage promotionnel qui l'entoure.

Il brisera le silence en 1990 pour nous présenter le nouveau disque de Nanette Workman, *Changement d'adresse*, projet qui a mis du temps à aboutir et pour lequel il signe paroles, musiques et réalisation.

Pierre Flynn (1954)

Si la France a Barbara, la dame en noir, le Québec a Pierre Flynn, le beau ténébreux au regard profond. La comparaison s'arrête toutefois à leurs qualités de pianistes et à certaines chansons torturées de Flynn, qui évoquent l'intensité de la chanteuse française.

Cet ex-membre d'Octobre a dû patienter quelques années avant de sortir son premier album solo. Il en a profité pour offrir ses musiques à d'autres interprètes dont Louise Forestier, pour laquelle il compose la très jolie «Prince-Arthur», sur des paroles de Francine Ruel. Puis, discrètement, il présente ses nouvelles chansons dans les petites salles de la province, avec un piano et quelques bandes enregistrées.

Pierre Flynn

En 1986, sa réapparition sur vinyle et sur scène (cette fois-ci dans des salles beaucoup plus importantes) s'inscrit dans le vaste retour en force des grosses pointures des années soixante-dix. Ainsi, il peut compter à la fois sur le vieux public d'Octobre et sur une toute nouvelle génération, qui apprécie la force poétique et musicale de «Sur la route» (qui évoque Jack Kérouac), «Possession» (la passion brûlante), «L'ennemi» et «Le retour» sans même n'avoir jamais entendu parler de «La maudite machine».

Jardins de Babylone, qui paraît en 1991, témoigne chez Pierre Flynn d'une belle maturité autant textuelle que musicale. Il y évoque le dépaysement, le voyage («Jardins de Babylone», «Les splendeurs», «Canicule», «Lettre de Venise», «Complainte du chercheur d'or»), la tendresse («À Sophie qui a quinze ans») et l'espoir («Savoir aimer», «En cavale»). Suivront spectacles, prix Raymond-Lévesque, et des réunions d'Octobre, d'abord en 1989 lors du Festival de Jazz de Montréal, puis en 1996, lors des FrancoFolies.

Louise Forestier (suite)

On assiste à des retrouvailles émouvantes entre une chanteuse et un public qui s'étaient visiblement perdus de vue. Louise Forestier rompt un silence de cinq ans (si l'on exclut l'épisode *Starmania*) pour déverser son trop-plein d'émotions, pour partager des moments d'une précieuse intensité. Le spectacle *Je suis au rendez-vous* dresse un bilan de sa carrière et résume un long cheminement personnel. Les nouvelles chansons qui composent l'album du même nom, qu'elles soient signées Louise Forestier («Alerte» et «Junkie Lady», troublant portrait de la star déchue) ou Francine Ruel («Prince-Arthur», refuge des cœurs à louer, et «Noir et rouge», superbe tango de l'amour-passion), reflètent la belle maturité de la femme et de l'artiste.

La passion selon Louise, avec sa thématique précise, se rapproche davantage du théâtre et exploite ainsi son côté plus dramatique. L'amoureuse donne des frissons et rend un peu dérisoire la réponse à la question «Pourquoi chanter?». En 1990, Louise Forestier livre la performance de sa carrière dans l'opéra romantique de Michel Tremblay et André Gagnon, *Nelligan*, triomphant dans le rôle d'Émilie Hudon, la mère du jeune poète.

Le spectacle *Vingt personnages en quête d'une chanteuse*, présenté à l'automne 1992, suit la parution d'un disque qui rate sa cible, *De bouche à oreille*. Plutôt que de présenter cet album sur scène, la chanteuse choisit alors de monter un récital qui laisse toute la place à l'interprète («The Man I Love», «Les parapluies de Cherbourg», «La quête»). Les réactions enthousiastes la mèneront jusqu'à Paris.

Depuis, Louise Forestier a présenté un spectacle de ses propres compositions: *Signé Forestier*.

French B. (1987)

Ce duo se fait d'abord connaître en abordant l'épineuse question de la langue au Québec avec un rap sur la loi 101 («Je me souviens»), chanson popularisée par un vidéoclip caustique et drôle.

N'y voyez pas qu'une simple récupération politique: les French B. (pour French Bastards) tiennent un discours articulé et réfléchi sur l'identité nationale, le pouvoir et l'exploitation. Leurs spectacles mêlent intelligemment échantillonnages (ils sont parmi les premiers à le faire au Québec), textes du poète Claude Gauvreau et musique techno, le tout sur un ton revendicateur qui en effraie certains. Bon an, mal an, ils évolueront donc en marge du show-business, forts de l'appui d'un public restreint mais fidèle.

Marc Gabriel (1952)

Après un premier microsillon (1988) bâti sur mesure pour le paysage sonore radiophonique («Transatlantique», «Lady Vivaldi», «Femme en couleur» et «Jérusalem», en duo avec Véronique Béliveau), Marc Gabriel exploite le filon du world beat avec des chansons comme «Indigène» ou «Karianne».

Depuis ce temps, l'homme au chapeau, originaire de Tunisie, a fait peu de vagues, si ce n'est un album peu remarqué en 1992, *Le chant des gouttières*.

Hart Rouge (1987)

Quatuor francophone de la Saskatchewan, formé d'Annette, Michelle, Paul et Suzanne Campagne, dont les harmonies vocales évoquent Manhattan Transfer, bien que leur musique soit plus orientée du côté du pop-rock que du jazz. «Et après tout ça» les fait connaître du public québécois et leur vaut une participation choriste à des enregistrements de Claude Léveillée et

Daniel Lavoie («Enfin revivre», «La chanson de la Terre»).

La chanson-titre de leur second album, «Inconditionnel», fera une belle carrière, puis ils enregistreront *La fabrique*, sur lequel ils reprendront cette chanson de James Taylor dans la version française de Francis Cabrel, ainsi que la très belle «Amoureuse» de Véronique Sanson.

Au milieu des années 90, Annette Campagne risquera l'aventure solo.

LAURENCE JALBERT (1958)

Son premier microsillon a l'effet d'une bombe sur la scène musicale québécoise: on a enfin trouvé une chanteuse qui a du coffre et du contenu, une voix rauque à la Bonnie Raitt et des textes habilement écrits, empreints de la liberté du large et de la force que l'on tire des blessures de la vie. Laurence Jalbert possède de toute évidence une longueur d'avance sur les autres débutants puisqu'elle se sera farci dix ans de tournées dans les bars avant d'en arriver à un premier album. Depuis ses débuts dans sa Gaspésie natale jusqu'à sa participation à la gigantesque Fête nationale de 1990, sans oublier la victoire du groupe Volt (dont elle faisait partie) à L'Empire des futures stars de 1987, le chemin aura été long, tordu et éprouvant pour la jeune femme, mais combien formateur pour la chanteuse.

Le mariage guitare-violon dans les succès «Tomber» et «Rage» donne une couleur particulière à ses chansons et sa présence en scène est imprégnée de fougue (elle reprend le «Ball and Chain» des Big Mama Thornton et Janis Joplin). Élue Découverte de l'année au Gala de l'ADISQ de 1990, on lui remettra également le prix de la meilleure prestation scénique au Festival d'été de Québec de 1992.

Les nombreux succès qui parsèment le premier album («Au nom de la raison», «Les yeux noirs», «Pas de fumée», «En courant»), savamment espacés, permettent à la rousse chanteuse d'attendre jusqu'en 1993 pour en proposer un second. *Corridors* ne surprend guère (même son, même style), mais contient lui aussi son lot de hits: «Corridor», «Qui me l'a dit», «Bella», «Encore et encore».

Kashtin (1989-1996)

Les autochtones se donnent enfin une voix sur la scène musicale québécoise. Les Montagnais Florent Vollant et Claude McKenzie incarnent la conciliation entre le peuple indigène et le peuple conquérant, mariant la langue montagnaise aux musiques pop-folk typiquement nord-américaines. Les histoires qu'ils racontent, qui tiennent autant du quotidien que de la légende («E Uassiuian», «Apu Tshekuan»), séduisent les Français par leur charme exotique et leur valent des invitations au Printemps de Bourges et à *Champs-Élysées*. Au Québec, on les remarque à la Saint-Jean de 1989, au Festival d'été de Québec et au Festival de Lanaudière.

Au début des années 90, les ennuis judiciaires du chanteur Claude McKenzie ralentissent leurs activités. Ils présenteront tout de même *Akua Tuta* en 1994, album accueilli avec une relative indifférence, puis se sépareront.

LUC DE LAROCHELLIÈRE (1965)

Les gens du métier se sont précipités sur ce lauréat (auteur-compositeur-interprète) du Festival de la chanson de Granby de 1986 comme une bande de vautours affamés. On le désignait déjà comme le digne successeur des Piché, Rivard, Séguin, Lavoie et compagnie par le soin qu'il accorde à ses textes, par sa musique pop-rock, et par sa voix aux accents familiers.

Luc de Larochellière fait assurément preuve d'une étonnante maturité et d'une remarquable maîtrise de l'écriture pour son jeune âge («Qu'y a-t-il de si surprenant, la jeunesse n'est tout de même pas une maladie mentale!» se plaît-il à railler). Ses chansons expriment des préoccupations politiques et sociales («Amère America», «Chinatown blues», «La route est longue») mais elles revêtent aussi un caractère plus introspectif («Le silence», «Le trac du lendemain», «Le sablier fendu»). En scène, il manie l'humour avec ce qu'il faut de cynisme pour créer une complicité avec le public et pour égratigner quelques individus au passage. Il reçoit le Félix de l'auteur-compositeur-interprète en 1989, puis le prix Raymond-Lévesque en 1990.

Sauvez mon âme, le second album dont la chanson-titre dénonce avec humour le phénomène des *preachers* américains, remplit ses promesses. «Six pieds sous terre», «Ma génération» et «Cash City» font très bonne figure sur les palmarès, la dernière se frayant même un chemin jusqu'au Top 50 français. On invitera d'ailleurs le chanteur à y faire une tournée. Dans le sillage du disque, le spectacle *Sauvez mon âme: la mission* nous révèle un Luc de Larochellière au sommet de sa gloire, beaucoup plus à l'aise sur scène.

On notera un léger refroidissement lors de la sortie du troisième disque, *Los Angeles* (1993), mais surtout lors du spectacle, généralement mal reçu par la critique, et qui ne fera pas long feu. Seules les chansons «Kunidé» et «Si j'te disais reviens» émergeront de cet album au ton désabusé.

Les attentes sont grandes pour *Les nouveaux héros*, prévu pour l'automne 1996.

Luc de Larochellière

Daniel Lavoie

Marie-Denise Pelletier

Jean Leloup

DANIEL LAVOIE (suite)

L'extrême sophistication des technologies musicales pendant les années 80 creuse encore davantage le fossé entre les productions québécoises et internationales. Les programmateurs de radio exigent que les chansons québécoises puissent côtoyer celles des Phil Collins ou Michael Jackson, ce qui casse les reins de certains artistes mais ce qui en motive d'autres à se mettre au diapason des tendances mondiales.

Daniel Lavoie est le premier à saisir l'importance, voire l'obligation d'investir des sommes considérables dans une production soignée. Aussi mise-t-il jusqu'à sa dernière chemise sur *Tension, attention*, un album qui introduit les synthétiseurs et qui tranche radicalement avec ses réalisations antérieures. «Ils s'aiment» lui donne raison et émeut la francophonie entière avec son histoire d'amour fataliste. Dans la foulée de cet énorme succès, Lavoie se produit enfin sur les plus grandes scènes (l'Olympia de Paris en 1987) et devient du jour au lendemain la coqueluche de ces dames. Il profite de l'occasion pour tenter une nouvelle percée sur le marché anglophone, mais seule «Ils s'aiment», rebaptisée «Ridiculous Love», passe la rampe, tout comme elle réussit à le faire en espagnol et en portugais.

Cette consécration tardive sera accueillie avec humilité par l'artiste. Malgré tous les efforts qu'il a consentis, il en connaît la fragilité et le caractère éphémère. Plus en confiance, Lavoie se montrera toutefois un peu plus loquace: de nouvelles chansons étonneront par leur cynisme et leur mordant («La villa de Ferdinando Marcos sur la mer», «La ballade des salades»). Les plus fidèles n'y verront pourtant qu'une suite logique aux premiers efforts («Mon Dieu m'aime quand je souffre»...). Soulignons d'ailleurs la remarquable collaboration du Français Thierry Séchan aux textes de l'album *Vue sur la mer*.

Prisonnier d'une certaine image, Daniel Lavoie continue de connaître du succès avec des ballades, telles «Je voudrais voir New York», «Que cherche-t-elle?» et «Qui sait?». Avec le microsillon *Long-courrier* (1990), qui renoue avec ses racines franco-manitobaines («Jours de plaine»), il livre sans doute son œuvre la plus achevée.

Il mettra sa carrière de chanteur en sourdine au début des années 90, réalisant quelques albums (Marie-Jo Thério, Hart Rouge). Ce qui ne l'empêchera pas de faire des apparitions sporadiques, que ce soit dans le cadre de l'opéra rockmantique *Sand et les romantiques*, de Plamondon-Lara, de spectacles intimes à la facture jazz, ou de disques discrets mais ravissants (*Here in the Heart, Ici, Bébé dragon*, pour enfants).

Laymen Twaist (1984)

Une carrière sans coups d'éclat pour ce trio techno-pop lauréat de *L'Empire des futures stars* de 1988. Les reprises de «Walk on the Wild Side» de Lou Reed et de «Et si tu n'existais pas», popularisée par Joe Dassin, ainsi que les compositions «Encore une heure» et «Le bal des anges» tourneront à la radio.

Jean Leloup (1961)

Il se plaît (et se complaît) dans le rôle du mauvais garnement, même que l'on s'étonne qu'il ait remporté le premier prix au sage Festival de la chanson de Granby de 1983. Le personnage fait couler beaucoup d'encre et gaspiller de la salive, au point de reléguer en arrière-plan une œuvre profondément originale, en soi plus intéressante que le clown qui la véhicule. Leloup (alias Jean Leclerc) tient de Plume et de Gainsbourg; il refuse les compromis du cirque médiatique et s'amuse à provoquer les chastes esprits. Ainsi, il renie volontiers un premier album (*Menteur*) un peu trop aseptisé – il revendique toutefois fièrement la paternité du second, *L'amour est sans pitié* –, crache sur sa participation à *Starmania* et se permet de quitter un plateau de télévision à cause d'un saxophone! Le rebelle s'attire toutefois le respect de plusieurs: après lui avoir coupé son et lumière parce qu'il outrepassait le couvre-feu, le Festival d'été de Québec lui décerne le Prix du jury, «pour la diversité et la dérision de ses textes et pour la liberté de son imaginaire et de son spectacle»...

L'imaginaire débridé de Jean Leloup accouche d'histoires insolites, aux personnages plus invraisemblables les uns que les autres («Miss Mary Popper», «Laura», «L'antiquaire», «Cookie», «Isabelle»). Et malgré les apparences décousues, il ne faudrait pas mésestimer ses musiques: elles empruntent à différents styles (rock, blues, rythmes nord-africains) qu'elles intègrent avec bonheur.

Le déroulement quelque peu anarchique de ses spectacles favorise l'éclatement de sa folie, quoique cela l'attire aussi parfois dans le piège du cabotinage.

En 1991, la dansante «1990», qui fait écho à la guerre du Golfe, fait un tabac des deux côtés de l'Atlantique. On l'invite à faire la première partie de Jacques Higelin aux FrancoFolies de La Rochelle. Depuis, tous se demandaient où était passé Jean Leloup. Eh bien, on l'a aperçu le temps d'une unique soirée aux FrancoFolies de Montréal 1996, et la grande rentrée, sans cesse reportée, est finalement prévue pour novembre.

Michel Lemieux (1959)

Il excelle dans tout ce qu'il touche, au point d'éveiller la mesquinerie des esprits obtus qui n'apprécient pas toujours l'innovation et les visions internationalistes. Tout comme Diane Dufresne, il paiera cher ses succès à l'étranger.

L'art de Michel Lemieux intègre à peu près toutes les formes d'expression, que ce soit le mouvement, la musique, le chant et les trouvailles visuelles, plus stupéfiantes les unes que les autres. Il joue avec les ombres et les miroirs, compose des tableaux en trompe-l'œil. Ses fréquentations des galeries d'art et des milieux d'avant-garde, d'où émergeront des gens comme Édouard Lock et les membres de l'Écran humain, orientent ses premiers spectacles vers la performance multidisciplinaire. Une certaine caste intello-branchée applaudit *L'œil rechargeable* et *Solid Salad*, se montrant toutefois plus sévère envers *Mutations*, plus populaire et accessible. Il est soudainement de bon ton de lever le nez sur Michel Lemieux, l'artiste se permettant – ô sacrilège! – de triompher un peu partout sur le globe.

Le problème avec Michel Lemieux, c'est qu'il taquine la susceptibilité des Québécois à propos de la langue et de l'appartenance. Or, jusqu'à son spectacle *Voix de passage*, qui marquait un retour (tièdement accueilli) à la langue de Molière, Lemieux chantait principalement en anglais («Volcano», «Love Can Kill», «Romantic Complications»), parfois en charabia de son cru («Venitia») mais rarement en français. Pour clouer son propre cercueil, il se clamait citoyen du monde et déclarait n'avoir rien à foutre du nationalisme étroit. Que l'on s'interroge sur la substance (ou l'absence de substance et d'émotion) cachée sous l'esthétique, voilà qui est tout à fait légitime; mais que l'on ignore un artiste exceptionnellement doué pour la seule raison qu'il refuse de se draper dans le fleur-de-lysé, voilà qui est carrément honteux.

Au début des années 90, il se consacrera de plus en plus à l'élaboration d'événements grandioses, comme le défilé de nuit marquant le 350e anniversaire de la ville de Montréal, le spectacle-hommage au Cirque du Soleil présenté en plein air lors du Festival de Jazz, ou encore le Gala de l'ADISQ 1995. Le Cosmodôme de Laval lui confiera également la conception d'un spectacle multimédia.

Madame (1982)

Finaliste au concours L'Empire des futures stars, Madame se soucie de son look, de son son et de son propos (pas si léger qu'il en a l'air). Roger Boudreau, Michel Gatignol et Jacques Marchand, les trois membres du groupe qui en comptait six à l'origine, nous proposent des textes souvent drôles, qui n'en dénoncent pas moins les travers de notre société (la folie de la consommation dans «On veut pas payer» et «Propriétaire»). Leur musique techno-pop est bien servie par des chorégraphies mécaniques qui deviendront leur image de marque, habilement véhiculée par le vidéoclip.

Sans avoir connu la gloire, ils comptent près de quinze ans d'existence, ce qui est en soi un exploit, et proposent régulièrement du nouveau matériel. L'album *Wéké* (1991), avec la très bonne «Persona non grata», sera particulièrement remarqué.

MARJO (1953)

Le cadre étroit de Corbeau devient de plus en plus inconfortable pour la blonde tigresse. Désireuse d'élargir ses horizons musicaux et d'exprimer des sentiments qui ne conviennent pas nécessairement à une bande de gars, Marjo part seule à l'aventure.

Elle se donne un temps d'errance, se retrouve tard le soir dans un bar pour des *jam sessions* de blues, se laisse séduire par la langue de Shakespeare le temps d'une chanson («Touch me», chanson-thème du film *La femme de l'hôtel* de Léa Pool) et fait mordre la poussière à une Eartha Kitt arrogante, se payant à l'occasion d'un mémorable spectacle la double victoire du savoir-vivre sur le chiantisme et du talent sur les vieux trucs du métier.

Dans «Celle qui va», chanson-titre de son premier album solo (1986), le poète Gilbert Langevin annonce les couleurs de la nouvelle Marjo: assoiffée de liberté et amoureuse de la vie (les mots *vie* et *vivre* apparaissent quatre-vingt-quatre fois sur le disque!), elle veut aller au fond de ses émotions, se donner entièrement sans pour autant jouer à tout coup la carte de la séduction facile ou de la vulgarité. Ses spectacles se veulent des moments de réelle communication et l'artiste se rendra physiquement à bout pour y parvenir. «Impoésie», «Doux» et «Chats sauvages» rejoignent le public de Tintin et Marjo devient la rockeuse numéro un de la province.

Ses chansons suivantes, derrière lesquelles se profile encore une fois l'ombre du guitariste Jean Millaire, témoignent d'un remarquable effort d'écriture (plusieurs lui reprochaient la pauvreté de son vocabulaire). Bien qu'elles abordent les thèmes habituels, elles chantent encore mieux l'espoir, l'amour et la liberté. *Tant qu'il y aura des enfants*, le microsillon et la chanson, ont l'étoffe des classiques.

Pour son plus récent album, Marjo s'est faite *Bohémienne*. Elle en étonnera plus d'un avec ses climats en demi-teintes, sa vulnérabilité («S'il fallait qu'un jour», «Ton nom»). On la voit même à la télé en tailleur très classique. Toutefois, le volcan n'est pas éteint: la rockeuse Marjolène électrisera le Forum au printemps 95 et soulèvera la foule au spectacle de la Saint-Jean 1996.

Mitsou (1970)

Contrairement à la France, le Québec n'a pas l'habitude de priser les jolies midinettes dont l'organe vocal se compare désavantageusement aux autres parties du corps. Les interprètes québécoises jouissent plutôt d'une réputation (pas du tout surfaite) de chanteuses à voix. L'énorme succès d'une Mitsou (la petite-fille du dramaturge et comédien Gratien Gélinas) peut dans ce cas surprendre car elle propose une image de sex-symbol assez peu souvent exploitée ici.

C'est en 1988 que «Bye bye, mon cowboy» nous révèle les charmes plus ou moins cachés de la jeune fille, tout en affirmant sa force de caractère. Sex-symbol, soit, mais consciente de son jeu et du pouvoir qu'il lui confère. Le succès des «Chinois», «La corrida» ou «Los amigos» la conduisent en France et aux États-Unis, où elle évoque le mythe de Brigitte Bardot en créant un nouveau clip pour la version remixée (et toujours française) de «Bye bye, mon cowboy».

Un nouvel album dont elle signe plusieurs textes (*Terre des hommes*), une attitude déterminée (quasi féministe), un nouveau look plus adulte et des clips incendiaires («Dis-moi») la rapprochent d'une Madonna. Elle ne jouira cependant pas d'une même longévité. En effet, des escapades peu concluantes du côté du cinéma (*Prince Lazure*, *Coyote*), du disque anglophone (*Heading West*), de l'animation télé et des reprises de chansons yé-yés («Le ya-ya», «Comme j'ai toujours envie d'aimer») la forceront à s'orienter vers la restauration, comme nombre de vedettes en mal de sécurité financière. Mitsou est devenue une star des journaux à vedettes, comme Michèle Richard.

Patrick Norman (1946)

Après de longues années de vaches maigres dans les bars de la province, ce chanteur country, ex-coanimateur de l'émission de télé *Patrick et Renée* (1977-1978), connaît enfin la gloire en 1986 avec «Quand on est en amour». Texte simpliste (du genre "Ouvre grand ton cœur / Ne cherche pas ailleurs / Écoute ce qu'il te dit"...) et

mélodie facile, cette chanson trouve écho chez ceux qui cherchent un peu de réconfort et d'espoir.

L'album *Passion vaudoo* (1990), enregistré à Nashville, "réhabilitera" Patrick Norman auprès des gens du métier (qui ont tendance à snober le country). On y découvrira un guitariste remarquable, et un amoureux des musiques du sud des États-Unis.

Nuance (1982-1988)

L'art de faire un hit avec une chanson incroyablement mal écrite («Vivre dans la nuit»: «Je travaille pour mon gagne-pain / Et c'est mon destin»). Quant à la diction de la chanteuse soliste, Sandra Dorion, disons seulement que la langue française ne mérite pas un si mauvais traitement...

Michel Pagliaro (suite)

Un autre survenant. Après une éclipse à Paris pendant laquelle il réalise deux des meilleurs albums du grand Jacques Higelin (alors au faîte de sa gloire), *Aï* et *Higelin à Bercy*, Pag retrouve l'envie d'écrire et de monter sur les planches. Ses nouvelles compositions: «Les bombes», «Dangereux», «L'espion» et «Héros» rassurent tous ceux qui craignaient un nouveau style trop à l'européenne: Pagliaro se révèle égal à lui-même et même meilleur, d'un propos percutant (politique et amoureux) et d'un rock'n'roll tantôt puissant, tantôt sensuel. Les spectacles qui accompagnent l'album *Sous peine d'amour* rassemblent une foule bigarrée de vieux blousons de cuir et de jeunes en mal d'un vrai rock francophone.

Il livrera une performance fracassante lors d'un spectacle au parc des Îles, dans le cadre du 350ᵉ anniversaire de Montréal (1992), puis se fera trop rare. Sa dernière prestation remonte au Festival d'été de Québec de 1996. On nous promet un nouveau disque depuis plusieurs années.

Paparazzi (1982)

Ce duo originaire de Québec donne dans l'électro-rock intelligent. Curieusement, Andréï Morriss Starr et Mikaïl C. LeBerg s'illustrent d'abord en Europe avant d'intéresser l'industrie locale (il faut souligner leur refus de concéder quoi que ce soit à la "grosse machine"). «Tant d'amour» et «Un abus de vous» nous font découvrir une voix androgyne, à mi-chemin entre Klaus Nomi et Édith Piaf, Paparazzi se permettant même un clin d'œil à la célèbre môme dans un de ses clips.

Les Parfaits Salauds (1985)

Rémy Caset, François Duranleau, Jean-François Cardinal, Luc Thibodeau et Richard Lacoste proposent un rock musclé, reposant essentiellement sur les guitares et le saxophone, et habité par une certaine urgence face à la vie et à ce qui la menace. Le passage du groupe au concours Rock-Envol l'amène à produire un premier microsillon et trois vidéoclips, dont «Deux cents jours» et «S.O.S.». Les Parfaits Salauds s'initient ensuite aux grandes scènes en assurant la première partie des B.B.

Leur attitude défaitiste a peut-être nui à leur carrière, qui n'a jamais véritablement pris l'envol souhaité. Leur ténacité leur vaudra toutefois de participer, en 1996, suite à leur troisième album, *Constat à l'amiable*, à une grande tournée en compagnie de Plume Latraverse, *Les Saloplumeries*.

Mario Pelchat (1964)

Ce garçon grassouillet aux cheveux blonds ondulés fait une première percée à l'âge de 17 ans, le temps d'enregistrer deux albums: *Je suis un chanteur* et *Tu m'as fait mal*. Il tombe ensuite entre les mains d'une joyeuse équipe qui s'affaire à redéfinir son look et son répertoire. Ainsi, le Mario Pelchat version 1988 met sa nouvelle taille de mannequin au service des plus grands designers de mode et trône au sommet des palmarès en chantant l'amour sur tous les tons («Voyager sans toi», «Ailleurs», «Reste là»). Les spectacles de ce clône de Rick Astley (soyons honnêtes, il chante mieux que le *crooner* britannique) déclenchent partout des réactions féminines hystériques.

La compagnie Sony le prendra sous son aile, lui fera enregistrer un duo avec la prodige Céline Dion («Plus haut que moi»), et tentera, à coups de promotion tapageuse, d'en faire le pendant masculin de la petite fille de Charlemagne, P.Q. Mais il faudra attendre 1996 pour qu'un programmateur de radio... libanais en fasse le numéro un dans son pays, et qu'on l'invite à y donner des spectacles.

Marie-Denise Pelletier (1960)

Elle fait ses premières armes à l'école des concours, au sein du groupe

MDP (pour Musical Digital Print). Elle ne passe certes pas inaperçue avec sa tignasse orange mais c'est avant tout sa voix magnifique qui séduit les producteurs de *Starmania* et qui lui permet ensuite de travailler à un *Premier contact* avec l'ancienne équipe de Diane Tell. Les premières chansons de Marie-Denise Pelletier («En courant», «Échec et mat») offrent du pop bien léché, sans bavure mais sans âme.

Son implication grandissante dans l'écriture de ses textes et musiques ne peut qu'affirmer sa personnalité sur une scène musicale qui regorge de belles voix désincarnées. Son interprétation vibrante de la chanson de Daniel Balavoine «Tous les cris, les S.O.S.» avait déjà fait fondre les plus sceptiques. Avec ses spectacles remarqués et l'impact que produit l'album *Survivre* chez les jeunes (elle endosse notamment les causes de l'environnement et de la paix), Marie-Denise Pelletier semble trouver sa place et prouve que l'équation populaire = kétaine peut parfois mentir.

Elle offrira en 1991 un florilège de chansons québécoises («J'ai douze ans», «Avril sur Mars»), puis remportera, en octobre 1993, le Grand Prix de la chanson francophone (Francovision), remis par la Communauté des télévisions francophones, avec sa chanson «Inventer la terre».

Marie Philippe (1952)

Vocation tardive pour cette choriste qui aura attendu dix ans avant de sortir un premier album, à saveur techno-pop. La nouvelle venue séduit par sa voix chaude et grave (qui n'est pas sans rappeler celle de Nanette Workman), son phrasé à l'anglaise et son charme irrésistible. «Je rêve encore», «Save my life» et «Love you, love you too» obtiennent la faveur du public même si la manie qu'a l'auteure d'inclure une ou deux phrases en anglais dans chacune de ses chansons fait grincer quelques dents. Elle assure timidement la première partie de Daniel Lavoie (alors au faîte de sa gloire) à Paris en 1987, puis reçoit le prix Raymond-Lévesque en 1989.

Exerçant son métier de façon solitaire, sans coups d'éclat, enregistrant ses albums à la maison, on a l'impression que sa carrière se poursuit sur un mode mineur.

Paul Piché (suite)

Contrairement à plusieurs militants de gauche déçus, Paul Piché ne change pas d'idéaux en changeant d'image. Certes, il rase sa barbe et range *Le Capital*, mais malgré le retour général à des valeurs plus traditionnelles (prônées par Reagan, Thatcher et Mulroney), il maintient le même cap vers une société équitable, libre et soucieuse de son environnement.

Le disque *Nouvelles d'Europe* marque cette évolution. Devant la totale absence de projet de société qui caractérise le Québec des années 80, Paul Piché s'intéresse aux vents de liberté qui commencent à balayer l'Europe et se branche sur les courants musicaux qu'ils inspirent. Ses musiques surprennent d'abord par leur texture résolument plus moderne, plus rock. Ceux qui flairent la récupération n'ont qu'à porter attention aux textes, plus incisifs que jamais: l'auteur de «Nouvelles d'Europe», «Cochez oui, cochez non», «Quand je perdrai mes chaînes» et «Tous les vents» se tient encore fièrement debout. Et puisque toute révolution ne peut s'accomplir sans une redéfinition des rapports amoureux, Paul Piché les exprime avec beaucoup de sensibilité dans «Jalousie» et «Voilà».

Après un long silence, il revient en 1988 avec *Sur le chemin des incendies*, au contenu beaucoup plus introspectif et à l'optimisme modéré. De «J'appelle», ce S.O.S. de la nature, à «Un château de sable», où la culture et la langue québécoises sont «érodées par la marée», en passant par «Je t'aime vraiment», chanson d'amour blessé, Paul Piché retrouve la gravité de *L'escalier*. Il atteint un tel degré de maturité dans son art qu'il devient un des chefs de file de la chanson d'ici.

À voir l'accueil réservé à l'album *L'instant*, en 1993, on serait porté à croire que les gens heureux n'ont pas d'histoire.. ou écrivent de moins bonnes chansons! Car il est amoureux, le chanteur... «Voilà ce que nous voulons», manifeste politique plutôt flou, et «Reste», touchante chanson d'amour à trois temps, se détachent d'un ensemble assez terne. Paul Piché parviendra toutefois à se maintenir en haut de l'affiche, fondant un mouvement d'artistes pour la souveraineté et triomphant lors du concert pour les sinistrés du Saguenay, au Centre Molson, en août 1996.

Louise Portal (1950)

Sans doute la plus connue des quatre sœurs Lapointe. Geneviève, Priscilla et Pauline n'atteindront pas la même notoriété, bien que leur voix et leur bagage musical se comparent avantageusement à ceux de Louise. N'eût été de son passé de comédienne et d'auteure, elle n'aurait peut-être jamais eu l'occasion de chanter. Elle pallie cependant ses faiblesses vocales par ses qualités d'interprète et de parolière, qui seront reconnues par la presse internationale au Festival de Spa, en Belgique, en 1983. En effet, Louise Portal sait créer, sur des "riffs" de guitare de Walter Rossi, des personnages et des climats fantaisistes («Léo de Milano», «Le matou», «De l'enfance à la violence», «Les scrap books») ou plus graves («Histoire infâme»). Elle aborde la chanson et le spectacle d'un œil cinématographique («Cinéma»).

Elle délaissera peu à peu son image de cuir pour exploiter davantage son côté *glamour*, sensuel, puis, dans les années 90, se dirigera résolument vers la culture nouvel âge.

Francine Raymond (1956)

Le déclic se produit un certain soir d'octobre 1984, lors du spectacle de Beau Dommage au Forum de Montréal. Francine Raymond, alors membre du groupe Hollywood and Vine, accompagne pour l'occasion Pierre Bertrand, interprétant avec lui le classique d'Offenbach: «Mes blues passent pus dans porte». L'ovation que lui réservent les quelque 15 000 spectateurs confirment sa décision de faire carrière solo.

Interprète remarquable par son tempérament *soul* et sa voix de blues, ses premières chansons ne se révèlent malheureusement pas à la hauteur de son talent. «Une femme, rien de moins» et «Vivre avec celui qu'on aime» (de Luc Plamondon) font néanmoins bonne figure dans les palmarès. Sur son disque suivant, elle revient à une musique plus acoustique (la très jolie «Pour l'amour qu'il nous reste»), se permettant même de petits accents country («Souvenirs retrouvés»).

En 1993, la chanson «Y a les mots» récoltera de nombreux honneurs, entre autres le Félix auteur-compositeur et le prix Octave, à la suite d'un vote populaire issu de toute la francophonie.

MICHEL RIVARD (suite)

Il a le souffle du marathonien. En effet, Michel Rivard parvient à maintenir les mêmes standards de qualité tout en innovant à chacun de ses nouveaux spectacles et albums. De Beau Dommage aux années 90, sa trajectoire se mesure en une longue courbe ascendante.

Si l'hermétisme relatif de *De Longueuil à Berlin* en avait laissé quelques-uns perplexes, *Sauvage*, plus rock et plus direct, devient au contraire l'album-charnière de Michel Rivard, celui qui élargit considérablement son public et qui donne matière à son premier vidéoclip – outil ô combien important pour atteindre l'oreille de notre belle jeunesse! –, la chanson «Rumeurs sur la ville». L'humour absurde de Rivard contribue également à sa popularité grandissante. Il prend toutefois garde de trop s'en servir, de peur qu'il ne prenne le pas sur les chansons. Un disque enregistré en spectacle (*Bonsoir, mon nom est Michel Rivard et voici mon album double*) illustre ce bel équilibre entre le rire et l'émotion.

La consécration de Michel Rivard se manifeste de différentes façons: on sollicite de toutes parts son talent d'auteur-compositeur (Diane Dufresne, Offenbach, Johanne Blouin, Gerry Boulet), il participe à quelques spectacles-bénéfice importants (Concert pour la paix avec Bruce Cockburn et Crosby, Stills and Nash; concert montréalais de la tournée d'Amnistie internationale), compose la musique de plusieurs films (*Bach et Bottine, Jacques et Novembre, Le dernier glacier*), anime le Gala des Félix, le spectacle Rideau et le gala de fermeture des FrancoFolies de Montréal de 1989; bref, il est omniprésent sans toutefois donner l'impression de s'éparpiller ou de trop en faire.

En 1987, il atteint de nouveaux sommets avec *Un trou dans les nuages*. Réalisation impeccable de Paul Pagé, arrangements superbes de Marie Bernard, textes d'une grande maturité (il traite de paternité, de racisme, de délinquance et de folie), musiques variées (rock, ballade, tango) quoique formant un tout homogène, tout est tellement parfait que l'on se surprend presque à regretter la douce folie adolescente des premières années! «Je voudrais voir la mer» a déjà rejoint «La complainte du phoque en Alaska» dans le fond sonore collectif tandis que «Petit homme», «Libérer le trésor», «Ma blonde et les poissons», «Un trou dans les nuages» et «Le cœur de ma vie», cet hymne à la langue française, grossissent les rangs de ce qui ressemble de plus en plus à une œuvre, dans le sens noble et fort du terme.

Cinq années s'écouleront avant la sortie de l'album *Le goût de l'eau et autres chansons naïves*. Intimistes et acoustiques, les chansons parlent de la mort («L'oubli», «Tu peux dormir»), de l'enfance («Bille de verre», «La lune d'automne», «Les dinosaures») et de la paix (la très discutable «Parlant de paix»). Le disque plaira moins que ses précédents, et le spectacle *Naïf* ne tiendra pas l'affiche très longtemps. Rivard écrira ensuite de toutes nouvelles chansons pour Beau Dommage, puis présentera un nouveau spectacle solo qui fera très bonne impression, au printemps et à l'été 96.

Michel Rivard*: Le souffle du marathonien.*

Rock et Belles Oreilles (1981-1995)

Ces enfants terribles de l'humour québécois exercent leur méchanceté avec un sérieux et un souci de la perfection peu communs. Ils ne se bornent pas à écrire de simples parodies de chansons déjà connues mais s'assurent les services de prestigieux compositeurs comme Marie Bernard et Michel Pagliaro pour mieux mettre en musique leurs féroces caricatures. Certaines de ces satires, comme «Ça rend rap», «Arrête de boire», «Le feu sauvage de l'amour», «Bonjour la police!» ou «I want to pogne», flèche en direction des artistes québécois qui reluquent le marché anglophone, feront des ravages sur les ondes des radios et dans les discothèques.

Martine Saint-Clair (1962)

Une voix remarquable, mal servie par des ballades sirupeuses de Claude-Michel Schoënberg («Il y a de l'amour dans l'air», «On va s'aimer», «Ce soir l'amour est dans tes yeux») ou par un Luc Plamondon pas très inspiré («Quand je tombe en amour», «Tous les juke-box»). Ces chansons font un malheur sur les palmarès mais elles sont loin d'exploiter tout le potentiel de l'interprète qui a sûrement des choses plus intelligentes à dire que «Quand je tombe en amour / Je me fais toujours mal / C'est toujours moi qui paye pour / Quand je tombe en amour». Dommage car ce même Plamondon avait vu juste en engageant cette jeune fille de dix-sept ans pour jouer le rôle de Crystal dans la première version québécoise de *Starmania*, rôle qu'elle reprendra d'ailleurs avec brio en 1989 à Paris.

Martine Saint-Clair, qui annonçait un virage intéressant, notamment en s'initiant à l'écriture, avec les pièces «Danse avec moi» et «Au cœur du désert», est malheureusement récupérée par l'écurie Guy Cloutier au tournant des années 90. On lui fait chanter les airs sautillants insipides «Lavez, lavez» et «Seulement pour toujours», puis elle disparaîtra du paysage, jusqu'à l'automne 1996, alors qu'elle présentera *Usure des jours*.

Marie-Claire Séguin

Marie-Claire Séguin (1952)

Sa nature exubérante cache une femme en constante recherche intérieure. Cette démarche, amorcée au sein des groupes La Nouvelle Frontière et Les Séguin, imprègne son œuvre d'une

191

remarquable maturité. Non seulement les chansons de Marie-Claire Séguin – écrites en collaboration avec Hélène Pedneault – posent-elles un regard lucide sur les relations hommes-femmes («Passez messieurs») ou se perdent-elles dans le rêve et les frissons nocturnes («Quand la ville dort», «Montréal mauve»), mais sa voix, beaucoup plus posée et mieux contrôlée, atteint des sommets de pureté et d'émotion.

Avec l'album *Une femme, une planète*, la Diva sauvage fait preuve d'une audace peu susceptible de lui assurer un succès de masse. Le sujet ta-bou des menstruations («Longue lune») et la musique rétro de «Comme à Broadway» lui méritent cependant le respect et l'admiration de ses pairs et d'un public averti qui la suit fidèlement dans les circuits parallèles.

Elle fera acte de *Présence* à l'automne 95 dans un magnifique spectacle présenté à La Licorne. On en tirera un disque sur lequel on peut entendre «L'hymne au printemps» de Leclerc, «La fuite dans les idées» d'Higelin, savoureusement interprétée, ainsi que ses propres chansons, dont la bouleversante «Un ange en exil».

Richard Séguin: *Il troque ses vêtements amérindiens contre des jeans et un blouson de cuir.*

RICHARD SÉGUIN (1952)

Chez les Séguin, on a su préserver le sens du sacré. Héritage d'un père qui faisait vibrer les églises avec son «Kyrie» ou aboutissement logique d'un long mûrissement spirituel, ce respect du Mystère passe par la voix de Richard Séguin, une voix d'une richesse incroyable. Il traverse aussi son œuvre, qui célèbre les forces de la nature.

Ses premières chansons solo («Une place comme ici», «La rivière», «Vat'en d'ici») conservent des Séguin une simplicité instrumentale et un propos centré sur l'essentiel, la recherche d'un mieux-être. En 1980, Séguin trouve en l'écrivaine Louky Bersianik une complice qui saura traduire ses préoccupations planétaires («La danse du monde») ou paternelles («Oh Mayou») et qui signera deux de ses plus belles pièces: «Ballade à donner» et «Chanson pour durer toujours». Cette dernière conquerra le cœur des jurés à Spa.

Le contexte difficile du début des années 80 affecte à son tour Richard Séguin, mais il en profite pour se ressourcer au contact intime des gens dans les bars et cafés de la province. Il prend aussi le temps de bien réfléchir au virage qu'il compte prendre. En 1985, pour se défaire de l'étiquette du "peace and love" qui le poursuit encore, Richard Séguin coupe barbe et cheveux, électrifie ses guitares et troque ses vêtements amérindiens contre des jeans et un blouson de cuir. Le changement est bien accueilli parce qu'il ne sent pas la récupération et qu'il s'opère sans reniement du passé. Avec *Double vie*, il renoue avec ses racines urbaines et lâche un cri trop longtemps contenu («La raffinerie», «Double vie», «On est pas fait pour ça»).

Trois ans plus tard, *Journée d'Amérique* décrit l'Amérique profonde, celle des Springsteen et Mellencamp (comparaison inévitable). Séguin explore ainsi un chemin peu fréquenté dans un Québec un peu trop tourné vers sa québécitude. Il rappelle à ses compatriotes leur américanité et les responsabilités qu'elle suppose («Protest song», «Journée d'Amérique», «L'ange vagabond»). Il chantera la magnifique «Par-delà l'océan» lors de la visite de Nelson Mandela à Montréal, privilège hautement révélateur de la place importante qu'il occupe et de son immense popularité.

En 91, il lance *Aux portes du matin* et entreprend une tournée monstre comme peu d'artistes peuvent se le permettre. Il est sans conteste le chanteur de l'heure, participant aux festivités entourant le 350e anniversaire de Montréal, dirigeant les Artistes pour la paix, se joignant à des spectacles-hommages. On lui reproche toutefois sa timide évolution musicale et ses thèmes récurrents. Cette impression sera reconduite avec *D'instinct*, alors que Séguin reprend exactement là où il avait laissé trois ans auparavant.

Sylvie Tremblay (1953)

On la sacre future Diva dès ses premiers pas dans le métier. Sa personnalité intrigante soulève les curiosités, elle séduit et fait peur à la fois. Oscillant entre le chaud et le froid, entre la tendresse et la douleur d'un chant qui se brise dans le rock, Sylvie Tremblay, dit-on, peut se permettre les plus fols espoirs. Lauréate de plusieurs concours, dont celui de Spa, elle possède en effet un tempérament hors du commun. On sent une écorchure, un mal de vivre que trahit cette voix unique, formée à l'école classique mais néanmoins humaine, émouvante. Pourquoi donc la gloire n'est-elle jamais venue?

On peut toujours esquisser quelques raisons: un premier microsillon, *Ni bleu, ni vert*, pas très réussi, un style musical mal défini, le lamentable échec de la comédie musicale de Jean-Pierre Ferland *Gala* (dans lequel elle incarnait le rôle-titre), la décevante *Carmen* de Robert Lepage et, peut-être, une certaine peur du succès. Une chose est sûre, Sylvie Tremblay refuse consciemment toute concession pour une gloriole instantanée. On la sent même plus à l'aise dans l'underground, adhérant à des projets auxquels elle croit vraiment (elle multiplie les participations aux spectacles pour mille et une causes). Nous pouvons toutefois regretter que cette marginalité l'empêche de se produire plus souvent sur scène et ne permette pas une plus large diffusion des magnifiques chansons comme «Le fil de lumière», «Les femmes et les oiseaux», «Chanson d'amour» et «Je voudrais voir la mer».

Sylvie Tremblay se reprendra au début des années 90, présentant le très joli disque *Et tu chanteras* et menant de front deux spectacles fort appréciés: *Viens, on va se faciliter la vie*, soirée de chanson-lecture avec Hélène Pedneault, et *Caprices et classique*, récital intimiste avec pianiste qui fait la part belle à l'interprète. «Le ciel se marie avec la mer» de Jacques Blanchet et «Pendant que» de Gilles Vigneault n'ont jamais autant vibré. Aux FrancoFolies de 1996, elle recevra une ovation debout spontanée pour son interprétation magistrale de «Dans la tête des hommes», lors d'un spectacle-hommage à Raymond Lévesque.

Vilain Pingouin (1987-1995)

Enfant des concours lui aussi (décidément, ils passent tous par là), Vilain Pingouin intègre efficacement des instruments acoustiques comme l'accordéon et la mandoline (on pense aux Pogues) pour appuyer des textes à la fois simples et efficaces pour rejoindre les jeunes («François», «Salut salaud»). Ils sont d'ailleurs plusieurs à répondre à l'appel de ces bums de bonne famille, faisant de Vilain Pingouin le groupe de l'année 1991 au Gala de l'ADISQ. Il faut dire que leurs chansons sont appuyées par de très beaux vidéoclips («Sous la pluie», «Les belles années») et que le groupe livre d'énergiques prestations en concert.

Vilain Pingouin souffrira de la tornade Colocs, et la décevante performance de l'album *Roche et roule* forcera le sabordage du groupe. Le chanteur, Rudy Caya, fait maintenant cavalier seul.

ROCH VOISINE (1963)

Le syndrome Michel Louvain, version 1990. Même image propre (il ne faut pas effrayer les mères), mêmes ballades mielleuses aux prénoms de jeunes filles («Hélène»), et surtout, même délire chez la gent féminine, même fièvre lors des spectacles. Il faut avouer que Roch Voisine est fort beau garçon, qu'il possède une jolie voix et des qualités de mélodiste mais, pour reprendre les mots que Nathalie Petrowski destinait à René Simard, il est «tellement doué, tellement beau et fin et parfait, que l'on se demande s'il existe vraiment».

Il mène plusieurs carrières de front, ce qui lui assure une visibilité maximale: animateur de l'émission de variétés *Top jeunesse*, acteur dans une des séries les plus populaires de l'histoire de la télévision québécoise, *Lance et compte* et, bien sûr, chanteur à succès dans la lignée d'un Elton John. C'est d'ailleurs le chanteur qui traverse l'océan et qui se paye rien de moins que le Zénith parisien à guichets fermés, le trophée Victoire du meilleur album de la francophonie en 1990 et 1991, un spectacle en plein air à Paris qui attirera une foule considérable, ainsi qu'une gigantesque tournée de l'Europe francophone.

Acadien de naissance, il se sent autant à l'aise en anglais, ce qui permet à son gérant, Paul Vincent, de rêver à une percée tout aussi fulgurante au Canada anglais et aux États-Unis. Il tournera une émission-pilote américaine, avec Mike Connors, qui n'aura pas de suites, et lancera un album anglais, *I'll Always Be There*, dont la chanson-titre tournera beaucoup, et qui lui permettra d'incarner dans toute sa splendeur la dualité canadienne aux Fêtes du Canada. En fait, on peut dans son cas parler de mosaïque canadienne puisque Voisine est à la fois Acadien, Québécois, francophone, anglophone, et qu'il se plaît à jouer la carte pro-amérindienne chez nos cousins français.

En août 1995, il signera un contrat important avec la multinationale BMG, tandis que les ennuis fiscaux de son gérant le forceront à une certaine réclusion.

Wondeur Brass (1980-1990)

Ce groupe suscite d'abord la curiosité parce qu'il est entièrement composé de femmes, phénomène rarissime au Québec. Les filles réussissent ensuite à soutenir ce même intérêt avec leur musique d'avant-garde, qui emprunte à Laurie Anderson et à Nina Hagen, compositions qui requièrent une oreille musclée. Wondeur Brass se sabordera à la fin des années 80 et certaines de ses membres formeront le groupe Justine.

Geneviève Paris

Laurence Jalbert

Sylvie Tremblay*: Entre la tendresse et la douleur d'un chant qui se brise dans le rock.*

7

1991-1996: Pour la suite du monde

Quoi de neuf depuis cinq ans? Plusieurs nouveaux visages, une activité musicale plus grouillante que jamais – Nirvana a prouvé qu'il était possible de réussir sans être un virtuose, et a ainsi engendré d'innombrables émules –, des lieux de spectacles qui se multiplient, et une profusion de disques compacts rappelant à la mémoire des chanteurs et chanteuses aujourd'hui disparus ou retraités (Jacques Blanchet, Monique Leyrac). Sous les paillettes du vedettariat grince pourtant une machine de moins en moins autosuffisante.

Plusieurs facteurs expliquent cette dépendance envers les gouvernements:

• Une crise économique quasi chronique, qui diminue le pouvoir d'achat des consommateurs;

• Une industrie de plus en plus lourde, qui exige des investissements importants, ne serait-ce que pour les vidéoclips;

• L'absence d'un réseau de salles intermédiaires, qui assurerait la survie d'artistes de calibre "moyen";

• Une tendance généralisée vers le *cocooning*; les gens sortent moins, et quand ils le font, ils choisissent plutôt l'humour, question d'oublier leurs soucis, sans doute.

On entretient donc les stars, via l'aide d'organismes tels que Musicaction; et on encourage la relève, en finançant des concours (L'Empire des futures stars, le Festival d'expression libre de Laval, le Polliwog, les Francouvertes, etc.) dont les prix permettent aux gagnants de produire un démo, voire de visiter le MIDEM à Cannes.

Entre les deux, les artistes "découverts" mais non "consacrés" vivotent du mieux qu'ils le peuvent, soignant leur image médiatique qui se révèle bien souvent n'être qu'un miroir aux alouettes. Les nombreux festivals populaires (FrancoFolies, Festival international d'été de Québec, Rock sans frontière) assurent cette visibilité, et nourrissent l'illusion d'une industrie pétante de santé. Or, il semblerait que la chanson se porte assez mal en province, et des artistes aussi majeurs que Michel Rivard ou Luc de Larochellière tiennent l'affiche à peine deux ou trois soirs dans une grande salle de la métropole.

La situation n'est guère plus rose dans les autres secteurs culturels: le livre est maintenu en vie grâce aux deniers des pouvoirs publics, et notre cinéma agonise littéralement sous les assauts répétés des *majors* américains qui contrôlent pratiquement tous les écrans de la province. Quant au théâtre, malgré sa remarquable vitalité, il dépend lui aussi des subventions.

Consolons-nous, c'est la chanson qui semble le mieux s'en tirer, sans doute par sa facilité d'accès. Et sûrement par le talent et la ténacité de ceux et celles qui la pratiquent. La génération X n'a peut-être pas le moral au beau fixe, mais elle gueule, elle s'amuse, elle aime et elle se bat.

Une nouvelle génération

Abbittibbi (1974-1982, 1994)

Quand Abbittibbi décide de se reformer, en 1994, alors que son leader Richard Desjardins a acquis une notoriété certaine, ça fait bon genre de prétendre se souvenir de la première période du groupe abitibien. Or, au cours des années 1974-1982, leurs fans n'étaient pas légion... Le premier disque, *Boomtown Café*, paru en 1980, est même devenu quasi légendaire par sa rareté!

Formé à l'origine de Richard Desjardins, Rémy Perron, Ricky Lauzier et Michel Lauzier, auxquels s'ajouteront Claude Vendette et Francis Grandmont, Abbittibbi vivra très difficilement en donnant des spectacles dans les clubs du Nord du Québec et de l'Ontario, ainsi que dans quelques festivals. Il se verra finalement dans l'obligation (alimentaire) de se saborder prématurément, laissant ses membres insatisfaits.

C'est donc avec enthousiasme qu'ils reprendront là où ils avaient tout laissé douze ans auparavant, seul le batteur ayant changé (Pierre Hébert sur disque, Richard Perrotte sur scène). Un projet de disque: *Chaude était la nuit*, mêlant sans qu'il n'y paraisse compositions anciennes et récentes. Musique essentiellement "humaine" (c'est-à-dire sans synthétiseurs ou séquenceurs), aux sons feutrés, au titre on ne peut

plus évocateur: ambiances nocturnes, poésie charnelle («Ciego»)... Sans oublier le swing des cuivres de Vendette, remarquable sur la pièce instrumentale «Houdini». Bref, très belle réussite et bon succès populaire, surtout en spectacle.

Abbittibbi comble le vide dans le créneau "groupes adultes", rejoignant un public qui s'intéresse peu à la musique de party ou à la musique heavy, les deux genres omniprésents sur la scène musicale.

On attend la suite avec impatience.

Beau Dommage (suite)

Coup de théâtre: Beau Dommage réussit en novembre 1994 un retour sur disque avec du matériel inédit, ainsi qu'une grande rentrée sur scène (au Théâtre du Forum) au printemps 1995. Récupération nostalgique ou conviction de n'avoir pas tout dit? C'est le public qui en décide en dernier ressort et il leur est très fidèle, en plus de se renouveler.

L'approche du métier a changé (ils sont maintenant commandités par la Banque nationale...) mais les thèmes ne varient guère (appartenance au quartier, amours difficiles, adolescence). De nouveaux classiques en perspective: «Échappée belle», «La Rive-Sud», «Jaloux».

DANIEL BÉLANGER (1961)

On l'observait du coin de l'œil, ce nouveau venu: frère cadet de Michel Bélanger, président d'Audiogram. Heureusement que son talent se révéla à la mesure de la méfiance qu'on lui réservait.

Auteur-compositeur brillant, il se voit, dès son premier opus, *Les insomniaques s'amusent*, flanqué des plus grosses pointures: son frère Michel à la direction artistique, Rick Haworth et Paul Pagé à la réalisation, Dominique Messier, Claude Chaput et Mario Légaré, pour ne nommer que ceux-là, à l'accompagnement. L'entreprise est ambitieuse, la mise en marché, très bien orchestrée (soutenue par de magnifiques vidéoclips). Durant la première année suivant la sortie de l'album, les résultats se font attendre. Et puis, tout à coup, ça déboule: «Sèche tes pleurs», «Opium», «Quand le jour se lève», «La folie en quatre» et «Ensorcelée» envahissent les palmarès, on entend la voix superbe et le pop-rock sophistiqué de Bélanger un peu partout.

Certains reprochent à son écriture son hermétisme, d'autres y voient au contraire un espace pour l'imaginaire comme en offrent trop peu de Québécois. L'unanimité se fait toutefois autour de la maturité certaine des chansons de Daniel Bélanger. Il s'impose également sur scène, sachant manier habilement humour, émotion et énergie.

Daniel Bélanger: *Un espace pour l'imaginaire.*

Fruit d'une patiente élaboration (Bélanger peut se payer le luxe de prendre son temps), le deuxième album, *Quatre saisons dans le désordre*, valait l'attente de quatre ans. Tout y est poussé un peu plus loin: la voix prend de l'ampleur («La Voie lactée»), une pièce à l'apparence gentille se termine dans un martèlement de tambours («Les deux printemps»), le rock se fait plus pesant dans «Cruel (il fait froid, on gèle)». Regard d'un homme heureux et amoureux sur un monde difficile, *Quatre saisons dans le désordre* se promène du plus léger au plus grave, s'échappant souvent dans l'onirisme et les éléments de la nature. La réalisation de Rick Haworth doit être soulignée: il a su créer pour chacune des pièces le climat qu'il fallait.

Et comme le nouveau spectacle se veut déjà un rendez-vous incontournable, il n'est nullement prémédité d'inscrire Daniel Bélanger parmi les grands de la chanson d'ici.

DAN BIGRAS (1957)

Le pianiste qui joue plus vite que son ombre. Il roule sa bosse depuis de nombreuses années dans le circuit des pianos-bars mais le chanteur ne se révèle qu'en 1989, alors que paraît un premier album. Longtemps associé au boogie et au blues, il diversifie ses musiques pour les adapter aux textes de Marc Desjardins, Gilbert Langevin et Marie-Chantal Doucet («Ange animal», «Belle de feu», «Femme de nuit»). Il pousse l'audace jusqu'à s'attaquer de sa voix éteinte au classique brélien «Voir un ami pleurer». Mais ce premier effort est vite renié par Bigras, qui n'en apprécie nullement la facture.

Quand vient le temps de penser au second disque, Bigras se jure de ne pas faire de concessions. Son entêtement porte fruit: *Tue-moi*, la chanson-titre, bouleverse un large public par son émotion à des lunes de la mièvrerie. Il faut dire que Bigras, compositeur mais non auteur, sait s'entourer de paroliers talentueux: le poète Gilbert Langevin, le romancier Christian Mistral et l'auteure de nouvelles Sylvie Massicotte, ses principaux collaborateurs, s'adonnent à la chanson avec brio. Il poursuit donc la tradition "littéraire" amorcée par son ami Gerry Boulet.

Ceux qui l'ont vu en spectacle savent l'intensité du chanteur: Dan Bigras ne s'enfarge pas dans les nuances... Son interprétation bien personnelle de grands classiques («Ne me quitte pas» de Brel, «Le rendez-vous» de Vigneault-Léveillée, «Aimons-nous» de Deschamps) sera prétexte à un disque, *Les immortelles*, au sujet duquel les avis seront partagés: la charge émotive chamboule ou agace. Disons à sa décharge que son "entièreté" le fait également s'impliquer dans l'œuvre humanitaire Le Refuge des jeunes, organisme au bénéfice duquel il organise chaque année un spectacle.

Retour en 95 avec du matériel inédit, *Le fou du diable*, sur lequel se font remarquer «Y'a plus d'anges dans le ciel», «Pour vous aimer» et «Le roi Kakail», de Plume Latraverse. Des thèmes qui embrassent large (du plus sérieux au plus farfelu), des musiques qui puisent avec plaisir à différentes sources (blues, rock, chanson française) et un spectacle qui n'hésite pas à faire appel à une chorale gospel: voilà une belle maturation.

Dan Bigras: *Il sait s'entourer de paroliers talentueux.*

LES COLOCS (1992)

Ils se retirent de la course à L'Empire des futures stars 1992 pour signer illico un contrat de disques avec BMG! C'est vous dire leur force de frappe («Passe-moé la puck»). Textes percutants, musiques swinguantes («Julie») aux arrangements riches, et surtout présence en scène des plus énergiques. Les Colocs, c'est la participation de chacun aux textes et musiques, mais c'est aussi la personnalité du chanteur Dédé Fortin, qui sème la fête partout où il passe. Groupe de party, oui, mais groupe engagé socialement aussi. Du procès des centres commerciaux qui tuent «La rue Principale» au «Séropositif boogie», le tir atteint sa cible.

Atrocetomique, leur second album, paraît en 1995 dans un climat de tourmente: problèmes avec leur compagnie de disques qui compromettent la distribution du double compact et des spectacles en Europe; décès de leur harmoniciste Patrick Esposito di Napoli; complications administratives qui mettent en péril leur participation au Printemps de Bourges 96. Ils s'y rendront toutefois in extremis, et y feront un tabac.

Les Colocs reçoivent le plébiscite populaire, et la reconnaissance de leurs pairs également. Ainsi, ils gagneront, entre autres, le Félix du groupe de l'année deux fois de suite. Avec le succès de leur chanson «Bonyeu» et des portes qui s'ouvrent en Europe, l'avenir leur est prometteur.

Les Colocs: *Une force de frappe peu commune.*

France D'Amour (1966)

Des années de spectacles dans les clubs de la province, ça forme le caractère! France D'Amour ne s'en plaint pas: elle adore la scène. Ainsi, même quand se pointe le succès, dès le premier album, en 92, elle préfère les petites salles aux grandes, pour prolonger le plaisir et mieux partager avec le public.

D'«Animal» à «Vivante», en passant par «Laisse-moi la chance» et «J'ai plus ma place», elle est l'héritière des Marjo et Pagliaro, une "naturelle" qui séduit autant par son aisance sur scène que par son humour. Ne cherchez pas ici de prouesses poétiques: France D'Amour privilégie le message direct (certains diraient les lieux communs...), et la musique, du rock commercial, a de quoi combler le motard de banlieue.

Avec la personnalité attachante de "celle qui est passée par là et qui vous comprend", France D'Amour est devenue un modèle de détermination et de ténacité pour les jeunes.

CÉLINE DION (suite)

Grâce à l'extraordinaire ruse de René Angélil (lui faire enregistrer, parallèlement à ses projets anglophones, l'album *Dion chante Plamondon*), oui, le Québec reste fidèle à Céline Dion, même qu'elle devient une Intouchable. Et pourtant, nous savons tous à quel opprobre s'expose un artiste qui ose traverser les frontières et "trahir" sa langue maternelle.

Il serait long et fastidieux de dresser ici une liste exhaustive des honneurs qu'a reçus Céline Dion au cours des dernières années. Mentionnons toutefois sa participation en duo à la Soirée des Oscars, ses apparitions aux Grammys et aux American Music Awards, ses nombreuses prestations au *Tonight Show*, au talk-show de David Letterman, à *Good Morning America*, etc.; du côté québécois, on ne compte plus les Félix qui lui sont attribués (meilleure interprète féminine, artiste s'étant le plus illustré hors Québec, etc.), elle remplit le Théâtre du Forum de Montréal et le Théâtre Molson à moult reprises, fait l'objet de nombreux spéciaux télé, tant en français qu'en anglais.

Mais c'est sans doute en Europe que sa popularité atteint des sommets: l'album *D'eux* (1995), que lui écrit le Français Jean-Jacques Goldman, fracasse de nombreux records de ventes, et elle fait salle comble partout où elle passe (Zénith, Bercy). *D'eux* a surtout le mérite de la révéler plus posée dans son interprétation, plus économe («Pour que tu m'aimes encore»). On ne peut pas en dire autant de ses chansons américaines, convenues et beurrées généreusement («The Power of Love», «All by Myself»).

Céline Dion est devenue un monstre sacré, que l'on défend à en perdre tout sens critique, ou que l'on cherche à détruire gratuitement par le biais de sa vie privée. C'est ce qu'on appelle la rançon de la gloire.

Luce Dufault (1966)

Une des chouchous de l'émission de variétés *Beau et chaud*, cette chanteuse blues et funky à la voix grave prend son temps avant de proposer du matériel original sur disque: elle est choriste pour Martine Saint-Clair et Roch Voisine, mais surtout pour Dan Bigras, qui contribue largement à la faire connaître; elle participe à *La légende de Jimmy*; elle se distingue dans la version Lewis Furey de *Starmania*, reprenant plus de cinq cents fois le rôle de Marie-Jeanne, au Québec et surtout en Europe.

Pour cette artiste qui privilégie le contact direct avec le public, l'enregistrement d'un album relève de la corvée; elle s'en acquitte toutefois, métier oblige, mais avec un bonheur inégal. Les chansons créées pour elle par les Séguin, Flynn, Lavoie, Plamondon, Bigras et autres (l'alignement de noms aussi prestigieux témoigne à lui seul de l'estime qu'on lui porte) manquent parfois d'âme, bien que «Ce qu'il reste de nous» tourne régulièrement à la radio.

Ce n'est que partie remise car Luce Dufault, interprète intense quoique contenue, entière mais modeste, a sûrement sa place parmi la pléthore de chanteuses qui nous cassent les oreilles avec leur haute voltige vocale.

Diane Dufresne (suite)

La plus grande révolution que pouvait accomplir Diane Dufresne, après l'extravagance et la démesure, c'était sans doute de se mettre à l'écriture. Ce qu'elle fit lors d'un séjour à New York, exercice qui donna naissance, en 1993, à l'album *Détournement majeur*.

Le pari était grand mais l'élève avait su apprendre de ses maîtres (Plamondon, Grosz, Jonasz, Gainsbourg); malgré quelques maladresses, les chansons de madame Dufresne révèlent une maîtrise certaine de la structure et un jeu habile avec les mots («Addict», «Les scélérats»). Il faut souligner le travail remarquable de Marie Bernard aux arrangements; elle a su donner couleur et ampleur (la magnifique «Le ciel connaît la musique») aux chansons.

Diane Dufresne présente ce nouveau matériel lors d'un spectacle casse-cou au Théâtre du Forum. L'ancien répertoire en est totalement évacué (sauf deux exceptions), l'artiste s'en tient à la ligne dure. Dans le cadre des Franco-Folies de 1994, une version dépouillée et plus rock de ce même spectacle fait vibrer le Spectrum. On se souviendra longtemps de l'émotion de la Dufresne auteure quand le public a entonné en chœur «Cendrillon au coton»...

L'automne 1996 a vu l'inauguration du site Internet de Diane Dufresne et on nous promet un album-cédérom pour bientôt.

Lara Fabian (1970)

D'origine belge, Lara Fabian quitte l'Europe à l'âge de vingt ans pour s'installer au Québec. Son premier disque éponyme sous le bras, son gérant à ses côtés, elle sillonne la province, multiplie les promos, veut se faire entendre.

Il lui faudra cependant attendre le deuxième album, *Carpe diem*, pour recevoir une réponse concluante. Mais quelle réponse! Plus de 150 000 exemplaires vendus, spectacles à guichets fermés, Félix 95 de l'interprète féminine et du spectacle de l'année, on n'en a plus que pour la voix tonitruante de Lara Fabian. Bien sûr, on la compare à Céline Dion: même détermination, même discipline, même créneau, même puissance vocale; disons seulement que là où Dion chante du nez ou de la gorge, Fabian démontre une maîtrise impressionnante, à laquelle n'ont certes pas nui quelque dix années de cours de chant. De plus, Lara Fabian a participé à l'écriture de quelques chansons.

Que l'on aime ou non sa façon "à gorge déployée" d'interpréter «Je suis malade» de Lama ou «Corsica», force est d'admettre que nous sommes ici en présence d'un réel talent naturel, doublé d'une personnalité médiatique sympathique, ce qui ne nuit certes pas.

Michel Faubert (1959)

Folkloriste électrique, Michel Faubert étonne et séduit avec ses complaintes glanées au cours de voyages aux quatre coins de la province et de l'Acadie.

Si le premier album, *Maudite mémoire*, respire davantage la tradition, le spectacle et le second disque (*Carême et Mardi gras*) qui suivent explosent de l'énergie des diverses collaborations: apport vocal des Charbonniers de l'enfer, musical de l'Orchestre des pas perdus, gueulard de Polo et Dédé Traké. Et c'est sans compter le groupe habituel qui accompagne Faubert, insufflant une énergie rock (parfois très appuyée) à ces chants traditionnels.

À l'hiver 1996, il attire une foule nombreuse à ses veillées de contes intitulées «Le passeur».

Jean-Pierre Ferland (suite)

1992 marque le retour du Petit Roi sur la scène chansonnière: nouvel album, *Bleu, blanc, blues*, succès de la chanson insolente «Pissou», et surtout, triomphe sur scène, appuyé d'une rétrospective de son œuvre sur disque compact et de la publication d'un recueil de ses textes.

On lui fait la fête aux FrancoFolies de Montréal de 1995, couronnant une carrière remarquable et célébrant la parution d'un nouvel album digne des grands jours: *Écoute pas ça*. La très belle chanson-titre ainsi que «Envoye à maison», «Faut pas aimer trop vite, faut pas aimer trop fort», «Une chance qu'on s'a» et «La musique» nous révèlent un Ferland amoureux, qui a su conserver sa verdeur et une écriture drôlement vive, et qui a eu la bonne idée de s'entourer de jeunes complices tel l'excellent guitariste Bob Cohen. Une réussite remarquable.

Les Frères à ch'val (1993)

Une allure et une énergie débridées, une musique rigoureusement livrée dans une ambiance de fête: voilà ce qu'offrent Les Frères à ch'val. Formation née au hasard d'une rencontre entre Thibaud de Corta, dessinateur, et Polo Bellemare, ex-Dédé Traké, auxquels s'ajouteront François Lalonde, Gilles Brisebois et Mara Tremblay, violoniste et mandoliniste qui contribue grandement au "son" du groupe (rappelez-vous la mandoline sur «L'été», grand succès de l'été 96).

Accumulant les triomphes dans les petites salles de la métropole, Les Frères à ch'val se voient presque propulsés vers l'enregistrement d'un premier compact, nullement prémédité, à ce qu'on dit.

Eh bien, grand bien leur fasse, puisque le cru 95, *C'pas grave*, véritable fourre-tout de tous les styles musicaux, réjouit autant le public que les stations radiophoniques («RastaFar-West», «Cauchemar», une reprise réussie de la chanson popularisée par Charlebois).

ÉRIC LAPOINTE (1969)

En 1994-95, deux nouvelles figures sont jetées aux fauves des médias: Kevin Parent et Éric Lapointe. Le premier, à l'allure timide, blond aux yeux clairs, fait plutôt dans la culpabilité; le second, frondeur, brun aux yeux bruns, joue le martyr amoureux. Et là où l'un propose du folk-rock, l'autre nous balance du *corporate rock*.

Certains se demandent à quoi rime tout ce tapage autour de Lapointe: sa musique n'emprunte-t-elle pas des sentiers mille fois battus? et ses paroles ne pèchent-elles pas par manque de maturité? De toute évidence, c'est Lapointe lui-même, par son charisme, son intensité et son énergie (il reprend avec panache «Bobépine» de Plume Latraverse), qui retient l'attention. Sa voix éraillée et sa présence en scène fougueuse, à la John Mellencamp, lui vaudront même d'ouvrir un spectacle des Rolling Stones à Paris.

Ses chansons, aussi clichés soient-elles, n'en sont pas moins efficaces: «Terre promise (poussé par le vent)» et «N'importe quoi» sont reprises en chœur, un peu comme les ballades lourdes de Patrick Bruel. Co-auteur, avec Roger Tabra (qui commettra son propre disque en 1996), des paroles, et co-compositeur, avec son groupe LaPOINTE et Aldo Nova, des musiques, il se verra couronné des Félix 95 de révélation de l'année et du meilleur album rock (*Obsession*).

Un houleux conflit judiciaire entre Lapointe et la maison de disques Gamma reportera la sortie d'un nouveau disque, *Invitez les vautours*, à l'automne 1996. On parle d'une production plus "brute" et d'un Lapointe plus mordant.

Éric Lapointe

Kevin Parent

Lynda Lemay (1966)

Lauréate du Prix de l'auteur-compositeur-interprète au Festival de la chanson de Granby 1989, Lynda Lemay est une bourreau de l'écriture. Deux disques ont passé (*Nos rêves* et *Y*), des centaines de chansons dorment dans ses tiroirs, mais certains doutent cependant que quantité soit synonyme de qualité.

L'opinion publique semble divisée au sujet de Lynda Lemay: alors qu'elle remplit ses salles et les emmène au bord des larmes ou du rire, on critique d'autre part son style métaphorique ampoulé ou réaliste rase-mottes, comme en font foi ces deux vers extraits de «Semblant de rien», emblématiques du cas Lynda Lemay: «Attention à la chemise verte / Faut la laver à délicat». Comme chanson de rupture, on a déjà vu plus transcendant...

On lui pardonnerait sans doute ces dérapages stylistiques si on sentait moins la prétention littéraire qui sous-tend son écriture. Car talent il y a, à n'en pas douter (voir la finesse de «Drôle de mine»). Le grand public ne s'y trompe pas, appréciant sa jolie voix, l'accompagnement guitaristique dépouillé, et ses portraits touchants de gens ordinaires. Et comme c'est le public qui a le dernier mot...

Danielle Martineau (1951)

Cette mère de famille, sitôt les enfants volant de leurs propres ailes, vend tout: maison, auto, forme un groupe, Rockabayou, et se paye un premier disque. Parcours singulier mais pas vraiment étonnant pour cette musicienne formée à l'école classique, qui s'est par la suite intéressée surtout aux musiques folkloriques d'ici et de la Louisiane.

Poursuivant l'idéal de marier musique et engagement social, l'auteure-compositrice-interprète jette un pont entre le passé et le présent, un peu comme le fit La Bolduc à son époque. L'album *Autrement* (1994), farci de zydeco, de turlute et de complainte, confirme son talent.

Térez Montcalm

Il faut prendre le temps de l'apprivoiser, Térez Montcalm. Entêtée, anti-showbiz, déterminée, elle est à l'image de sa voix: pas de demi-mesures, pas de raffinement. En ce sens, elle serait le pendant féminin de Dan Bigras.

Ils sont pourtant 25 000 à prendre le *Risque* d'acheter ce premier album qui a tant tardé à paraître, la principale concernée refusant toute concession. Huit compositions originales de la chanteuse, dont la swinguante pièce-titre, qui sera beaucoup entendue, et quatre reprises, dont les très réussies «Le cinéma» de Nougaro et «For me... formidable» d'Aznavour.

Une voix rauque et indomptable sur des musiques jazz, rock, blues.

Kevin Parent (1972)

Rarement assiste-t-on à pareille réaction, public et médias confondus, à l'égard d'un nouveau venu dont on ne sait pratiquement rien, sinon qu'il a remporté le premier prix au concours Le Pouvoir de la chanson, édition 1992-93. *Pigeon d'argile*, premier album de Kevin Parent, se révèle la grosse surprise de 1995. Sa compagnie de disques avait dû flairer le coup puisque l'inconnu y est entouré de musiciens chevronnés: Jeff Smallwood, Pierre Duchesne et France D'Amour, entre autres. Carte de visite de qualité, donc, pour ce jeune Gaspésien qui débarque en ville.

L'enthousiasme ne se fait pas attendre, véritable jeu de dominos où succombent tour à tour journaux, télés, radios, et surtout public. Triomphes au Spectrum, aux FrancoFolies de Montréal, au Festival d'été de Québec; accueil poli toutefois au Printemps de Bourges où l'on a peine à comprendre ce qu'il raconte.

Dans un Québec au passé catholique pas si lointain, il est vrai que ses confessions et sa culpabilité (infidélité, drogue, alcool) ont de quoi plaire («Seigneur», «Father on the go», «La jasette», «La critique»)... Ajoutez à cela la naïveté, l'honnêteté, l'intelligence, un accent inimitable et une beauté à faire pâmer la gent féminine au grand complet et vous voilà avec une "valeur sûre".

Reste à voir vers où la musique de Parent, pour l'instant folk-rock assez standard, évoluera.

François Pérusse (1960)

Depuis 1990, ses capsules humoristiques radiophoniques quotidiennes,

Les deux minutes du peuple, connaissent un succès retentissant. Les quatre *Albums du peuple* ne font pas moins bonne figure, totalisant près de 500 000 ventes.

Il faut dire que Pérusse a développé un style bien particulier, fondé surtout sur l'échantillonnage: tout y passe, des chansons à la mode au grille-pain, sans s'en tenir toutefois à la bête copie. Voilà d'ailleurs ce qui nous intéresse ici: Pérusse crée ses propres chansons et ses propres personnages, et nous les retourne comme autant de miroirs de nos petits travers. Difficile de résister à son humour intelligent, et de ne pas s'incliner devant un tel travail.

Luc Plamondon (suite)

Depuis *Starmania* et sa rupture avec Diane Dufresne, en 1984, les interprètes de Luc Plamondon se multiplient: Marie Carmen, Marie-Denise Pelletier, Richard Cocciante, Céline Dion, Ginette Reno (qui lui consacrent toutes deux un album entier), pour n'en nommer que quelques-uns.

"Monsieur Hits" affectionne toutefois plus particulièrement les projets de grande envergure. Il produit donc un second opéra-rock avec le compositeur Michel Berger, *La légende de Jimmy*, dont seule la chanson-thème, admirablement interprétée par Diane Tell, survivra au spectacle.

Il faudra attendre 1992 pour retrouver le meilleur de Plamondon. *Les Romantiques*, œuvre largement sous-estimée, écrite en collaboration avec Catherine Lara, et dans laquelle l'auteur, visiblement inspiré par la vie de George Sand, prouve de façon indé-niable son grand talent, sera accueillie tièdement à Paris lors de sa création. Sa présentation montréalaise en version concert unique, en décembre 1993, soulèvera toutefois un très grand enthousiasme.

Parallèlement à l'écriture, Luc Plamondon ne cesse de se battre pour les droits d'auteur et pour la création de comédies musicales au Québec.

Possession simple (1988)

Issu de la même cuvée que Les Parfaits Salauds et Vilain Pingouin, le groupe Possession simple se déclare le "mouton noir" de la scène rock. Grands gagnants au concours Rock-Envol de 1988, ils mettront quatre ans à sortir un premier album au titre évocateur, *Guerre d'usure*, duquel sera extraite la chanson «Comme un cave».

Éric Goulet, Nicolas Jouannaut, Olivier Renaldin et Luc Lemire proposent une musique plus lourde et un propos plus fataliste que leurs confrères, et ils affichent une allergie à tout ce qui relève du marketing, ce qui explique peut-être leurs difficultés à atteindre un large public. Les médias leur sont pourtant très favorables, appréciant entre autres la touche funky du saxophone.

Entêtés et lucides, ils sillonnent inlassablement la province, se produisent dans tous les clubs et festivals. En 1995, ils présentent un second disque, *Cru*, qui confirme l'écart entre l'appréciation des critiques et celle du public. Au printemps 96, ils congédieront l'exhubérant saxo Luc Lemire, espérant donner ainsi un nouveau son et un second souffle à la formation.

Gildor Roy (1960)

Les titres de ses deux premiers albums, *Tard le soir sur la route* et *Une autre chambre en ville*, donnent une bonne idée du style qu'affectionne le comédien-chanteur: le country.

Au début, en 1991, avec la chanson «Donne-moi un bec», on ne sait trop s'il s'en moque; car Gildor Roy provient du milieu théâtral, à des lieues de Willie Lamothe. Il parviendra à maintenir l'ambiguïté, galvaudant sans vergogne les clichés du cow-boy les plus éculés tout en frayant avec l'industrie pop, et non dans le circuit parallèle country et western. Et ce qui se voulait un à-côté amusant deviendra de plus en plus sérieux. Pour le meilleur et pour le pire.

Rude Luck (1992)

Ils sont nombreux à se réjouir que l'édition 1992 de L'Empire des futures stars couronne un groupe funky, multiethnique et à la musique métissée. Rude Luck apporte une fraîcheur bienvenue dans le paysage musical québécois aux horizons parfois bornés.

Un premier disque éponyme est lancé en 1993, duquel la chanson «Tout recommencer» se fraye un chemin sur les ondes radio. Les propos pacifistes et universalistes de l'auteur et chanteur Luck Mervil, ainsi que les musiques aux accents antillais et funk de Rudy Toussaint et Frédérick Thivierge en font les représentants d'une jeunesse néo-hippie.

Le deuxième album, *Two* (1996), a l'accent anglais et l'habit plus rock. Sans trop s'éloigner des sources antérieures, on a mis du tigre dans le moteur, et peu s'en plaindront. À noter la reprise reggae de «Moon Shadow» de Cat Stevens.

Diane Tell (suite)

Alors que les fans québécois de Diane Tell commençaient à désespérer de jamais la revoir, quelle magnifique surprise que l'album *Désir, plaisir, soupir*! Surtout qu'il s'accompagne du retour de l'enfant prodigue (et prodige), après une absence de plus de dix ans. Le disque est une réussite en tous points: mélodies fortes, chansons bien structurées, et travail remarquable de Stéphane Montanaro aux arrangements et à la réalisation. Il a su varier les couleurs et les tons, saisissant en une formidable synthèse tous les courants musicaux de l'heure – hip-hop (*Chut!*), grunge (*La folie*), ambiance sonore à la Daniel Lanois (*Un autre monde*).

Le talent de Diane Tell respire enfin, le public a pu l'apprécier au Festival d'été de Québec et aux FrancoFolies de Montréal de 1996. Une rentrée par la grande porte.

Marie-Jo Thério (1965)

Il est un peu frustrant pour quelqu'un qui se considère d'abord comme une auteure-compositrice-interprète d'être reconnue par le grand public comme un personnage de téléroman pour adolescents. Marie-Jo Thério quittera donc le très populaire *Chambres en ville* pour produire un premier disque.

Mais il serait erroné de croire qu'il s'agit là de ses premiers pas en musique: la jeune femme a longtemps fait ses gammes à la stricte école des religieuses, elle a ensuite bourlingué de par le monde, jouant ici et là avec les musiciens locaux; elle a incarné la sœur de Nelligan dans l'opéra romantique du même nom et a fait partie de la distribution anglophone des *Misérables*; bref, on est ici loin de la récupération mercantile.

Marie-Jo Thério

Si l'album *Comme de la musique* ne fait pas de ravages, le spectacle, lui, présenté à l'automne 95 et au printemps 96, récolte sa part d'éloges. Pourtant, tout n'est pas évident chez Thério: sa voix très particulière (de gorge) peut agacer; et ses textes sombrent parfois dans la banalité. Mais ses chansons ont le swing cajun, le parler acadien (le "chiac") et l'énergie d'une fille passionnée et entière.

Toutes ces qualités lui seront d'ailleurs reconnues par l'attribution, en 96, du prix Raymond-Lévesque, destiné à encourager les carrières prometteuses.

TSPC (1993)

Le chanteur Daniel Thibault éructe en français et en anglais, Paule Magnan tire des "riffs" lourds de son manche, l'échantillonneuse Judith Taillefer pille Harmonium et Offenbach: on pourrait avoir affaire à l'un des nombreux groupes pour adolescents en mal de défoulement mais TSPC (formé également du bassiste Jean-François Lemieux et du batteur Benoît Clément) transcende le genre. Oui, les jeunes "pogotent" et "surfent" à qui mieux mieux à leurs spectacles, mais les plus vieux y trouvent aussi leur compte: musique métal, mais texturée et mélodique; textes revendicateurs, mais intelligents et percutants; présence en scène énergique, mais non juvénile. Bref, après une participation au festival-congrès North by Northeast à Toronto et la parution d'un premier compact, *Ego*, sur une étiquette majeure, on a tous bien hâte de «Connaître la suite».

Karen Young (1951)

Longtemps associée au jazz par sa collaboration avec Michel Donato, la chanteuse élargit petit à petit ses horizons, jusqu'à ce que son éclectisme culmine en 1995 dans un événement inusité: cinq soirs, cinq spectacles différents. Country-folk, classique, rock, world beat et surtout, en ce qui nous concerne, chanson française. Car Karen Young a beau être anglophone, elle ne dédaigne pas la langue de Molière. Sur disque et en spectacle, elle interprète magistralement «Lucky Lucky», «On m'a oublié» et «Chaude était la nuit», toutes de Richard Desjardins. Elle offre aussi des versions bouleversantes du «Déserteur» de Boris Vian et de «Mommy», chanson sur la disparition de la langue française popularisée par Pauline Julien.

Zébulon (1993)

Ils remportent haut la main l'édition 93 de L'Empire des futures stars. Il s'agit pourtant de la première vraie prestation de Zébulon, du moins sous ce nom, car nous avons affaire ici à des musiciens qui ont fait leurs gammes pendant une dizaine d'années au sein de formations diverses.

Marc (chanteur et principal auteur) et Yves Déry, Yves Marchand et Alain Quirion forment un quatuor bien uni, aux harmonies vocales riches et travaillées, et à l'exécution musicale d'une précision métronomique. «Job steady», «Les femmes préfèrent les Ginos» et «Venezuela», extraites d'un album qui aura mis peu de temps à naître, se nichent confortablement dans les palmarès, séduisant les oreilles, comme les Beatles, par un mariage de belles voix.

Comment qualifier ces chansons? Eh bien, elles se veulent rigolotes sans être niaises, et elles pratiquent l'autodérision. On y parle beaucoup de relations hommes-femmes et de cul, mais les hommes en prennent pour leur rhume.

Zébulon a raflé le Félix de la découverte de l'année en 1994, et ils ont eu l'honneur d'être invités au spectacle de la Saint-Jean de 1996.

Conclusion

Voilà un parcours peu banal que celui de cette chanson d'une communauté minoritaire nord-américaine. Avec le recul que nécessite un tel "guide", les enjeux de sa pratique même s'en trouvent mieux mis en évidence. Dès le 20 janvier 1968, dans le journal *Le Devoir*, André Major est tellement impressionné par la vitalité de ce qu'il appelle déjà «la chanson québécoise» qu'il sent le besoin d'en dresser «un bref bilan». Après avoir salué l'invention et la fantaisie de La Bolduc, le côté rêveur et sentimental du moraliste Félix Leclerc – un poète de la chanson –, Major s'arrête à Gilles Vigneault qui lui apparaît comme «un moment de transition» entre Félix et Georges Dor (ce dernier ayant inventé la poésie de notre quotidien): «Vigneault incarne les contradictions proprement québécoises, les tiraillements entre l'espace inconnaissable des forêts et les murs des villes. Il ne les résout d'ailleurs pas, ces contradictions [...].» Major poursuit son inventaire en rappelant Raymond Lévesque, Jean-Pierre Ferland, Claude Léveillée, les grands interprètes que sont Pauline Julien et Monique Leyrac, et tout à coup – rappelons qu'on est en 1968 –, le critique déploie son discours avec un enthousiasme sans bornes:

> Et ce qu'on aperçoit tout d'abord, dans ce foisonnement de chansons, c'est une conscience nouvelle du pays, c'est le désir [...] de lui donner un visage qui corresponde à ce que nous sommes, à ce que nous devenons. La chanson a suivi le même chemin que la poésie, le roman, l'essai, le cinéma, c'est-à-dire qu'elle se dirige vers une forme d'engagement total, et non strictement politique.

Major a précisément intitulé son article: «La chanson québécoise: du rêve au combat». Il poursuit ainsi son portrait militant:

Il y a comme une dure et pure volonté d'enracinement et de conquête. On nomme les arbres, les villes, la Manic; on relate la honte de soi, et allègrement on revendique le droit d'être des hommes particuliers [...] et Dor dit merveilleusement, virilement, qu'il est beau de posséder, avec Vigneault, ses hivers et la femme qu'on aime. [...] On part à la conquête du pays réel, du pays physique, de son âme aussi. [...] C'est un beau combat qu'on mène et que reprennent les plus jeunes. Charlebois avec sa Boulée, Dubois avec sa rue Sanguinet et ses sandwichs à la moutarde.

Major endosse donc totalement le discours idéologique autour duquel les Québécois tentaient d'établir un consensus. Le phénomène de la chanson s'est développé dans le giron du nationalisme et dans le *sens* qu'il souhaitait qu'elle dégage. Toute la suite de l'article est à citer, ne serait-ce que parce que celui-ci peut encore signifier un enjeu important auprès de lecteurs qui en reçoivent le souffle quelque trente ans plus tard:

> [...] C'est à cause de sa nature même qu'elle [la chanson] est devenue ce qu'elle est. Rivée à la vie qu'elle doit traduire musicalement et verbalement, la chanson s'est trouvée, un beau jour, tout naturellement engagée dans le sens des forces nouvelles qui bouleversaient notre vie collective. Elle exprime directement la réalité. [...] La chanson a dit ce que nous voulions, ce que nous étions, et nous nous y sommes mirés. Son message n'est pas banal; c'est celui de la jeunesse. Qu'on l'entende ou non, il circule ici et ailleurs, il s'impose déjà.
>
> Et pourquoi ne chanterions-nous pas nos faits et gestes? Chanter sur les chemins de l'avenir, voilà une façon de vivre qui nous révèle à nous-mêmes en nous rapprochant de la jeunesse du monde.

En 1968, c'était accorder un bien beau et un bien difficile rôle à la chanson locale. À travers les vicissitudes qu'elle a connues au cours du dernier quart de siècle, la chanson québécoise a toujours rempli cette fonction d'identification et de ralliement que souhaitait lui voir jouer l'écrivain André Major. Elle a certes évolué en empruntant des masques et des voix diverses, s'accordant ainsi à tout un éventail de publics différents. Mais n'est-ce pas là un signe de grande vitalité que puissent cohabiter des styles de chansons et d'interprètes différents, différents par les goûts et les intérêts que la chanson est capable de soutenir, et par ailleurs les dégoûts et l'indifférence de ses détracteurs. La chanson *vit* de toutes les tensions que crée la société pour se maintenir dynamique, que ces tensions soient d'ordre économique, politique, culturel ou technologique.

Après un creux important de ses activités au début des années 80, la chanson québécoise a prouvé par la suite que ses artisans et ses publics étaient toujours là pour la faire circuler et signifier. Et plus encore même depuis que l'industrie remet en circulation un répertoire collectif qui était en train de figer dans le vinyle et qui risquait d'être oublié par les dernières générations.

Il serait toutefois illusoire d'imaginer que rien ne peut freiner ce nouvel élan. En tant qu'expression privilégiée d'une culture minoritaire dans un continent nord-américain anglo-saxon, la survie de la chanson québécoise passe d'abord et avant tout par la volonté des pouvoirs politiques. L'intérêt que manifeste la population québécoise pour son patrimoine culturel ne suffit pas à en assurer la sauvegarde et surtout la vitalité. Une culture minoritaire n'a pas à rougir – nécessité historique et exiguïté du marché obligent! – du besoin d'être subventionnée, d'être réglementée sur les ondes radiophoniques, d'être protégée enfin, de manière à ce que les droits des auteurs-compositeurs-interprètes soient respectés et de manière à ce que les taxes prélevées ne viennent pas étouffer notre parole collective.

À travers La Bolduc et Jean Leloup, Gilles Vigneault et Éric Lapointe, c'est toute une société qui s'exprime en chansons. Au-delà d'une pratique organisée et hautement industrialisée, la chanson demeure sans conteste un art populaire digne de tous les égards.

Bibliographie sommaire

LIVRES

Baillargeon, Richard et Christian Côté. *Une histoire de la musique populaire au Québec* ou *Destination ragou*, Montréal, Triptyque, 1990, 134 p.

Bégin, Denis, André Gaulin et Richard Perreault. *Comprendre la chanson québécoise*, Rimouski, Éd. GREME, 1993, 440 p.

Chamberland, Roger et André Gaulin. *La chanson québécoise, de La Bolduc à aujourd'hui, Anthologie*, Québec, Nuit blanche éditeur, 1994, 595 p.

Giroux, Robert (sous la dir. de). *La chanson prend ses airs*, Montréal, Triptyque, 1993, 234 p.

————— *En avant la chanson!*, Montréal, Triptyque, 1993, 250 p.

————— *La chanson; carrières et société*, Montréal, Triptyque, 1996, 228 p.

Giroux, Robert. *Parcours. De l'imprimé à l'oralité*, Montréal, Triptyque, 1990, 491 p.

Kallmann, Helmut, Gilles Potvin et Kenneth Winters (sous la dir. de). *L'encyclopédie de la musique au Canada*, Montréal, Fidès, 1993 (seconde édition en 3 vol.), 3865 p.

L'Herbier, Benoit. *La chanson québécoise*, Montréal, Québec, Éd. de l'Homme, 1974, 190 p.

Millière, Guy. *Québec, chant des possibles*, Paris, Albin Michel, 1978, 190 p.

Normand, Pascal. *La chanson québécoise, miroir d'un peuple*, Montréal, France-Amérique, 1981, 281 p.

Roy, Bruno. *Panorama de la chanson au Québec*, [s.l.], Leméac, 1977, 169 p.

————— *Et cette Amérique chante en québécois*, Montréal, Leméac, 1978, 265 p.

————— *Pouvoir chanter*, Montréal, VLB éditeur, 1991, 452 p.

Thérien, Robert et Isabelle D'Amours. *Dictionnaire de la musique populaire au Québec (1955-1992)*, Québec, I.Q.R.C., 1992, 580 p.

Thibault, Gérard et Chantal Hébert. *Chez Gérard, la petite scène des grandes vedettes*, Sainte-Foy, Éd. Spectaculaires, 1988, 542 p.

REVUES

Communication, vol. 8, nº 2, 1986, «La musique populaire».
Études littéraires, hiver 1995, vol. 27, nº 3, consacré aux poétiques de la chanson.
Mœbius, nº 60 («La voix») et nº 62 («Les écrivains-paroliers»).
Présence francophone, nº 48, 1996, «La chanson».
Urgence, nº 26, hiver 1990, «Des textes qui chantent».

Chansons (d'aujourd'hui), *Québec-Rock* et *Paroles et musique (Le compositeur canadien)*.

SITES INTERNET

La chanson d'expression française
NetMusik
French Music Database

Index des noms

225

Crédits des photos

Page 32, Willie Lamothe: Creative Photographers
Page 36, Lucille Dumont: Collection personnelle
Page 40, Raymond Lévesque: *La Tribune*
Page 50, photo de groupe: Bermingham Inc.
Page 53, Gilles Vigneault: *La Tribune*
Page 57, Les Hou-Lops: *Rendez-vous 95*
Page 106, Diane Dufresne: Fabrice Dairault
Page 117, Sylvain Lelièvre: André Panneton
Page 133, Luc Plamondon: Yves Nantel
Page 160, *Starmania*: François Rivard
Page 167, Marjo: Monic Richard
Page 173, Richard Desjardins: Jean-François Leblanc
Page 173, Céline Dion: Randes St. Nicholas et George Bodnar
Page 176, Pierre Flynn: Jean-François Bérubé
Page 180, Luc de Larochellière: Jean-François Leblanc
Page 180, Daniel Lavoie: Les Paparazzi
Page 180, Marie-Denise Pelletier: Jan Thijs
Page 180, Jean Leloup: Jean-François Leblanc
Page 190, Michel Rivard: Jean-François Leblanc
Page 191, Marie-Claire Séguin: Jean-François Bérubé
Page 192, Richard Séguin: Michel Richard
Page 196, Geneviève Paris: Monic Richard
Page 196, Laurence Jalbert: Jean-François Bérubé
Page 196, Sylvie Tremblay: Suzanne Langevin
Page 202, Dan Bigras: Jean-François Bérubé
Page 208, Éric Lapointe: Izabel Zimmer
Page 212, Marie-Jo Thério: Jean-François Bérubé

Table des matières

Dans la même collection chez Triptyque

AUBÉ, Jacques. *Chanson et politique au Québec (1960-1980)*, 1990, 134 p.

BAILLARGEON, Richard et Christian CÔTÉ. *Une histoire de la musique populaire au Québec. Destination ragou*, 1991, 182 p.

CÔTÉ, Gérald. *Les 101 blues du Québec*, 1992, 238 p.

D'ANTOINE, René. *Petit référentiel de l'auteur-compositeur*, 1996, 77 p.

GIROUX, Robert (sous la dir. de). *La chanson dans tous ses états*, 1987, 240 p.

GIROUX, Robert. *Parcours. De l'imprimé à l'oralité*, 1990, 494 p.

GIROUX, Robert (sous la dir. de). *La chanson prend ses airs*, 1993, 234 p.

GIROUX, Robert (sous la dir. de). *En avant la chanson!*, 1993, 251 p.

GIROUX, Robert (sous la dir. de). *La chanson, carrières et société*, automne 1996, 228 p.

JULIEN, Jacques. *Robert Charlebois, l'enjeu d'«Ordinaire»*, 1987, 200 p.

JULIEN, Jacques. *La turlute amoureuse. Érotisme et chanson traditionnelle*, 1990, 180 p.

JULIEN, Jacques. *Parodie-chanson. L'air du singe*, 1995, 184 p.

LAFORTE, Conrad. *La chanson de tradition orale et les écrivains du XIXᵉ siècle (en France et au Québec)*, 1995, 123 p.

LAMOTHE, Maurice. *La chanson populaire ontaroise (1970-1990)*, 1994, 391 p.

LA ROCHELLE, Réal. *Callas, la diva et le vinyle. La POPularisation de l'opéra dans l'industrie du disque*, 1988, 416 p.

LISCIANDRO, Frank. *Jim Morrison. Un festin entre amis*, traduit de l'américain par François Tétreau, en coédition avec Le Castor astral (à paraître à l'automne 1996).

LONERGAN, David. *La Bolduc. La vie de Mary Travers*, 1992, 215 p.

MONETTE, Pierre. *Macadam tango*, 1991, 191 p.

MONETTE, Pierre. *Le guide du tango*, 1992, 260 p.

PELINSKI, Ramon (sous la dir. de). *Tango nomade*, 1995, 469 p.

WAGNER, Jean. *Le guide du jazz*, 1992, 248 p.

n° 59 de la revue *Mœbius* sur les «écrivains-paroliers»

n° 60 de la revue *Mœbius* sur la «voix»